Françoise Bourdin

Françoise Bourdin a le goût des personnages hauts en couleur et de la musique des mots. Très jeune, elle écrit des nouvelles ; ainsi, son premier roman est publié chez Julliard avant même sa majorité. L'écriture se retrouve alors au cœur de sa vie. Son univers romanesque prend racine dans les histoires de famille, les secrets et les passions qui les traversent. Elle a publié une quarantaine de romans chez Belfond depuis 1994 – dont quatre ont été portés à l'écran –, rassemblant à chaque parution davantage de lecteurs. Françoise Bourdin vit aujourd'hui entre Paris et la Normandie.

Retrouvez toute l'actualité de l'auteur sur :
www.francoise-bourdin.com

LE CHOIX D'UNE FEMME LIBRE

DU MÊME AUTEUR
CHEZ POCKET

L'HOMME DE LEUR VIE
LA MAISON DES ARAVIS
UN MARIAGE D'AMOUR
UN ÉTÉ DE CANICULE
RENDEZ-VOUS À KERLOC'H
OBJET DE TOUTES LES CONVOITISES
L'INCONNUE DE PEYROLLES
UN CADEAU INESPÉRÉ
LES BOIS DE BATTANDIÈRE
UNE NOUVELLE VIE
NOM DE JEUNE FILLE
SANS REGRETS
MANO A MANO
D'ESPOIR ET DE PROMESSE
LES SIRÈNES DE SAINT-MALO
SERMENT D'AUTOMNE
DANS LE SILENCE DE L'AUBE
COMME UN FRÈRE
BM BLUES
UN SOUPÇON D'INTERDIT
LA PROMESSE DE L'OCÉAN
L'HÉRITIER DES BEAULIEU
LA CAMARGUAISE
AU NOM DU PÈRE
FACE À LA MER
LE CHOIX DES AUTRES
HORS SAISON

Les diptyques

LE SECRET DE CLARA *
L'HÉRITAGE DE CLARA **

LES ANNÉES PASSION *
LE CHOIX D'UNE FEMME LIBRE **

UNE PASSION FAUVE *
BERILL OU
LA PASSION EN HÉRITAGE **

LES VENDANGES DE JUILLET *
& JUILLET EN HIVER **
(en un seul volume)

LE TESTAMENT D'ARIANE *
DANS LES PAS D'ARIANE **

D'EAU ET DE FEU *
À FEU ET À SANG **

GRAN PARADISO *
SI LOIN, SI PROCHES **

Françoise Bourdin
présente
GALOP D'ESSAI

FRANÇOISE BOURDIN

LE CHOIX D'UNE FEMME LIBRE

BELFOND

Pocket, une marque d'Univers Poche, est un éditeur qui s'engage pour la préservation de son environnement et qui utilise du papier fabriqué à partir de bois provenant de forêts gérées de manière responsable.

ISBN 978-2-266-14928-0

1

Décembre 1993

L'avion atterrit à Mérignac avec une bonne demi-heure de retard. Comme elle n'avait aucun bagage à récupérer sur le tapis roulant, Lucrèce se précipita hors de l'aéroport et sauta dans le premier taxi disponible.

Un soleil pâle tentait encore de percer la brume, mais il ne tarderait plus à disparaître. Même s'il faisait moins froid à Bordeaux qu'à Paris, l'hiver était bien là à présent, et la nuit venait tôt.

Tandis que le chauffeur s'engageait sur la rocade, Lucrèce se mit à jouer distraitement avec la bandoulière de son sac. Pourquoi cet appel de son père la rendait-il si nerveuse ? Parce que c'était la toute première fois qu'il la réclamait ? Depuis des années, leurs rapports étaient inexistants. Après la rancune, une sorte d'indifférence réciproque s'était installée, qu'ils n'avaient ni l'un ni l'autre cherché à rompre.

Derrière la vitre du taxi, le paysage défilait, familier. Chaque fois qu'elle revenait à Bordeaux, Lucrèce se sentait de nouveau chez elle, et chaque fois qu'elle en repartait, elle éprouvait une bouffée de mélancolie. Pourtant, elle menait exactement la vie qu'elle voulait à Paris. Au journal, elle signait souvent l'éditorial, et le nom de Lucrèce Cerjac commençait à compter dans le monde de la presse. Son agenda était surchargé de rendez-vous, d'invitations qui lui laissaient rarement l'occasion de passer une soirée seule. Elle connaissait une foule de gens passionnants, exerçait son métier en toute liberté, et quelques reportages au bout du monde lui avaient même donné le goût des voyages. Mais ses racines demeuraient solidement plantées là, au bord de la Gironde, dans cette ville hautaine et fascinante où elle était née.

Elle constata qu'ils arrivaient déjà dans le centre, par la rue des Frères-Bonie. Place Pey-Berland, elle se pencha pour apercevoir les fenêtres de l'appartement de Fabian, dont les volets étaient fermés. À son retour de New York, il serait très déçu de savoir qu'elle était venue en son absence.

Fabian… Penser à lui la troublait toujours autant, et elle ressentit un regret aigu à l'idée de ne pas pouvoir se retrouver dans ses bras le soir même.

— Nous y voilà, annonça le chauffeur en s'arrêtant cours Victor-Hugo.

Elle lui fourra un billet dans la main, descendit sans attendre la monnaie. Debout sur le trottoir, elle resta quelques instants immobile, perdue dans la contemplation de l'élégante façade XVIIe. Malheureusement, la maison de son enfance était un endroit où ni elle ni son frère Julien ne mettaient plus les pieds qu'avec réticence. Ils y avaient pourtant connu des années heureuses, avant le divorce de leurs parents, avant que leur père ne se remarie avec l'insupportable Brigitte, avant qu'il ne leur inflige ces demi-sœurs trop gâtées avec lesquelles il s'était cru obligé de bêtifier pour plaire à sa jeune épouse. Et ses nouveaux enfants avaient comme effacé les anciens, un clou chassant l'autre.

Quelle considération Lucrèce aurait-elle pu garder pour lui ? Il ne s'était plus soucié d'eux du jour où ils étaient partis, avec leur mère, vivre ailleurs. Il n'avait pas proposé à Julien d'entreprendre des études, n'avait pas pris ombrage de le savoir moniteur d'équitation dans un club hippique tandis que, de son côté, Lucrèce trouvait à dix-huit ans un emploi de caissière dans un supermarché pour financer sa formation de journaliste. Quant à leur mère, qui n'avait même pas exigé de prestation compensatoire, elle végétait dans une minuscule librairie depuis qu'elle avait été rejetée au profit de Brigitte.

Devant la porte cochère, Lucrèce marqua une ultime hésitation. Au téléphone, la veille, la voix de son père l'avait inquiétée. Il s'était fait pressant, presque suppliant, ce qui ne lui ressemblait guère, et elle avait décommandé un rendcz-vous très important pour pouvoir le rejoindre au plus vite. Malgré leur différend et tout ce contentieux entre eux, Guy Cerjac restait son père, jamais elle ne pourrait s'empêcher tout à fait de l'aimer. D'un geste résolu, elle appuya sur le bouton de la sonnette et entendit résonner dans les profondeurs de la maison le ridicule carillon Westminster installé par Brigitte. Presque aussitôt, la porte s'ouvrit en grand.

— Ah, te voilà !

Dans la pénombre du hall, elle découvrit la silhouette amaigrie de son père, mais elle n'eut pas le temps de s'étonner car il la saisit par les épaules, d'un geste affectueux, et l'attira à l'intérieur. Il était enveloppé d'une robe de chambre beige qui lui donnait très mauvaise mine.

— Tu es malade, papa ? s'enquit-elle d'un ton inquiet.

— Non, plus maintenant. Juste convalescent… Une pneumonie assez sérieuse m'a cloué au lit pendant près de dix jours, tu te rends compte ?

Pour l'accueillir, il avait néanmoins fait l'effort de se raser de près.

— C'est Brigitte qui t'a soigné ?

Elle n'avait pas mis d'ironie dans la question, pourtant il fronça les sourcils, sur la défensive.

— Aucun médecin ne soigne sa famille, rappela-t-il, et j'ai un très bon généraliste ! Viens par là, j'ai fait du feu dans le salon, je sais que tu aimes ça…

Cette sollicitude inédite l'étonna. Enfant, elle pouvait passer des heures devant la cheminée, les yeux rivés aux flammes, mais comment s'en souvenait-il encore ?

— Brigitte est partie aux sports d'hiver avec les filles, déclara-t-il sans la regarder. Mieux valait les éloigner un peu, j'étais contagieux et j'avais besoin de calme.

Il se laissa tomber dans un canapé blanc, le souffle court.

— Qui s'occupe de toi, papa ?

— N'exagérons rien, je ne suis pas à l'article de la mort, répondit-il avec un sourire contraint. La femme de ménage passe tous les jours, c'est elle qui prépare mes repas.

Lucrèce le dévisagea en silence, se bornant à hocher la tête. Ainsi, sa femme l'avait laissé seul, en bonne égoïste qu'elle était, n'appréciant sans doute pas le rôle de garde-malade. De toute façon, son mari n'avait jamais été pour elle qu'un moyen d'arriver à ses fins, Lucrèce en était persuadée.

— Tu me trouves une sale tête ? ajouta-t-il. C'est normal, j'ai perdu huit kilos. Et je ne compte pas les reprendre, je m'étais un peu laissé aller ces temps-ci ! Tu veux boire quelque chose ?

— Non… Ce que je voudrais, c'est savoir pourquoi tu m'as fait venir.

— Je vais te le dire, ne t'inquiète pas, mais pour une fois nous avons tout notre temps. À moins que tu n'aies prévu quelque chose ? Est-ce que tu…

L'idée devait toujours le rebuter et il s'interrompit, apparemment incapable de prononcer le prénom de Fabian. Il savait – comme n'importe qui à Bordeaux, d'ailleurs –, que Lucrèce était la maîtresse du professeur Fabian Cartier depuis bientôt neuf ans, une liaison qui l'avait d'abord scandalisé et qu'il continuait à désapprouver.

— Je te consacre ma soirée, je suis là pour toi, répondit-elle un peu sèchement.

— Tu es gentille. J'aurais voulu que ton frère puisse se joindre à nous, mais il est en voyage, il avait un concours je ne sais plus où…

— À Madrid.

— C'est ça.

Un silence gêné s'installa entre eux, mais elle n'était pas décidée à l'aider.

— Je ne comprends pas grand-chose à sa carrière, reprit-il, et je le regrette. Évidemment, il ne me tient pas au courant. Je suppose qu'il m'en veut. Comme toi.

Du coin de l'œil, il guettait manifestement sa réaction et elle s'obligea à rester calme.

— Vous devez penser que je n'ai pas toujours été très présent, ni très… affectueux, poursuivit-il. Mais voilà, j'aimais Brigitte comme un fou, et elle est très exclusive, tu la connais, je ne voulais pas la négliger…

— Alors nous sommes passés à la trappe, Julien et moi. Profits et pertes.

Choqué par l'expression, il la considéra d'un air réprobateur.

— Ce n'est pas si simple ! Au début, Brigitte se sentait en rivalité avec toi, elle était jalouse de mon passé, de ta mère, de tout ce qui vous concernait. Moi, je me retrouvais pris entre deux feux.

— Et tu as choisi ta nouvelle vie, tu as bien fait.

— Luce ! Tu n'es plus une gamine, je suis sûr qu'il y a des choses que tu peux comprendre aujourd'hui !

— Peut-être, mais j'en ai bavé, et Julien aussi.

Il n'était évidemment pas en mesure de répondre à cette affirmation. Si dix jours de repos forcé lui avaient sans doute donné la possibilité de réfléchir, de dresser des bilans, il avait dû être pris de regrets. Ses deux aînés étaient devenus des étrangers pour lui, il ne les avait vus ni grandir ni souffrir.

— Heureusement, vous avez réussi, tous les deux, murmura-t-il.

— Pas grâce à toi, papa !

Le lui dire en face, pour la toute première fois, procura à Lucrèce un soulagement inouï.

— Sans parler de maman, enchaîna-t-elle impitoyablement. Tu l'as laissée dans la misère. On a ramé pendant que tu t'offrais du bon temps.

Jamais elle ne se serait crue capable d'aborder le sujet avec lui de manière aussi directe. Sa propre franchise l'étonnait et lui apparaissait comme une victoire sur elle-même, et sur lui. Était-elle enfin guérie de sa blessure d'adolescence ? Allaient-ils réussir à faire la paix ?

— Si tu veux qu'on en discute, je crois que je peux le faire, avoua-t-elle en cherchant son regard. Il n'y a pas si longtemps encore, j'en aurais été incapable. Mais ce serait mieux si Julien était là.

— Ramé ? répéta-t-il, comme s'il n'avait retenu que ce mot. Pourquoi ? Rien ne vous empêchait de venir me voir, ma porte était grande ouverte !

— La porte de cette maison ? Ce n'était plus la nôtre ! Ta femme s'était dépêchée de transformer nos chambres en nursery et en salle de jeux, de tout changer de la cave au grenier pour effacer les dernières traces de maman, et elle nous a toujours traités en intrus, tu le sais parfaitement ! Et tu aurais voulu qu'on vienne sonner ici ?

— Lucrèce, soupira-t-il, tu t'es braquée contre elle dès le premier jour. Tu ne supportais pas que j'aie remplacé ta mère, que je puisse avoir ma vie à moi. Toutes les filles sont comme ça avec leur père...

— Mais je rêve ! explosa-t-elle. Tu m'as fait venir de Paris pour me sortir des âneries pareilles ?

Finalement, sa sérénité devait être bien artificielle pour n'avoir pas résisté à dix minutes de conversation.

— Tu voudrais réduire ça à un petit problème œdipien ? ironisa-t-elle.

— Oh, tu ne serais pas la première...

— Bien sûr. Et puis c'est pratique, comme ça tu n'es pas obligé de te sentir coupable !

— Coupable de quoi ?

— De démission, d'absentéisme, d'indifférence.

En le voyant blêmir, elle comprit qu'elle venait de toucher un point très sensible. Il resta silencieux un moment avant de lâcher, dans un souffle :

— Ma petite fille...

Elle faillit répliquer mais parvint à se taire. À quoi bon l'enfoncer davantage ? Il semblait vraiment malheureux et, au moins, il avait eu le courage de provoquer enfin une explication. Inutile de lui préciser à quel point elle l'avait détesté, méprisé, jugé.

— Tout bien réfléchi, dit-elle d'une voix plus douce, je boirais volontiers quelque chose.

— Tu connais le chemin de la cave, choisis ce que tu veux.

Alors qu'elle se levait, elle croisa son regard et constata qu'il avait les yeux brillants. Un reste de fièvre ? Un instant d'émotion ? Ou peut-être venait-il de s'apercevoir qu'il ne connaissait aucun de ses goûts d'adulte, qu'il l'avait perdue de vue lorsqu'elle était encore une enfant, et que le chemin serait difficile pour retrouver un peu de complicité. Néanmoins, il avait saisi l'opportunité que constituait l'absence de Brigitte, et c'était là un premier pas méritoire.

Lucrèce traversa le salon, le hall d'entrée, puis tourna derrière l'escalier où se dissimulait la porte de la cave. Lorsqu'ils étaient enfants, Julien adorait s'y cacher pour lui faire peur. Par habitude, elle chassa aussitôt ce souvenir. Son frère et elle avaient mis très longtemps à enterrer leur enfance, à s'en détacher, il n'était pas question pour elle de se laisser attendrir.

Claude-Éric Valère s'était rendu lui-même au rendez-vous manqué par Lucrèce. Comment avait-elle pu rater cet entretien passionnant, obtenu de haute lutte ? Mais peut-être le représentant du ministère de l'Intérieur aurait-il été moins détendu en présence d'une femme ? En tout cas, il avait répondu à toutes les questions, celles que Lucrèce avait préparées d'avance et celles que Valère avait ajoutées au fil de l'interview, à propos des nombreuses opérations de police effectuées dans les milieux islamistes, le mois précédent. Un sujet qui avait déjà fait couler beaucoup d'encre et sur lequel il convenait d'être prudent. Satisfait des renseignements de première main qu'il avait obtenus,

Claude-Éric avait bouclé l'article lui-même tout en avalant un croque-monsieur dans le premier troquet venu. Pour un patron de presse de son envergure, se retrouver dans la peau d'un journaliste représentait un exercice inattendu, presque amusant. Comme il connaissait toutes les ficelles du métier, il s'en était évidemment très bien sorti, ce qui ne l'avait pas empêché de continuer à pester contre Lucrèce. Que signifiait ce départ précipité pour Bordeaux, sous le vague prétexte de voler au secours de son père ? Guy Cerjac, qui n'avait même pas élevé sa fille aînée, était sûrement capable de se débrouiller sans elle !

Rue Monsieur-le-Prince, dans les locaux du célèbre hebdomadaire *Maintenant*, Claude-Éric gagna son bureau. En quatre ans, il avait fait de ce journal l'un des plus importants magazines d'information du marché. Et le tirage continuait à grimper, les abonnements à se multiplier, les annonceurs à affluer. Une formidable réussite, exactement telle qu'il l'avait prévue. Sur le marché de la presse écrite, il n'existait alors aucun hebdo sachant traiter l'événement en toute objectivité mais sans aucune complaisance. Avec des photos réalistes sans être racoleuses ou choquantes, des textes de qualité, des interviews exclusives et intégrales, ainsi qu'un dossier exhaustif chaque semaine, Claude-Éric avait pris le parti de l'exigence. Le créneau existait, vacant, il s'y était engouffré avec son instinct infaillible d'homme d'affaires. Pour cela, il lui avait suffi de trouver la bonne équipe, un pool de journalistes de talent qu'il payait grassement et tenait bien en main. Il se chargeait personnellement de donner l'impulsion d'un ton particulier à l'ensemble de la publication. Et c'était précisément cette liberté de ton qui séduisait les lecteurs.

Sa secrétaire entra, tenant à la main un listing qu'elle vint déposer devant lui.

— Les participants au congrès de chirurgie de New York du 18 décembre, susurra-t-elle.

Corinne avait l'habitude des demandes de recherches les plus insensées et ne posait jamais de questions à son patron. Il parcourut le document avec avidité, découvrant presque tout de suite le nom du professeur Fabian Cartier parmi les sommités médicales invitées. Ainsi, ce n'était donc pas lui que Lucrèce était allée voir en urgence à Bordeaux, mais bien son père. Un peu rasséréné, il fit signe qu'il voulait rester seul et la secrétaire s'éclipsa sur la pointe des pieds.

Machinalement, ainsi qu'il le faisait dix fois par jour, il tourna la tête vers l'immense photo accrochée sur le mur, juste à côté du bureau. Tous les membres de la rédaction, groupés autour de lui, souriaient à l'objectif en posant devant la porte cochère où se détachait nettement le logo de *Maintenant*. Cet agrandissement couleur lui permettait de contempler Lucrèce aussi souvent qu'il le désirait. Là-dessus, elle était belle à se damner avec ses petites mèches brunes sur le front, ses grands yeux lumineux, ses traits fins, sa silhouette de tanagra. Il se sentait amoureux comme un collégien, ce qui était la meilleure chose qui lui soit arrivée depuis un temps infini. Aucun de ses succès professionnels ne lui avait procuré une telle émotion, une aussi forte impression d'être vivant. Cette fille le fascinait, le subjuguait, le rendait fou depuis la première minute où il l'avait rencontrée. Et même si elle avait été moins jolie, il l'aurait aimée quand même, parce qu'elle possédait une intelligence remarquable qui le bluffait. Comparée à toutes les idiotes qui se jetaient à son cou uniquement parce qu'il avait le pouvoir de faire ou défaire une carrière – il était assez rusé pour ne pas en être dupe –, Lucrèce lui inspirait une authentique admiration, sentiment qu'il n'avait jamais éprouvé envers aucune femme. Non seulement elle avait un réel don d'écriture, mais elle pratiquait l'art de l'analyse ou de la synthèse d'une façon remarquable. Sans compter sa vitalité, sa détermination, toutes ces qualités qui faisaient d'elle une vraie battante. Depuis quatre ans, elle avait rédigé une série d'excellents articles, aussi bien sur la chute du mur de Berlin que sur le port du foulard islamique à l'école, la guerre du Golfe ou encore la violence des banlieues. Claude-Éric l'aidait parfois un peu en ce qui concernait la politique étrangère, mais dans l'ensemble, elle s'en sortait haut la main. Bien sûr, il lui avait offert une chance extraordinaire, d'abord en l'engageant à *Maintenant*, ensuite en tenant auprès d'elle le rôle de Pygmalion. En conséquence, il attendait d'elle une certaine reconnaissance. Était-il manipulateur pour autant ?

Avec un sourire amusé, il s'enfonça dans son grand fauteuil de cuir. Combien de temps encore s'obstinerait-elle à lui tenir tête ? À refuser ses avances tout en acceptant le reste ? Elle sortait volontiers avec lui, l'accompagnait dans la plupart des manifestations professionnelles, se laissait inviter au restaurant, mais jamais il n'avait pu l'embrasser. Au début, il avait cru qu'elle répugnait à le laisser monter chez elle parce que le studio qu'elle habitait rue de Médicis appartenait à Fabian Cartier. Encore lui ! Pourquoi cet éminent chirurgien bordelais possédait-il un pied-à-terre face au jardin du Luxembourg ? Uniquement pour venir quatre fois par an s'acheter des costumes, des chemises et des cravates à Paris ? Ou bien pour pouvoir offrir l'hospitalité à sa maîtresse ? Agacé par cette situation, Claude-Éric s'était empressé de louer un trois-pièces place Saint-Sulpice. À sa femme, Violaine, il avait vaguement raconté qu'il souhaitait un endroit où être tranquille, près du journal. Il n'allait tout de même pas traverser tout Paris jusqu'au parc Monceau chaque fois qu'il voulait une heure de paix ! Violaine s'était contentée d'acquiescer distraitement et il n'avait pas jugé bon de lui donner l'adresse. Mais Violaine ne disait jamais rien, occupée à élever leurs quatre enfants dans un immense appartement, boulevard de Courcelles, et habituée à ce que son mari soit un véritable courant d'air. À la tête d'un empire de presse dont *Maintenant* était le plus beau fleuron, Claude-Éric ne pouvait évidemment pas être très disponible pour sa famille, et personne ne songeait à le lui reprocher.

Lucrèce n'était venue que deux fois place Saint-Sulpice, et encore, il avait dû inventer des prétextes. Champagne frappé, cadre luxueux, conversation brillante : il avait tout essayé en vain, elle ne voulait pas de lui. Elle s'obstinait même à le vouvoyer, comme pour garder ses distances avec le patron, elle qui tutoyait les gens au bout de cinq minutes. Et, régulièrement, elle annonçait qu'elle allait passer un « petit week-end » à Bordeaux. À savoir, la nuit dans les bras de Cartier ! Quand donc se lasserait-elle de lui ? Claude-Éric avait fait la connaissance de Fabian dix ans plus tôt, à la suite d'un grave accident de voiture dont Violaine, contrairement à lui, n'était pas sortie indemne. Coupable, parce qu'il conduisait en excès de vitesse, il avait cherché le meilleur chirurgien orthopédiste jusqu'à ce qu'on lui recommande le professeur Cartier, à l'hôpital Saint-Paul de Bordeaux. Là, une opération délicate, magistralement effectuée, avait rendu toute la mobilité de sa hanche à Violaine. Tenant absolument à manifester sa gratitude, Claude-

Éric avait invité Fabian Cartier à plusieurs reprises, soit lorsqu'il était de passage à Bordeaux, où il détenait la majorité des parts du *Quotidien du Sud-Ouest,* soit à Paris, quand Fabian y séjournait. Ainsi s'était nouée une relation quasi amicale. Claude-Éric appréciait l'intelligence et l'élégance de Fabian – il avait d'ailleurs fini par lui demander l'adresse de son tailleur – et ressentait une certaine fascination devant sa capacité à conquérir les femmes. Elles s'entichaient toutes de lui, cherchaient toutes à lui plaire ; Violaine elle-même le regardait en se pâmant. Bien sûr, son aura de chirurgien le servait, en plus de son titre de professeur, mais indiscutablement, il était aussi très séduisant. Grand, au contraire de Claude-Éric qui souffrait de sa petite taille, avec un regard clair et un sourire chaleureux, bronzé d'un bout de l'année à l'autre, Fabian représentait l'archétype du séducteur. Sortir avec lui s'était révélé éprouvant pour les nerfs, et deux ou trois virées nocturnes avaient suffi à Claude-Éric pour constater qu'il ne pouvait pas lutter avec un homme possédant un tel charisme. Interrogé crûment à ce sujet, Fabian s'était contenté de répondre qu'il *adorait* les femmes et qu'elles devaient le deviner. Cependant, à force de jouer les don Juan, il n'avait pas vu arriver le danger et s'était finalement fait prendre au piège. Lorsque, quelques années plus tôt, il avait appelé Claude-Éric pour lui demander comme un service personnel de faire engager sa petite protégée au *Quotidien du Sud-Ouest*, il n'avait pas donné de détails, mais à l'évidence, il était enfin amoureux. La fille s'appelait Lucrèce Cerjac, elle était ridiculement jeune. Claude-Éric ne l'avait rencontrée que beaucoup plus tard et, curieusement, il était tombé dans la même chausse-trappe que Fabian. La débaucher du *Quotidien du Sud-Ouest* pour l'engager à *Maintenant* n'avait pas été trop difficile. Carrière, promotion, avenir, qu'est-ce qu'une petite journaliste de province pouvait refuser à un magnat de la presse ?

De nouveau, le regard de Claude-Éric se posa sur la liste des participants au congrès de New York. Jamais il n'aurait pu s'imaginer en rivalité avec Fabian, néanmoins à présent il l'était. Et bien décidé à gagner. Même s'il était petit, avec un visage taillé à la serpe et un regard d'oiseau de proie, il possédait d'autres atouts dans son jeu. D'abord, rien ne lui résistait jamais. Ou pas longtemps. S'il désirait quelque chose, il s'arrangeait toujours pour l'obtenir, et Lucrèce ne ferait pas exception à la règle. Déjà, quand ils étaient ensemble, il leur suffisait d'un mot pour se comprendre, leur entente professionnelle atteignait la perfection, ils formaient un véritable duo. Et il savait être éblouissant, il possédait même un tel don d'orateur que, parfois, elle l'écoutait bouche bée. D'autre part, bien qu'elle ne soit pas arriviste au sens péjoratif du terme, elle possédait assez d'ambition pour ne pas ignorer tout ce qu'il était susceptible de lui apporter dans son métier. Enfin et surtout, il savait la faire rire.

— Et femme qui rit… marmonna-t-il.

Que faisait-elle à Bordeaux, en ce moment ? Après s'être occupée de son père, elle verrait sûrement son frère. Un jeune homme qui semblait compter dans sa vie, et qu'elle citait souvent, Julien par-ci, Julien par-là, *Julien-champion-de-France*. Peut-être devrait-il songer à le sponsoriser ? Un bon moyen pour qu'elle lui soit reconnaissante, même s'il trouvait le sport – tous les sports sans exception – d'une navrante futilité.

Après un dernier coup d'œil à la grande photo, sur le mur, il décida de se secouer. Son planning était surchargé, à quoi bon gaspiller autant de minutes d'un temps si précieux à soupirer après une femme qui ne voulait pas coucher avec lui ? D'ailleurs, si elle cédait un jour, saurait-il la subjuguer ? Certes, il avait dix ans de moins que Fabian, mais aussi infiniment moins d'expérience des femmes. Accaparé par la gestion de ses entreprises, il avait peu trompé Violaine, hormis quelques aventures à la sauvette, où il n'avait pas été particulièrement brillant, il le savait très bien. Trop impatient, trop nerveux, il traitait ses conquêtes comme il menait ses affaires : tambour battant. Peut-être devrait-il demander à Violaine ce qu'elle en pensait. Jusque-là, elle ne lui avait jamais rien dit à ce sujet, ni reproches ni compliments, et la question risquait de l'intriguer ! Comment la formuler, d'ailleurs ? « Ma chérie, comment me trouves-tu, au lit ? » L'idée lui arracha un sourire crispé. En réalité, Lucrèce lui faisait peur, c'était aussi puéril que ça. Une femme comme elle méritait un bon amant, et s'il continuait à s'angoisser, il serait d'autant plus maladroit. Dans ce cas-là, elle ne lui accorderait pas une seconde chance. Il connaissait à peu près tout de sa vie privée, dont elle ne faisait pas mystère, et il l'avait entendue se moquer gaiement de certains jeunes gens avec lesquels elle regrettait d'avoir passé la nuit. Très précisément six histoires en presque quatre ans, toutes décevantes d'après elle, ce qui permettait sans doute à Fabian Cartier de dormir sur ses deux oreilles, à cinq cents kilomètres de là !

— Bon, ça suffit !

Tapant du poing sur son bureau, il se leva d'un bond. Est-ce qu'il retombait en enfance ? Lui ? Il appuya rageusement sur le bouton de l'interphone, jusqu'à ce que Corinne lui réponde, d'une voix résignée.

En descendant du taxi, à minuit passé, Lucrèce leva machinalement la tête vers les fenêtres obscures du pavillon. Durant bien des années, cette petite maison sans charme avait été son refuge, son foyer. Elle était à peine majeure lorsqu'elle avait proposé à son frère de chercher quelque chose à louer. Avec leurs deux modestes salaires, elle dans son hypermarché et lui dans son club hippique, la seule solution consistait à habiter ensemble. Le pavillon leur avait plu parce qu'il possédait un tout petit jardin, ainsi qu'un sous-sol pour garer la moto de Julien. Au début, ils n'avaient que quelques coussins posés par terre en guise de canapé ! Mais ils avaient été fiers de pouvoir soulager leur mère en quittant le minuscule appartement, au-dessus de la librairie, où ils étouffaient à trois. Jeunes, indépendants, débordants de projets, ils avaient passé de très bons moments dans ce pavillon. Au point de n'avoir jamais songé à résilier le bail. Lucrèce payait d'ailleurs encore une partie du loyer puisqu'elle y avait gardé sa chambre, qui lui servait de pied-à-terre lorsqu'elle descendait à Bordeaux.

À peine entrée, elle découvrit avec surprise que son frère avait repeint tout le rez-de-chaussée. Une laque jaune citron dans la cuisine, du blanc pour le vestibule comme pour le salon qui s'ornait d'une moquette gris clair toute neuve. Elle fila vers sa chambre en se demandant pourquoi – ou pour qui – il s'était donné tant de mal. Depuis sa rupture avec Sophie, il n'avait personne dans sa vie, personne qui compte au point d'en parler puisqu'ils se disaient à peu près tout en se téléphonant une fois par semaine.

Chez elle, il n'avait touché à rien, sans doute par discrétion, hormis la fenêtre qui avait été entièrement remastiquée. Elle posa son sac sur le lit puis consulta son agenda. Aucun rendez-vous urgent ne l'obligeait à rentrer, elle pouvait rester à Bordeaux jusqu'au dimanche soir et, une fois encore, elle déplora l'absence de Fabian. S'il n'avait pas été à ce congrès de chirurgie, à New York, elle aurait eu l'occasion de passer une nuit imprévue avec lui. Bavarder, faire l'amour, s'endormir apaisée contre lui.

Tout en se déshabillant, elle laissa dériver ses pensées vers Fabian. Certes, il avait l'âge d'être son père, c'était précisément la raison de son choix, à l'époque. Neuf ans plus tôt, encore journaliste stagiaire, elle l'avait interviewé deux fois. La seconde, il l'avait invitée à dîner, puis ils avaient terminé la soirée chez lui. Pourquoi avait-elle cédé si vite au charme de cet homme de quarante ans, à son regard bleu pâle, à sa gentillesse ? Bien sûr, il était terriblement séduisant et il savait en jouer, mais Lucrèce n'ignorait pas qu'à travers lui, elle s'était surtout offert la possibilité de régler ses comptes. Il connaissait son père, ils avaient été copains en fac de médecine. En devenant sa maîtresse, elle donnait la preuve qu'elle pouvait conquérir sans peine un homme de cette génération-là. Une illusion stupide, que Fabian lui avait fait perdre en quelques heures, la ravalant au rang de gamine inexpérimentée. À l'époque, il collectionnait les succès, adorait les femmes, excellait à les combler, mais ne passait jamais deux nuits avec la même. Lucrèce avait été une exception pour lui. Leur relation épisodique avait duré. Non seulement il avait révélé toute la sensualité qui sommeillait en elle, mais il l'avait réellement épanouie. Sans aucun serment d'amour, sans la moindre contrainte, leur histoire était devenue une liaison. Avec lui, elle avait dîné dans tous les bons restaurants de Bordeaux, assisté aux meilleurs spectacles, visité une foule d'expositions, et surtout il l'avait poussée à écrire son premier grand « papier », une enquête sur le sang contaminé.

Curieusement, c'était un accident de Julien, au concours hippique de Bergerac, qui avait tout déclenché. Pour éviter de transfuser le jeune homme avec des produits qu'il considérait comme suspects, Fabian avait parlé à Lucrèce du sida. À ce moment-là, le problème n'était connu que du monde médical, pas encore de la presse, et l'article avait mis le feu aux poudres. En quelque sorte, sans la fracture ouverte de Julien et son hospitalisation dans le service de Fabian, jamais elle n'aurait écrit sur ce sujet brûlant qui l'avait lancée.

Dans la petite salle de bains, au bout du couloir, elle alluma la barre infrarouge en frissonnant. Mal isolé, le pavillon avait toujours été froid en hiver. Julien aurait très bien pu aller vivre ailleurs mais il continuait à louer cette maison modeste, indifférent à ses inconvénients, comme s'il refusait de dépenser un franc pour autre chose que pour ses chevaux. Et, à en croire ses récents travaux de peinture, il n'avait toujours pas l'intention de bouger.

Lorsqu'elle se glissa enfin sous sa couette, transie, elle songea à l'étrange soirée qu'elle venait de passer. Dans l'avion, elle s'était imaginé des choses graves, or il ne s'était rien produit. Son père traversait seulement une véritable crise de conscience dont la raison profonde lui échappait. Avait-il eu peur de mourir durant sa pneumonie ? Pourquoi éprouvait-il le besoin d'exprimer enfin des remords ? Par réflexe professionnel, en journaliste consciencieuse et experte dans le tri des informations importantes, elle essaya d'analyser l'essentiel de leur conversation. Au tout début, il avait dit : « J'aimais Brigitte comme un fou. » Sur l'instant, elle n'avait pas relevé cet imparfait. Était-il possible qu'il ne soit plus amoureux de sa femme ? L'avait-elle enfin lassé, avec ses caprices incessants et son sempiternel air boudeur ? Si c'était le cas, il devait se sentir anéanti. À quoi bon changer de vie et faire souffrir autour de soi pour finalement retomber dans l'indifférence ?

Elle éteignit sa lampe de chevet et sa dernière pensée fut pour Claude-Éric. Qu'allait-elle lui raconter lorsqu'il l'interrogerait, lundi ? Les états d'âme de son père ne constituaient pas une raison valable pour rater une interview. Depuis le temps qu'elle travaillait avec lui, elle savait qu'il était sans pitié, et que, malgré toute sa bienveillance, il ne manquerait pas de l'engueuler.

Le lendemain matin, il faisait un froid de loup lorsque Lucrèce descendit de l'autobus, place de la Comédie. Malgré le vent glacial, elle voulait s'offrir une longue marche avant d'aller surprendre sa mère à la librairie. Elle décida d'abord de remonter vers le jardin public par les allées de Tourny et le cours de Verdun, son parcours de prédilection. Toute la ville était décorée pour Noël, et dans cette atmosphère de fête qui lui rappelait sa jeunesse, confortablement emmitouflée dans un blouson fourré déniché dans la penderie de son frère, elle se sentait délicieusement bien.

Elle bifurqua à droite, sur le cours Xavier-Arnozan, pour passer devant le temple des Chartrons, d'une superbe architecture néoclassique, avant de gagner le quai. Là, elle resta immobile un moment, à respirer l'odeur de l'estuaire tout en regardant distraitement le croiseur Colbert, privé pour toujours de sorties en mer.

Enfin rassasiée du spectacle, elle prit la rue Latour, puis la rue Notre-Dame où les nombreux antiquaires commençaient à remonter leur rideau de fer. À cette heure matinale, il y avait peu de passants et elle put s'attarder à loisir devant les vitrines qui regorgeaient d'objets anciens. Délibérément, elle n'avait pas prévenu sa mère, se réjouissant d'avance à l'idée de voir son visage s'illuminer. Elles allaient pouvoir bavarder tout leur soûl, et ensuite aller chercher Sophie au musée pour un déjeuner entre femmes.

Elle s'arrêta une seconde place de Langalerie, devant la façade de l'église Saint-Louis. Pourquoi Fabian lui manquait-il de manière aussi aiguë ? À Paris, elle pensait moins à lui, sauf certains soirs où elle se sentait seule dans son grand lit. Mais la plupart du temps, elle était trop occupée – et trop passionnée – par son travail pour s'accorder le luxe de la nostalgie.

De loin, elle aperçut l'enseigne de la minuscule librairie. Le rideau de fer était levé, sa mère devait être en train de ranger des piles de livres ou bien de préparer sa première cafetière de la matinée. Sur l'étroite vitrine, les lettres blanches se détachaient nettement : *Emmanuelle Berthier*, encadrées d'une guirlande lumineuse multicolore et de branches de houx. Avec un petit serrement de cœur, Lucrèce espéra que les clients étaient nombreux à l'approche de Noël. Depuis qu'elle gagnait correctement sa vie, elle avait souvent proposé une aide financière à sa mère, sans obtenir d'autre réponse qu'un éclat de rire.

Elle poussa la porte, entendit tinter la clochette familière. Derrière son comptoir de pitchpin, Emmanuelle leva la tête, puis elle se précipita vers sa fille, abandonnant le paquet-cadeau qu'elle était en train de confectionner.

— Qu'est-ce que tu fais là ? Tu ne devais pas venir ce week-end ! Je suis tellement contente de te voir ! Viens te réchauffer, il y a du café…

Près de la caisse, à côté du gros fauteuil en cuir élimé où Emmanuelle lisait autant de livres qu'elle en vendait, le radiateur électrique tournait à plein régime.

L'hiver, il faisait toujours froid dans le petit magasin, cependant l'atmosphère avait quelque chose de chaleureux et d'intime qui plaisait aux habitués.

Lucrèce prit la tasse que sa mère lui tendait et but avec plaisir quelques gorgées de café brûlant. Elle avait décidé de ne pas lui parler de sa soirée de la veille, ni de l'appel de son père. Moins elle lui en dirait et mieux sa mère se porterait.

— Alors, comment vont les affaires, maman ? s'enquit-elle gaiement.

— Pas mal. Les gens aiment offrir des livres pour les fêtes, et puis j'ai mes clients fidèles. Regarde tous ces paquets, ce sont des commandes ! Tu as vu mon papier de Noël, il est beau, non ? Allez, assieds-toi là, je continue à emballer pendant que tu me racontes ta vie. Tiens, fais-moi rire avec ton Claude-Éric Valère.

Tout ce que Lucrèce lui confiait au sujet de cet homme extraordinaire semblait beaucoup l'amuser. Elle affirmait ne plus lui en vouloir d'avoir entraîné sa fille à Paris, surtout quand elle se plongeait dans la lecture de *Maintenant*, qu'elle considérait comme l'un des meilleurs hebdomadaires d'actualité.

— C'est un type formidable, déclara Lucrèce, avec lui j'ai l'impression d'apprendre chaque jour. Il est cynique, tyrannique, caractériel, mais tellement intelligent ! J'aimerais pouvoir te le présenter…

— Oh, je suppose qu'il ne demanderait pas mieux ?

Elles éclatèrent de rire, ce qui les empêcha d'entendre la clochette de la porte, et quand elles découvrirent l'homme qui s'était immobilisé loin d'elles, il y eut un brusque silence. Ils se dévisagèrent tous les trois avec embarras, jusqu'à ce qu'Emmanuelle réagisse.

— Venez donc boire un café, Nicolas, vous êtes toujours le bienvenu, dit-elle d'un ton ferme.

Indécis, le jeune homme restait près de la porte, et Lucrèce se leva. Au plaisir inattendu qu'elle éprouvait soudain se mêlait un sentiment de gêne. Elle n'avait pas revu Nicolas depuis six ans, hormis un soir où elle l'avait aperçu de loin, l'année précédente, sortant du Grand Théâtre en compagnie de sa femme. Mais la dernière fois qu'ils s'étaient adressé la parole, c'était à la gare Saint-Jean. Cet après-midi-là, elle quittait Bordeaux pour de bon, et lui devait se marier quelques jours plus tard. Pourtant, il était venu lui dire adieu, elle se souvenait très précisément de la façon dont il l'avait serrée contre lui dans une étreinte muette qui les avait désespérés tous les deux.

Contournant le comptoir, elle se dirigea vers lui.

— Comment vas-tu ? Tu n'as pas du tout changé, ça me fait plaisir de te voir…

Elle eut l'impression que sa voix sonnait faux et elle toussota, mais au lieu de la regarder, Nicolas observait Emmanuelle d'un air de reproche. Elle entendit sa mère murmurer :

— Lucrèce m'a fait le plaisir d'une visite surprise…

Sans doute s'arrangeait-il pour ne jamais risquer de la rencontrer, alors qu'il venait régulièrement à la librairie. Il se tourna enfin vers elle, un peu crispé.

— Je suis ravi, dit-il très vite.

Il avait toujours les mêmes yeux noisette, pailletés d'or, et ses cheveux châtains étaient un peu trop longs.

— Je lis tous tes articles, ajouta-t-il. Tu as fait du chemin…

— Et tes vignes ?

Il se décida à sourire, comme s'il était heureux qu'elle s'en souvienne.

— J'y suis finalement arrivé. Je te ferai goûter *mon* vin. Enfin, j'en apporterai une caisse à Emmanuelle…

D'un geste qu'elle essaya de rendre naturel, Lucrèce le prit par le bras pour l'entraîner vers le comptoir.

— En attendant, viens boire ce café et dis-moi ce que tu deviens.

Elle calcula qu'il devait avoir environ trente-sept ans, et probablement une ribambelle d'enfants.

— J'ai un fils, déclara-t-il, et j'habite toujours au même endroit.

Emmanuelle, qui les observait avec curiosité, tendit une tasse à Nicolas puis annonça qu'elle avait une lettre urgente à poster, en recommandé, et qu'elle leur confiait la boutique un petit quart d'heure. Lucrèce voulut protester, mais sa mère était déjà sortie.

— Ne fais pas cette tête-là, lui dit doucement Nicolas, de nous deux c'est moi qui suis le plus gêné.

— Il n'y a aucune raison ! Vraiment…

Après tout, ils n'avaient même pas été amants. Elle trouva qu'il n'avait pas l'air très heureux pour un homme ayant atteint tous ses objectifs : se marier, avoir des enfants, quitter son métier de négociant. Il croyait à l'amour et à la famille, sa femme devait être mère au foyer, et lui arpentait probablement ses vignes du matin au soir.

— Tu es toujours aussi belle, comment se fait-il que…

— Tu dois tout savoir par maman, je suppose ?

— Oui, bien sûr, elle est gentille, elle me tient au courant…

La clochette tinta tandis qu'une femme âgée pénétrait dans la boutique. Elle venait réclamer une commande, et au bout de deux minutes de recherche, Lucrèce trouva le paquet tout prêt, au bout du comptoir. Quand ils furent de nouveau seuls, Nicolas murmura :

— Te voir rendre la monnaie me ramène des années en arrière…

En principe, elle y songeait rarement, mais la vision du supermarché où elle avait été caissière s'imposa aussitôt. À l'époque, elle y travaillait à mi-temps, et lui venait acheter n'importe quoi, juste pour pouvoir passer devant elle. Il avait dû l'inviter vingt fois à prendre un verre avant qu'elle accepte.

— Tu te souviens du jour où nous sommes allés chercher mes résultats à la fac ? lança-t-elle gaiement. Tu avais un coupé Mercedes, très voyant sur le campus, avec le téléphone à bord, et j'ai pu appeler maman pour lui annoncer la nouvelle !

— Ensuite nous avons déjeuné dans une guinguette à Macau, rappela-t-il.

— Tu as une bonne mémoire.

— Trop bonne quand il s'agit de toi.

Il ébaucha aussitôt un geste d'excuse, sans doute navré par son aveu intempestif.

— Si je ne venais pas acheter mes livres ici, je n'entendrais plus parler de toi. Je crois que ça me manquerait.

— Mais tu n'as jamais voulu qu'on se croise, si je comprends bien ?

— Pour quoi faire ?

— Je ne sais pas. Pour être amis, pour…

Elle se souvint trop tard qu'elle avait utilisé la même expression, quelques années auparavant, provoquant sa fureur. « Je ne peux pas être ton ami ! » avait-il hurlé. Puis il s'était mis à pousser rageusement un caillou du bout du pied. Elle revoyait son jardin avec précision : la table de pierre, les tilleuls, l'allée de gravier où elle avait démarré sur les chapeaux de roues, au risque de l'écraser.

— Veux-tu dîner avec moi ? dit-il d'un ton brusque.

Sa proposition semblait contradictoire, incongrue. Elle était sur le point de refuser quand elle aperçut la silhouette de sa mère, à travers la vitrine, et elle s'entendit accepter.

— Je passe te prendre à huit heures chez toi, ajouta-t-il à voix basse.

Il traversa le magasin, ouvrit la porte à Emmanuelle, et sortit sans se retourner.

Fabian rassembla ses notes et quitta la tribune sous des applaudissements nourris. Il s'était d'abord exprimé en français, sachant que la traduction était simultanée grâce aux écouteurs, mais il avait terminé par un exposé en anglais, plus précisément adressé à ses confrères américains.

Avant de pouvoir regagner sa place dans l'immense salle de conférence, il fut arrêté par des journalistes qui l'entraînèrent à l'écart en le bombardant de questions auxquelles il répondit avec son flegme habituel. Sa technique opératoire, en particulier pour les prothèses de hanche, suscitait une grande curiosité quant à la vitesse avec laquelle il remettait ses patients debout. Sans compter son impressionnant taux de réussite à long terme. Une jolie jeune femme, qui lui brandissait un micro sous le nez en souriant béatement, voulut savoir s'il exerçait vraiment à « Bordeaux ». Ici, il s'agissait d'un mot magique, associé aux vins de France, et l'interview se termina dans des éclats de rire.

Fatigué par le décalage horaire autant que par la quantité de communications qu'il avait dû écouter en deux jours, Fabian décida finalement de regagner son hôtel. Il aurait le temps d'aller nager un moment dans la piscine réservée aux clients, au sous-sol, puis de se préparer pour le dîner de gala qui clôturait le congrès. Quelle heure était-il à Paris ? De toute façon, Lucrèce sortait beaucoup, elle n'était sûrement pas chez elle, et d'ailleurs il n'avait aucune raison de l'appeler.

Dans l'ascenseur, il appuya sur le bouton du 43e étage et jeta un coup d'œil à l'un des miroirs fumés qui tapissaient les parois de la cabine. Il n'avait pas très bonne mine, ou alors c'était l'éclairage qui accentuait ses joues creuses, les rides marquées au coin de ses yeux. Mais les femmes continuaient à le gratifier des mêmes regards langoureux, jusqu'à cette ravissante chirurgienne chinoise qui l'avait dragué de façon plutôt directe la veille au soir, ou encore l'attachée de presse, dans l'avion, qui ne s'était intéressée qu'à lui.

Une fois dans sa chambre, une pièce immense avec un lit démesuré et une télévision géante, il alla directement vers le bar pour se servir un whisky. New York était une ville qu'il appréciait, sans Lucrèce il aurait peut-être fini par accepter d'y travailler. Contacté à plusieurs reprises ces derniers mois, il avait reçu le matin même une proposition ferme et très alléchante, qu'il avait néanmoins déclinée. Quitter la France revenait à quitter Lucrèce, or il en était incapable. La jeune femme s'était imposée dans sa vie malgré lui, prenant de plus en plus d'importance, et il avait rompu avec son passé d'homme à femmes sans attaches. Il avait beau savoir que leur différence d'âge condamnait leur histoire à plus ou moins brève échéance, il ne pouvait pas se résoudre à s'éloigner délibérément. Il l'aimait, il souffrait de la voir trop rarement, mais il ne lui en montrait rien, persuadé que c'était la seule façon de la garder encore un peu.

Il était en train de regarder le téléphone, brusquement tenaillé par la tentation d'appeler Paris malgré tout, lorsque la sonnerie le fit sursauter.

— Professeur Cartier ? J'espère que je ne vous dérange pas…

La voix de la jolie Chinoise était reconnaissable à son accent et il se mit à sourire tandis qu'elle poursuivait, avec la même suavité :

— J'ai adoré votre intervention, vraiment remarquable, et j'aurais voulu vous interroger davantage à ce sujet… Auriez-vous le temps de descendre au bar ?

— Désolé, je crois que je vais aller nager, mais nous nous verrons au…

— Très bien, j'achète un maillot de bain à la boutique et je vous retrouve dans l'eau !

Elle ne lui laissait pas le choix, d'autant plus qu'elle venait de raccrocher sans attendre sa réponse. Peut-être ferait-il mieux de prendre une douche ici, et ensuite d'arriver suffisamment en retard au dîner pour qu'elle ne lui ait pas gardé une place à côté d'elle. Mais voulait-il vraiment lui échapper ? Une aventure d'une nuit servirait au moins à le distraire de son obsession, bien qu'il soit tout à fait capable de penser à Lucrèce en faisant l'amour avec une autre. Et elle, quand elle le trompait, à qui ou à quoi pensait-elle ? Non, *tromper* n'était pas le mot exact. Ils avaient choisi la franchise, s'étaient accordé leur liberté réciproque. Une attitude absurde, à y bien réfléchir. Il n'avait aucune envie d'entendre ses confidences et n'était pas disposé à lui en faire. Tout comme il ne supporterait pas qu'elle le plaigne ni qu'elle lui mente par compassion.

— Alors, la douche ou le crawl ? marmonna-t-il en terminant son verre.

Agacé de sa propre indécision, il ôta sa montre qu'il posa sur une console. Cette Chinoise – dont il n'avait pas retenu le prénom – était très désirable, même si elle n'avait pas de grands yeux bleu-vert. Pour peu qu'il descende jusqu'à la piscine, elle se chargerait de tout le reste.

Nicolas avait choisi le *Relais de Margaux* en supposant que Lucrèce préférerait éviter les restaurants bordelais où elle dînait régulièrement avec Fabian Cartier. Nicolas s'y sentait à la fois chez lui et loin de chez lui. Assez loin en tout cas pour sa femme, Stéphanie, qui n'appréciait pas outre mesure ce genre d'établissement de grand luxe. Comme à Lucrèce autrefois, il avait donné à son épouse le goût des bistrots insolites où se régaler de poissons, de petites saucisses grillées présentées avec des huîtres du bassin d'Arcachon. Mais ce soir était différent de tous les autres, et il jugeait qu'au fond de l'immense parc du Relais, dans cette ancienne demeure de viticulteur remarquablement réhabilitée, Lucrèce et lui seraient à peu près à l'abri des curieux. Or il voulait pouvoir la regarder tout à loisir. En la découvrant dans la librairie d'Emmanuelle, quelques heures plus tôt, il avait été assez bouleversé pour comprendre que le temps n'y avait rien changé, cette femme demeurait à jamais le grand regret de sa vie.

Seules trois tables étaient occupées, les gens sortant peu à l'approche des fêtes de fin d'année. En guise d'apéritif, Nicolas avait commandé un Pavillon-Blanc, du vignoble de Château-Margaux, et au deuxième verre ils commencèrent à se sentir moins crispés l'un et l'autre.

— Comment va la vie ? demanda-t-il en la dévisageant.

Il la trouvait encore plus belle que dans son souvenir, avec ses grands yeux bleu-vert désormais adoucis par une frange de petites mèches brunes. À l'époque, elle portait les cheveux longs, volontiers attachés en queue-de-cheval, et il décida qu'il préférait cette nouvelle coiffure.

— Bien ! Mon métier me passionne, je rencontre des gens intéressants, je voyage…

Elle avait toujours le même air volontaire, le même sourire franc. Par quel miracle n'était-elle pas mariée ? Il eut soudain une telle envie de la toucher qu'il recula un peu, croisa les jambes.

— Et tes amours ? risqua-t-il d'un ton qu'il espérait désinvolte.

— Tu sais tout par maman, non ?

Il vit une ombre d'agacement traverser son regard mais il voulait en avoir le cœur net et il insista.

— Le professeur Cartier est toujours plus ou moins dans ton existence, et ton petit ami du moment s'appelle Laurent, c'est ça ?

— À peu près !

La réponse avait claqué assez sèchement pour qu'il en reste là. De toute façon, il était fixé, elle n'avait aucune envie d'en parler, et lui venait de s'apercevoir que sa jalousie et son désir de concurrence avec Fabian Cartier étaient toujours aussi vifs.

Après un petit silence, elle s'agita un peu sur sa chaise, but une gorgée de vin puis se mit à jouer distraitement avec son couteau.

— À mon tour de t'interroger, dit-elle enfin. N'ayant pas d'espion dans la place, j'ignore ce que tu es devenu. Heureux en ménage ?

— Pas vraiment.

Prise au dépourvu, elle le fixa une seconde pour s'assurer qu'il ne plaisantait pas.

— Tu trompes ta femme ? demanda-t-elle en regrettant aussitôt son indiscrétion.

— Non.

— C'est elle qui…

— Pas que je sache. Mais je crois qu'elle se faisait beaucoup d'illusions sur mon compte, or je n'ai pas été à la hauteur.

Quoique navrée pour lui, elle n'était cependant plus très sûre d'avoir envie d'entendre la suite de ses confidences. Vis-à-vis de lui, elle conservait l'impression tenace d'un irrémédiable gâchis. Elle aurait pu l'aimer s'il avait été moins exigeant, moins entier, moins passionné dès la première minute – moins effrayant, en fait.

— Pas à la hauteur ? répéta-t-elle doucement. Pourtant, le grand amour romantique, avec les orgues et tout ce qui s'ensuit, c'était ton rêve !

— Je crois que ça l'est toujours, seulement Stéphanie n'est pas la bonne personne. Comme je ne veux pas lui faire de peine, je fais semblant d'y croire, sans qu'elle soit tout à fait dupe. La naissance de notre fils a été un moment très important, mais ça n'a pas suffi.

Elle baissa les yeux vers l'assiette qu'on venait de déposer devant elle. Un esturgeon girondin aux écailles croustillantes y était superbement présenté dans un arôme de vinaigre de baumier. L'espace d'un instant, elle se demanda pourquoi ils s'étaient perdus, tous les deux.

— En revanche, reprit Nicolas d'un ton plus gai, je suis comblé par mes vignes ! Je n'aurais pas dû attendre aussi longtemps pour me lancer, ni écouter mon frère qui m'avait prédit les pires ennuis. En fait, je n'ai eu que de bonnes surprises et de bonnes récoltes jusqu'ici…

— C'est ton frère qui négocie ton vin ?

— Guillaume ? Tu veux rire ? Non, je n'ai besoin de personne pour écouler ma production, je m'en occupe seul. À vrai dire, si je pouvais, je ferais *tout*, tout seul, je te jure que c'est un métier où on ne peut pas déléguer !

Au moins, évoquer sa passion de la terre lui avait redonné une expression joyeuse, presque juvénile, et elle fut aussitôt attendrie. Il lui rappelait irrésistiblement sa jeunesse, ses premiers pas de journaliste. Une période à la fois lointaine et toute proche, où elle avait eu envie de brûler la vie par les deux bouts.

— Pourquoi t'es-tu marié, Nick ? demanda-t-elle de façon abrupte.

— Par dépit, bien sûr. J'avais beau faire, avec toi ça ne marchait pas... Et ça me rendait tellement dingue que j'ai cru... Enfin, c'est sans importance aujourd'hui, je suppose.

Tendant le bras au-dessus de la nappe, il lui prit d'autorité la main.

— Fais voir ta paume... Regarde ces lignes, je ne suis inscrit nulle part ! Même si j'avais attendu jusqu'à maintenant, tu me dirais encore non. Ou alors tu y mettrais des conditionnels que je ne suis toujours pas prêt à accepter.

Aussi soudainement qu'il l'avait saisie, il la lâcha.

— Je crois qu'il n'y a que ta mère pour me comprendre ! ajouta-t-il en se forçant à sourire. Elle trouve que j'aurais été un gendre idéal.

— Tu lui aurais demandé ma main avec des gants beurre frais et un petit bouquet de violettes ?

— Pourquoi pas ?

— Tu l'as fait pour obtenir Stéphanie ?

— Non... Mais ça n'a rien à voir.

Un serveur vint débarrasser puis le maître d'hôtel leur proposa la carte des desserts. En général, quand Lucrèce était de passage à Bordeaux, c'était avec Fabian qu'elle dînait au restaurant, et se retrouver face à Nicolas lui procurait une sensation étrange.

— Parle-moi de ce Laurent, suggéra-t-il avec une grimace.

— Inutile, il a déjà disparu de mon paysage ! C'était encore une... une fausse piste.

Elle l'avouait facilement, sans s'apitoyer sur elle-même. Avec les hommes, elle s'était presque toujours trompée. Peut-être sa longue liaison avec Fabian l'avait-elle rendue difficile, mais elle ne supportait ni la médiocrité ni la maladresse. Elle avait besoin d'admirer pour désirer et n'était toujours pas prête à sacrifier son indépendance.

Comme s'il avait compris à qui elle songeait, Nicolas murmura, presque malgré lui :

— Il doit avoir quelque chose de très exceptionnel pour avoir réussi à te garder si longtemps.

— Fabian ? Évidemment !

Elle refusait d'aborder ce sujet avec lui, ils s'étaient trop souvent disputés à propos de Cartier.

— Mon Dieu, soupira-t-il, je crois que je le déteste toujours autant ! J'ai eu l'occasion de le voir, l'année dernière, quand il a opéré ma belle-sœur, et pendant qu'il me parlait, je pensais à toi. À toi avec lui. Et ça me rendait malade de savoir qu'à cause de lui, nous nous étions ratés, toi et moi. Si tu ne l'avais pas aimé, peut-être que…

Il s'interrompit en secouant la tête et elle éprouva un brusque élan de tendresse. Ainsi, il avait continué à penser à elle, pendant toutes ces années. Sans doute étaient-ils passés à côté de quelque chose d'important, tous les deux, mais comment savoir ? En tout cas, elle était en train de le regretter.

— Tu n'as rencontré personne, à Paris, qui réussisse à te faire oublier Fabian ? insista-t-il d'une voix tendue.

— Personne de mieux que lui, non, et je ne tiens pas du tout à l'oublier !

Elle s'en voulut d'avoir répondu de manière aussi désagréable. Le temps de leurs affrontements était révolu, pourquoi se montrait-elle agressive ? Parce qu'elle s'apercevait, trop tard, qu'il l'attirait toujours autant, et peut-être davantage ?

— Excuse-moi, dit-elle en souriant.

Il parut désorienté par ce brusque revirement mais, presque tout de suite, il lui rendit son sourire.

— Tu as toujours aussi mauvais caractère, c'est formidable ! À propos, j'ai lu ton livre. Je l'ai beaucoup aimé, même s'il s'agit d'un véritable réquisitoire. Tu étais personnellement concernée ?

— Bien sûr que non ! Je n'aurais jamais pu écrire une ligne là-dessus en étant moi-même une victime. J'ai essayé de comprendre toutes les femmes que j'ai interrogées et, crois-moi, certaines confidences étaient dures à entendre.

— J'imagine…

Un peu étonnée qu'il ait pu s'intéresser au sort des femmes battues, elle le dévisagea avec curiosité. Quand Claude-Éric l'avait poussée à publier ce livre, elle ne s'était fait aucune illusion, en tant que patron de presse il avait seulement flairé le succès commercial tout en se moquant éperdument de la cause qu'elle souhaitait défendre. Claude-Éric n'avait jamais d'états d'âme, il ne raisonnait qu'en nombre de lecteurs potentiels. À l'origine, il s'agissait seulement d'un dossier de quatre pages destiné à *Maintenant,* mais les témoignages étaient si bouleversants qu'elle avait souhaité développer le sujet. Finalement, elle s'était retrouvée à la tête d'une telle documentation que l'idée d'un livre s'était imposée. Claude-Éric avait alors trouvé l'éditeur et négocié le contrat.

— Dommage que tu ne proposes aucune solution, ajouta Nicolas d'un air curieusement embarrassé.

— Il n'y en a pas. Chaque cas est différent. Qu'est-ce qui t'intéresse à ce point, Nick ? Tu ne frappes pas ta femme, j'imagine ?

Il balaya la question d'un haussement d'épaules, cependant son trouble subsistait, elle le voyait bien.

— Quelqu'un de ton entourage ? insista-t-elle.

— Peu importe, répondit-il trop vite. Nous ne sommes pas là pour discuter de ça.

— Pourquoi sommes-nous là ?

Il pouvait s'en tirer par une pirouette, plaisanter ou faire référence au *bon vieux temps*, mais il se figea une seconde, le regard rivé sur elle.

— À ton avis ? murmura-t-il.

Autour d'eux, la salle s'était vidée, ils étaient les derniers clients. Il n'allait plus tarder à la raccompagner chez elle et, d'avance, elle savait qu'il ne chercherait même pas à l'embrasser. Dans le passé, combien de fois l'avait-il déposée devant le pavillon sans tenter le moindre geste ? Il n'y avait eu qu'un seul soir, alors qu'ils étaient déjà fâchés et qu'ils s'étaient rencontrés par hasard à un cocktail, où ils s'étaient jetés l'un sur l'autre. Mais ils n'avaient pas franchi le pas, n'étaient pas devenus amants. À ce moment-là, elle ne voulait pas de lui dans sa vie, il avait beau l'attirer comme un aimant, il lui faisait peur. Aujourd'hui, les choses étaient différentes. Face à lui, elle éprouvait un désir âpre, violent.

— Mon frère est à Madrid, déclara-t-elle brusquement.

Il accusa le coup, sans la lâcher du regard, et elle regretta aussitôt ses mots. Pourquoi le provoquait-elle ? Il était marié, fidèle.

— Si c'est une invitation, tu peux considérer que j'accepte.

Prise de court, elle baissa les yeux tandis qu'il réglait l'addition. Après avoir composé son code de carte bancaire, il se leva, contourna la table et, devançant le maître d'hôtel, vint l'aider à quitter sa chaise

Elle sentit qu'il effleurait son bras, sa taille. Un contact léger, qui la fit pourtant frissonner.

Dehors, la température avait encore chuté et le parking était couvert de givre. Tout le long de la route, par Labarde et Blanquefort, ils restèrent silencieux l'un comme l'autre, jusqu'à ce qu'ils arrivent dans le quartier du Lac. Il se gara devant le pavillon, coupa son moteur puis se tourna vers elle.

— Je peux m'en aller maintenant, chuchota-t-il.

Dans la pénombre, elle le distinguait à peine, mais dès qu'il posa une main sur sa nuque, elle comprit qu'elle ne voulait pas le laisser partir.

— Viens, décida-t-elle en ouvrant sa portière.

Il la suivit à l'intérieur de la maison et, dès la porte refermée, il la prit dans ses bras d'un geste brusque. Ils avaient tellement envie l'un de l'autre qu'ils commencèrent à se déshabiller là où ils étaient, dans l'obscurité.

À six heures du matin, Lucrèce se réveilla en sursaut. Assis au pied du lit, Nicolas finissait de nouer sa cravate. Elle cligna des yeux, incrédule, avant de se redresser d'un bond.

— On s'est endormis ?

Elle se sentait épuisée, anéantie, et elle se demanda comment il avait eu le courage de se lever. Mais bien sûr, il devait être pressé de rentrer chez lui. Elle eut envie de tendre la main et de le toucher, cependant elle ne bougea pas. Il leur avait fallu dix ans pour enfin devenir amants ! Dix ans de malentendus et d'attirance réciproque qui les avaient conduits à cette nuit de folie.

— Je suis désolée, Nick, on aurait dû mettre le réveil… Qu'est-ce que tu vas lui dire ?

Quel que soit le prétexte qu'il invoquerait, sa femme lui ferait probablement une scène pour avoir découché.

— Peu importe, dit-il à voix basse.

À la lumière de la lampe de chevet, ses yeux semblaient vraiment couleur d'ambre et elle le trouva très beau, très émouvant. Il se leva, fit deux pas puis s'agenouilla à côté d'elle.

— J'ai passé une nuit fabuleuse, Lucrèce. Mieux que tout ce que j'avais pu rêver, et Dieu sait…

Ils avaient dû sombrer vers trois ou quatre heures, à bout de fatigue mais pas encore rassasiés, leurs jambes et leurs doigts toujours emmêlés. D'un geste impulsif, elle appuya sa tête contre lui, sentit le tissu de sa veste sous sa joue.

— Va-t'en vite, Nicolas.

Elle le connaissait assez bien pour savoir qu'il était déjà partagé entre les remords et le désespoir. Jamais il ne s'était guéri d'elle, ainsi qu'il l'avouait, comment avait-elle pu être aussi égoïste ? En faisant l'amour avec lui, elle avait cédé à un désir trop longtemps refoulé, mais elle n'avait aucun moyen d'assumer les conséquences de cet acte.

— Je suis désolée…

— Pas moi !

Prenant son visage entre ses mains, il l'obligea à relever la tête, à le regarder en face.

— Pas moi, répéta-t-il. Tu m'as fait un très beau cadeau, merci.

Il effleura ses lèvres juste une seconde avant de se relever, ensuite il quitta la chambre sans se retourner. Dans le vestibule, il ramassa son pardessus, l'enfila et sortit.

Une fois installé au volant, il constata que ses mains tremblaient et il s'obligea à respirer à fond, plusieurs fois, avant de démarrer. Stéphanie devait être folle d'inquiétude. D'ici peu, elle serait folle de rage. De toute façon, il ne comptait pas lui mentir. Il avait trop d'estime pour elle, trop d'affection, aussi, pour lui raconter n'importe quoi. S'il était rentré à une heure décente, il aurait pu inventer une explication plausible, mais plus maintenant. D'ailleurs, son retard était délibéré, il ne s'était pas endormi, contrairement à Lucrèce. Il l'avait regardée s'agiter dans son sommeil, avait profité de chaque seconde de la nuit pour la contempler, la respirer, la tenir contre lui. Combien de fois avait-il imaginé ces instants avant de les vivre ? Depuis combien d'années le hantait-elle ? Et dans quel genre d'enfer allait-il sombrer, désormais ? Comment ferait-il pour ne pas penser à elle à chaque minute ? Maintenant qu'il connaissait sa peau, sa chaleur, sa façon de gémir de plaisir, comment pourrait-il supporter de la savoir dans les bras de Fabian Cartier ? Disait-elle les mêmes mots, faisait-elle les mêmes gestes avec lui ? Cette perspective lui donna la nausée et il faillit arrêter sa voiture. Jamais, de toute son existence, il n'avait fait l'amour avec une telle passion. Au moins, il était certain d'avoir su la satisfaire, mais ce n'était pas une consolation. Décidément, il était fou d'avoir cédé à la tentation, le prix à payer pour cette nuit unique allait être exorbitant.

2

Janvier 1994, Paris

— Prenez ça comme un cadeau professionnel, bougonna Claude-Éric. Un bonus pour services rendus ! Après tout, vous m'avez pondu des papiers sensationnels…

Perplexe, Lucrèce baissa de nouveau les yeux vers la montre Cartier qu'il venait de lui offrir, sans se décider à l'extraire de son écrin de cuir rouge.

— Rien que votre article sur Bernard Tapie valait bien une récompense ! Je me suis étouffé de rire en le lisant, je ne vous connaissais pas un tel humour.

D'un geste autoritaire, il arracha le bijou à son support de velours et le passa au poignet de Lucrèce.

— Franchement, elle vous va mieux que votre Swatch ! Et puis, vous devriez être contente de porter le nom de Cartier toute la journée, ça vous rappellera quelqu'un que vous aimez beaucoup, non ?

Il lui adressa un sourire sardonique qui acheva de la braquer. Sans dire un mot, elle retira la montre, la replaça dans l'écrin qu'elle posa à côté de son sac.

— Je n'ai même pas le droit de vous faire un cadeau ?

Changeant de ton et d'expression, il venait de poser la question d'une manière presque touchante. Elle était bien la seule personne au monde à qui il s'adressait parfois avec autant de gentillesse. Dans ces moments-là, elle prenait conscience de l'ambivalence des sentiments qu'il lui inspirait.

— D'accord, soupira-t-elle, je la garde.

Le contrarier était quasi impossible, il n'hésiterait pas à revenir à la charge vingt fois de suite et il possédait une incroyable force de persuasion. Néanmoins, elle n'appréciait pas davantage ce présent inattendu que le mauvais jeu de mots à propos de Fabian. Pourquoi ne parvenait-elle pas à lui tenir tête ?

— Je ne sais pas ce que vous en pensez, déclara-t-il en s'asseyant avant d'y avoir été invité, mais pour ma part j'ai trouvé cette musique assommante…

Ils revenaient du théâtre du Châtelet, où ils avaient assisté à la création de la dernière œuvre de Boulez. En sortant, il lui avait proposé d'aller manger un plateau de fruits de mer dans une brasserie mais elle s'était déclarée trop fatiguée. Déçu, il l'avait raccompagnée chez elle. Devant l'immeuble, il avait lourdement insisté pour monter cinq minutes, et à peine avait-elle eu le temps d'allumer qu'il s'était mis à crier : « Bonne année ! » Heureux de la surprendre, il avait sorti le petit paquet de la poche de son pardessus et le lui avait mis de force dans la main.

— Vous m'offrez un verre ou dois-je m'éclipser sur-le-champ ? demanda-t-il avec son habituel cynisme.

De plus en plus agacée, elle alla lui préparer une vodka-tonic qu'elle déposa devant lui sur la table basse. Elle mourait d'envie de se coucher, et aussi d'écouter les messages de son répondeur dont le voyant clignotait. Mais elle ne le ferait pas devant lui, même s'il s'éternisait.

— Vous ne m'avez pas raconté vos fêtes de Noël et du Jour de l'An, à Bordeaux… C'était bien ?

— Familial ! répliqua-t-elle d'un ton de défi.

— Ah, c'est vrai, la famille compte beaucoup pour vous !

— Pas pour vous ? persifla-t-elle.

— Honnêtement ? Je m'en fous. Mes parents sont gâteux, je n'ai rien à dire à ma femme et mes enfants sont insupportables.

— Vous caricaturez à plaisir, Claude-Éric, c'est de la provocation. Si on vous avait écouté, on aurait tous réveillonné au journal !

— Pourquoi pas ? Je retiens l'idée pour l'année prochaine.

Il ne la quittait pas des yeux et elle soutint son regard sans ciller. Depuis le temps qu'ils travaillaient ensemble, elle avait appris à ne plus avoir peur de lui alors que la plupart des journalistes de *Maintenant* se laissaient terroriser. Au bout d'un moment, il tourna la tête pour observer le décor.

— Alors voilà l'antre de mon ami Fabian…

Le studio, dont les hautes fenêtres donnaient sur le jardin du Luxembourg, était vaste et luxueux.

— Joli pied-à-terre… Tiens, je parie que c'est vous qui avez punaisé ces affiches ?

Il désignait celle du film *Germinal,* sorti quelques mois plus tôt, et celle de *Smoking, no smoking,* d'Alain Resnais.

— Il vient ici de temps à autre ? insista-t-il. À votre place, je n'aimerais pas habiter chez quelqu'un… J'espère pour vous qu'il ne débarque jamais à l'improviste ?

— Claude-Éric, si vous voulez demander quelque chose à Fabian, appelez-le donc directement !

L'air amusé, il vida son verre en trois gorgées puis se leva, visiblement à regret.

— Bon, je sens que vous ne me retiendrez pas… Je me trompe ?

— Je tombe de sommeil, avoua-t-elle en souriant.

— Dommage. J'aimerais vous empêcher de dormir, mais ce sera pour une autre fois !

Elle le raccompagna jusqu'à la porte, à laquelle il s'adossa un instant.

— Vous semblez fatiguée, c'est vrai. À demain, Lucrèce.

Il la prit par la taille et l'embrassa sur la joue en la serrant une seconde de trop contre lui. Au même instant, le téléphone se mit à sonner.

— Bonne fin de soirée ! lança-t-il d'un ton sec.

La porte claqua dans son dos tandis qu'elle se précipitait pour répondre, certaine qu'il s'agissait de Fabian.

— Je ne te réveille pas ?

— Non, j'allais juste me coucher.

Elle s'allongea sur le canapé, prête à discuter un moment avec lui. Contrairement à ce que supposait Claude-Éric, Fabian mettait très rarement les pieds ici depuis qu'elle y habitait. Ce n'était pas pour la surveiller qu'il lui prêtait son studio, et lorsqu'il venait à Paris faire des achats, il la prévenait longtemps à l'avance, l'emmenait dîner dans un grand restaurant et repartait en avion dès le lendemain matin.

— Navré de ne pas t'avoir appelée plus tôt, reprit-il, j'étais coincé à un de ces dîners que tu détestes, interminable…

Il ne faisait donc pas partie de ceux qui avaient laissé des messages sur son répondeur.

— Quand aurai-je le plaisir de te voir ? s'enquit-il avec désinvolture.

La formule était rituelle et il n'insistait jamais, ne lui posait aucune question indiscrète. Néanmoins, il devait être impatient car, depuis son congrès de New York, ils n'avaient pas eu l'occasion de passer une seule nuit ensemble. Descendue à Bordeaux pour fêter Noël avec sa mère et son frère, elle avait juste trouvé le temps de déjeuner avec lui, le 26 décembre, avant de reprendre un TGV. Depuis, elle s'était réfugiée derrière des obligations professionnelles pour rester à Paris. En principe, avoir une aventure ne lui posait aucun problème de conscience, car elle était persuadée que Fabian en faisait autant de son côté, mais ce qui était arrivé avec Nicolas était différent, et elle se sentait vaguement coupable. Elle avait l'impression paradoxale de l'avoir vraiment trompé pour la première fois. Était-ce parce qu'elle l'avait fait à Bordeaux même ? Ou parce que, malgré elle, la nuit passée avec Nicolas continuait de la hanter ?

— Je viens le week-end prochain, se força-t-elle à répondre. Tu seras libre ?

— Bien sûr. Veux-tu que je réserve une table quelque part samedi soir ? Si tu as envie de sortir un peu, on pourrait aller à Margaux ou…

— Non, répondit-elle précipitamment, je préfère qu'on dîne chez toi.

Dans ces cas-là, plutôt rares, Fabian commandait tout chez un traiteur. Il vivait toujours comme un célibataire, prenant la plupart de ses repas au restaurant, à l'hôpital, ou encore chez des amis.

— Très bien, je m'en occupe, dit-il gentiment. J'ai hâte de te serrer dans mes bras.

Elle connaissait par cœur les inflexions de sa voix et elle éprouva une brusque envie de se retrouver contre lui, de se blottir au creux de son épaule.

— Tu me manques, Fabian.

Pourquoi disait-elle une chose pareille ? En général, ils évitaient ce genre de déclaration. Après un petit silence, il demanda :

— Tout va bien, ma belle ?

Sa tendresse acheva de la démoraliser. Il était l'homme qu'elle aimait, un amant idéal, mais aussi la dernière personne à qui elle pouvait se confier.

— Je crois que je suis fatiguée, bredouilla-t-elle.

— Alors, endors-toi vite. Je t'embrasse.

Il raccrocha le premier tandis qu'elle restait songeuse, le récepteur à la main.

« Qu'est-ce que j'ai, ce soir ? C'est la musique de Boulez qui me rend comme ça ? »

Elle se sentait triste, sans en comprendre la raison. Avec un soupir, elle se décida enfin à raccrocher et appuya sur le bouton du répondeur. Les deux premiers messages concernaient son travail, mais le troisième la cloua sur place.

— Bonsoir, Lucrèce, c'est Nicolas. Peut-être n'as-tu aucune envie de m'entendre, et si c'est le cas ne tiens pas compte de la suite. Voilà, je… Je voudrais qu'on parle, tous les deux. Ta mère m'a dit que tu ne comptais pas redescendre ici, en janvier, alors c'est moi qui vais monter à Paris. Même si tu es très occupée, j'espère que tu trouveras une heure pour moi, à n'importe quel moment. Je te donne le numéro de mon hôtel, j'y serai assez tard dans la nuit. Tu peux m'appeler quand tu veux, je ne bougerai pas.

Elle rembobina la cassette, réécouta. Nicolas était en train de rouler vers Paris ? Rien que pour pouvoir *parler* avec elle ? Ils ne s'étaient pas revus ni même téléphoné depuis la soirée au *Relais de Margaux* et la nuit qui avait suivi. Lucrèce y avait trop souvent repensé, avec un sentiment de regret et de malaise, mais elle s'était bien gardée de se manifester, se demandant de quelle manière Nicolas avait été accueilli par sa femme, au petit matin. Et aujourd'hui, qu'avait-il trouvé comme prétexte pour ce voyage à Paris ? De toute façon, elle avait un planning dément le lendemain, jour du bouclage de l'hebdo, et elle ne pourrait pas le voir avant le soir.

— Nick… soupira-t-elle.

Passionné, excessif, il était beaucoup trop droit pour avoir une liaison adultère. Jamais ils n'auraient dû céder à la tentation, tous les deux. Malheureusement, leur désir était resté intact, malgré les années, et il avait suffi d'une seule occasion pour les faire craquer. Ils auraient dû se passer leur caprice plus tôt, beaucoup plus tôt, au lieu d'entretenir la frustration qui les avait conduits à se jeter l'un sur l'autre comme deux affamés. Mais n'était-ce que cela ?

Une fois encore, elle fit défiler la bande, ensuite elle appela l'hôtel et laissa un message au gardien de nuit.

Agnès coupa son moteur mais ne descendit pas tout de suite de voiture. À travers le pare-brise, elle regarda longtemps en direction de l'ancien chai, devenu invisible depuis que Nicolas avait fait planter une rangée de peupliers. Combien de fois s'était-elle encore réfugiée chez son beau-frère, ces derniers temps ? Il l'avait toujours accueillie à bras ouverts. Il était le seul – avec Stéphanie, par la force des choses – à connaître son drame, le seul qui pourrait l'aider si un jour elle trouvait le courage de quitter Guillaume.

Inclinant vers elle le rétroviseur, elle s'observa avec attention, s'essaya même à sourire. Le dentiste avait fait un travail remarquable sur sa dent cassée net. Une fois encore, c'était Nicolas qui lui avait donné l'adresse de Guy Cerjac, stomatologue réputé, et celui-ci n'avait pas posé de question, faisant semblant de croire à son histoire de chute dans l'escalier. Six séances avaient été nécessaires pour obtenir ce résultat, mais bien malin qui pourrait discerner le bridge.

Rassurée, au moins sur son apparence, elle replaça le rétroviseur dans sa position initiale. Guillaume ne protesterait pas en ce qui concernait les honoraires, elle le savait. Lorsqu'il cédait à un de ses actes de violence, il cherchait toujours à se racheter par la suite. Jusqu'à la prochaine crise. Comment avait-elle pu tomber si bas ? Le livre prêté par Nicolas, l'année précédente, l'avait beaucoup fait réfléchir. Longtemps, elle ne s'était pas considérée comme une femme battue. Cette expression lui faisait horreur, et pourtant… À quoi bon nier la réalité ? Entre les mains brutales de son mari, elle n'était rien d'autre qu'une victime consentant lâchement à son sort. Et lui, comment se jugeait-il ? Sa grande excuse consistait à reconnaître qu'il était coléreux, c'était vraiment trop facile ! D'ailleurs, elle ne faisait jamais rien pour le mettre en colère. En réalité, il saisissait n'importe quel prétexte, même ridicule, lorsqu'il voulait se déchaîner. Depuis le temps, elle avait compris qu'il y trouvait un plaisir pervers, contre la force duquel elle ne pouvait rien.

Elle descendit de voiture et jeta un coup d'œil vers la chartreuse. Cette maison magnifique, dans laquelle Guillaume et Nicolas avaient grandi, et qu'elle avait d'abord adorée, lui semblait aujourd'hui une véritable prison. Néanmoins, elle y revenait d'elle-même, Guillaume ne la séquestrait pas.

Constatant qu'il n'y avait aucune lumière chez elle, elle décida d'aller passer un moment avec Stéphanie. Guillaume ne s'opposait pas à ces visites parce qu'il était fou du petit Denis. Dès sa naissance, il avait adoré son neveu, lui qui prétendait ne pas aimer les enfants, et pendant un moment ses rapports avec son frère s'étaient améliorés. Jusqu'à ce que Nicolas refuse de lui confier le petit, même pour deux heures. Si Guillaume voulait voir Denis, il fallait qu'il se déplace, ce qu'il n'appréciait évidemment pas. Mais Nicolas le connaissait trop bien et refusait de prendre le moindre risque.

Agnès contourna le jardin de son beau-frère, défendu par une haute clôture, et alla sonner à la porte du chai. Stéphanie était seule, en train de préparer une tarte au citron.

— Tu tombes bien ! s'écria-t-elle. J'avais un coup de cafard… Nick est en voyage et j'ai confié Denis à mes parents. Tu veux une tasse de thé ?

Elle l'entraîna jusqu'à la cuisine, où régnait un désordre très inhabituel.

— Je fais de la pâtisserie depuis ce matin, soupira-t-elle. Je vais congeler tout ça, c'est de la folie.

Intriguée, Agnès la dévisagea. Pour une fois, Stéphanie ne souriait pas, ses grands yeux gris brillaient comme si elle allait se mettre à pleurer. Que lui arrivait-il donc ? La plupart du temps, elle chantait en préparant ses gâteaux, et trouvait le moyen d'esquisser trois pas de danse devant l'évier en nettoyant ses casseroles. L'image même d'une épouse heureuse, d'une mère comblée. Brusquement, son petit visage aux traits délicats se tordit dans une grimace tandis qu'elle éclatait en sanglots. Agnès lui entoura aussitôt les épaules de son bras et l'attira contre elle.

— Tu as des soucis ?

C'était une sensation étrange pour elle de se retrouver dans le rôle de celle qui réconforte alors que Stéphanie l'avait si souvent consolée.

— Nicolas, bredouilla-t-elle à travers ses larmes.

— Quoi, Nicolas ?

— Il… Je crois qu'il y a une femme qui… Oh, je n'aurais pas dû l'interroger, j'aurais préféré ne rien savoir du tout !

De façon décousue, elle raconta que son mari avait passé toute une nuit dehors, un mois plus tôt, qu'il était rentré tellement désespéré qu'elle ne lui avait rien demandé sur le coup mais, depuis, il était apparemment très mal dans sa peau et elle en devenait folle d'inquiétude.

— Hier, il m'a annoncé qu'il s'absentait deux ou trois jours, sans autre explication. Alors, je lui ai fait une scène. C'était stupide mais je n'ai pas pu m'en empêcher ! Pourtant, je savais d'avance qu'il ne me mentirait pas, il est trop honnête pour ça.

Nicolas était effectivement un homme honnête, adorable, bourré de charme, bref un type fantastique, qu'Agnès aimait beaucoup. Lorsqu'elle avait épousé Guillaume, Nicolas n'était encore qu'un adolescent de quinze ans, élevé par son grand frère d'une main de fer. Ils avaient perdu leur mère cinq ans plus tôt, et leur père, mal remis de ce deuil, végétait alors dans un fauteuil d'infirme. Agnès avait tout pris en charge sans sourciller, et Nicolas, sans doute soulagé par cette présence féminine, s'était montré avec elle d'une gentillesse remarquable. Toutefois, à peine adulte, il avait voulu fuir la chartreuse pour échapper à l'autoritarisme de son frère aîné, mais celui-ci, en lui offrant de s'installer dans l'ancien chai, avait cherché à le garder malgré tout sous sa coupe. Aujourd'hui, les deux frères étaient quasi devenus des ennemis.

— Quoi qu'il fasse, ajouta Stéphanie d'une voix blanche, je ne pourrai pas supporter de le perdre ! J'ai éloigné Denis pour qu'on puisse s'expliquer, et maintenant je ne sais même pas s'il reviendra…

— Bien sûr que oui ! Il t'aime, il aime son fils.

En ce qui concernait Denis, elle n'avait pas le moindre doute. Quant à Stéphanie… Depuis plus de vingt ans qu'Agnès connaissait Nicolas, elle savait faire la différence entre la tendresse qu'il manifestait à sa femme et la passion ravageuse qui l'avait consumé à une certaine époque. Avait-il eu un nouveau coup de foudre ou s'agissait-il de la même femme, cette journaliste dont il avait été fou avant son mariage ? Elle se garda bien d'y faire allusion, persuadée que Stéphanie y penserait d'elle-même à un moment ou à un autre.

— Que t'a-t-il dit, au juste ?

— Qu'il ne veut pas me faire de peine et qu'il est très malheureux, mais il prétend que c'est plus fort que lui !

D'un mouvement nerveux, elle essuya sa joue, laissant une trace de farine sur sa pommette. Jusque-là, elle avait absolument tout pour être heureuse, et Agnès enviait souvent sa chance. D'abord, Stéphanie était fille unique et ses parents l'adoraient, ensuite elle avait épousé l'homme dont elle était éperdument amoureuse, puis elle avait eu son si mignon petit garçon. Sa vie de femme au foyer la comblait, l'amour l'épanouissait. Mais voilà que son bonheur venait de voler en éclats et, trop protégée jusqu'alors, sans doute ne comprenait-elle pas ce qui lui arrivait. Agnès songea avec amertume que, pour sa part, l'infidélité conjugale était l'une des rares choses qu'elle n'ait pas à reprocher à Guillaume. Penser à son mari lui fit regarder l'heure et elle se leva d'un bond.

— Je dois rentrer, murmura-t-elle.

Il avait horreur d'arriver dans une maison obscure et vide. Elle aurait voulu rester pour consoler Stéphanie qui l'avait si souvent aidée, mais elle n'osait pas courir le risque de provoquer Guillaume. Pourquoi se laissait-elle tyranniser ainsi ?

— Non, répéta fermement Claude-Éric, nous ne ferons pas quatre pages sur les jeux Olympiques d'hiver ! Laissons ça à *Match* ou à qui vous voulez, ce n'est pas notre vocation.

— On avait pourtant parlé de ceux d'Albertville, il y a deux ans, plaida le journaliste qui s'accrochait à son idée.

— Albertville est en France, l'aspect économique était intéressant, répliqua Claude-Éric.

— Mais là aussi ! intervint Lucrèce avec son aplomb coutumier. On pourrait au moins s'attarder un peu sur les raisons qui ont poussé le Comité olympique à changer la date des Jeux d'hiver ? À savoir, que les sociétés de télévision internationales ne sont pas en mesure de trouver deux fois dans la même année un nombre suffisant d'annonceurs…

Pas convaincu, Valère lui fit néanmoins signe de poursuivre.

— Sans compter la manière dont les Norvégiens ont aménagé les sites de compétition, conçus de telle sorte qu'ils seront tous exploités sans problème après les Jeux. Un modèle d'écologie, il n'y a pas eu un seul arbre abattu inutilement !

— D'accord, capitula Claude-Éric après un petit silence.

Il se tourna vers le journaliste qui avait évoqué Lillehammer en premier et lui lança :

— Je vous donne trois colonnes ! Mais faites ça avant l'ouverture, qu'on ne soit pas encombré par des résultats et des médailles !

Le sport n'était décidément pas un sujet qui l'inspirait, toutefois les arguments de Lucrèce étaient bons, comme toujours. Pourquoi les autres membres de la rédaction ne se défendaient-ils pas aussi bien qu'elle ?

« Parce que, elle, tu l'écoutes... »

Son indulgence pour la jeune femme le rendait-il aveugle ? Non, elle lui fournissait presque systématiquement d'excellents articles. Il n'était d'ailleurs pas le seul à le constater, à en croire l'insistance avec laquelle les rédactions rivales cherchaient à la débaucher.

Autour de lui, les journalistes continuaient à bavarder entre eux, se disputant les dernières places libres dans les pages de l'hebdo, et il trancha leurs conflits en quelques mots. C'était rituel : à peine un numéro se bouclait-il qu'il fallait déjà penser au suivant. Le brouhaha qui avait régné jusque-là dans la salle de rédaction commença à se calmer tandis que chacun rassemblait ses notes.

— Je vous garde deux secondes ! lança-t-il d'un ton impérieux à Lucrèce.

Elle était debout mais elle se rassit, sourcils froncés, apparemment contrariée de devoir s'attarder encore.

— Vous êtes pressée ?

— Plutôt, oui.

Alors qu'elle jetait un rapide coup d'œil à sa montre il constata, sans surprise mais avec agacement, qu'elle portait toujours sa Swatch.

— Superbe, votre éloge funèbre de Jean-Louis Barrault ! J'ai beaucoup apprécié. Décidément, tout ce qui est culturel vous touche.

— C'était un comédien magnifique, se borna-t-elle à répondre.

Bien qu'elle soit à l'aise dans presque tous les domaines, à l'exception de la politique étrangère, elle brillait particulièrement sur les dossiers polémiques, lorsqu'il s'agissait de monter au créneau pour dénoncer un scandale ou défendre les droits du citoyen. Mais de tels sujets ne se présentaient pas chaque semaine, aussi depuis un moment Claude-Éric réfléchissait-il au moyen de lui accorder de l'avancement au sein du journal.

— Le département culture, ça vous dirait ? demanda-t-il de façon abrupte.

Une seconde, elle resta muette, se contentant de le dévisager.

— Vous plaisantez ?

— Oh, rarement au boulot, comme vous savez…

Passer chef de service dans l'un des hebdos à plus fort tirage du pays, pour une femme de trente-deux ans, représentait une promotion inespérée. En tout état de cause, il ne pouvait rien lui proposer de plus alléchant. *Maintenant* disposait chaque semaine de presque vingt pages pour tout ce qui touchait à la littérature, au cinéma, aux spectacles, aux arts, à la télévision, ainsi qu'aux nouveaux moyens de communication.

— J'adorerais ! déclara-t-elle avec enthousiasme.

— Eh bien, considérez que vous avez la place.

— Mais…

— Inutile d'avoir des scrupules, si je vous donne le poste, c'est que je suis mécontent du travail de Jean-Paul.

L'actuel responsable du département culture s'était accroché avec Claude-Éric à plusieurs reprises et devait savoir qu'il était assis sur un siège éjectable.

— Mettez-moi un peu d'animation dans tout ça avec du caustique, de la critique, du ronflant ! J'en ai assez de passer de la pommade et d'encenser des trucs élitistes, faites-moi souffler un vent nouveau, d'accord ? Rien de pire que cette dictature du parisianisme, de la pensée correcte qui risque de devenir pensée unique…

Il vit que Lucrèce le scrutait, inquiète de comprendre sa véritable motivation, et il ajouta aussitôt :

— Bien entendu, si vous avez envie de vous déchaîner dans un de ces articles incisifs dont vous avez le secret, les autres pages vous restent ouvertes.

Mieux valait qu'elle ne devine pas ce qu'il avait en tête. Certes, il avait confiance en elle, appréciait ses réelles qualités professionnelles, mais il espérait surtout que la responsabilité qu'il lui confiait parviendrait à monopoliser toute son attention. De temps à autre, il avait l'impression désagréable qu'elle ne se rendait pas compte de sa chance. Elle laissait parfois entendre que la vie à Paris commençait à lui peser, prétendait même se languir de Bordeaux ! Depuis six ans qu'elle était là, elle connaissait par cœur le fonctionnement du journal, avait largement fait ses preuves, et à présent elle avait sans doute besoin d'un petit coup de pouce pour réveiller son ambition. En lui offrant ce poste, il savait qu'il la stimulerait. Il savait aussi qu'un grand nombre de manifestations culturelles, auxquelles elle serait désormais tenue d'assister, limiteraient forcément ses innombrables week-ends bordelais. Il était vraiment temps que Fabian Cartier passe au second plan.

— Si on en discutait devant une côte de bœuf ? proposa-t-il.

Un peu surpris, il la vit consulter une nouvelle fois sa montre.

— Pas ce soir, je ne peux pas, désolée, répondit-elle en hâte.

— Vous avez une vie trépidante ! ironisa-t-il.

Pour ne pas la braquer, il se garda d'insister, malgré sa déception. Qu'elle aille donc à son rendez-vous, elle passerait forcément la soirée à ruminer son offre. De toute façon, il la voyait tous les jours, ce n'était que partie remise.

Elle ramassa son sac, un grand fourre-tout de cuir fauve qu'elle portait en bandoulière, et remonta le col de son manteau.

— Merci, Claude-Éric…

Avec un sourire d'excuse, elle lui adressa un signe de tête et se hâta de quitter la salle de rédaction. Il était presque neuf heures, la réunion avait débordé l'horaire, comme toujours. Dehors, il faisait très froid, et Lucrèce se mit à marcher vite, vers la rue du Cherche-Midi, pour rejoindre le *Rond de Serviette* où elle avait donné rendez-vous à Nicolas. Mais ce n'était pas à lui qu'elle songeait, car pour l'instant Claude-Éric occupait encore toutes ses pensées. Pourquoi lui offrait-il cette soudaine promotion ? Uniquement parce qu'il voulait se débarrasser de Jean-Paul ? Non, décida-t-elle. Avec lui, ce n'était jamais aussi simple, et ses motivations se devinaient rarement au premier abord. Machiavélique, toutes ses décisions, jusqu'à la plus insignifiante, étaient mûrement réfléchies. Voulait-il la cantonner à la culture et cet avancement se révélerait-il une voie de garage, au bout du compte ? Ou, au contraire, désirait-il se l'attacher davantage en flattant son ambition ? Être responsable de vingt pages dans un hebdomadaire comme *Maintenant* était tout de même une vraie promotion. Si elle prouvait qu'elle était en mesure de diriger un service, sa carrière ferait un énorme bond en avant. Et qui sait si, un jour ou l'autre, Claude-Éric ne lui confierait pas quelque chose d'encore plus important ? Mais voulait-elle rester à sa merci ? Entièrement formée par ce grand patron de presse, à qui elle devait tout, n'était-elle pas sur le point de s'enfermer avec lui dans une cage dorée dont il lui serait, les années passant, de plus en plus difficile de s'échapper ?

Elle dut rebrousser chemin car elle avait dépassé le restaurant sans s'en apercevoir. En pénétrant dans la salle, elle chercha des yeux Nicolas et le découvrit attablé au fond, la tête baissée vers un journal ouvert posé à côté de lui. Elle avait plus d'une heure de retard, pourtant elle prit le temps de se débarrasser de son manteau, qu'elle confia à un serveur, sans cesser d'observer Nicolas. Il ne l'avait pas vue entrer, absorbé par sa lecture ou lassé d'attendre, mais lorsqu'il leva machinalement la tête, son visage s'illumina d'un coup.

— Désolée, Nick, s'excusa-t-elle en le rejoignant, la conférence de rédaction s'est éternisée, tu dois mourir de faim.

— D'impatience, plutôt ! Je suis très heureux que tu sois venue…

— Je ne pose jamais de lapin.

Tandis qu'elle s'installait face à lui, il commanda deux coupes de champagne et lui fit signe de consulter le menu.

— J'ai repéré un confit de canard aux pruneaux d'Agen, ça te tente ?

— Oui, accepta-t-elle d'emblée, ce sera parfait ! Comment as-tu occupé ta journée ?

— J'ai fait le tour de quelques cavistes, j'ai traîné dans les rues… Je me demandais comment tu peux aimer cette ville.

— Je ne l'aime pas, mais j'y travaille.

Ils se dévisagèrent en silence durant quelques instants, jusqu'à ce qu'une sorte de gêne s'installe entre eux. Se retrouver à Paris avait quelque chose d'étrange, et ce dépaysement dans leur relation ne les rapprochait pas du tout.

— Pourquoi es-tu là ? demanda-t-elle doucement.

— Parce que je devenais fou à force de penser à toi.

Voilà, il l'avait dit. Quelle autre raison aurait pu le pousser à se précipiter ainsi à Paris ? Jamais il n'avait fait mystère des sentiments qu'elle lui inspirait, et à présent il la regardait avec une telle intensité qu'elle se sentit beaucoup plus troublée et inquiète qu'elle ne l'aurait voulu.

— Qu'as-tu raconté à ta femme ? murmura-t-elle.

— Elle ne mérite pas que je lui mente, alors…

— Mais toute vérité n'est pas bonne à dire, Nicolas !

— Elle l'aurait vu, de toute façon. Avoir passé une nuit avec toi me la rend complètement… étrangère, avoua-t-il d'un ton résigné.

— Non !

L'idée était effrayante, détestable. Pourquoi n'y avait-elle pas pensé avant ? Nicolas était capable d'aller jusqu'au divorce rien que parce qu'il avait trompé sa femme une fois. La perspective d'une liaison adultère devait le révulser, bien entendu, et sans doute s'imaginait-il enfin un avenir avec Lucrèce. Il allait de nouveau la mettre au pied du mur, exiger d'elle exactement ce qu'elle ne pouvait pas lui donner. Et la même histoire allait se répéter entre eux, comme par le passé, débouchant sur la même impasse.

— Écoute, dit-elle avec une certaine brusquerie, tu devrais rentrer chez toi et faire la paix avec Stéphanie.

— Pourquoi ? Même si tu ne veux pas de moi dans ta vie, je ne vais pas pouvoir t'effacer d'un coup d'éponge.

Il s'efforçait de rester calme mais elle voyait à quel point il était bouleversé. Pourquoi le traitait-elle aussi mal ? Comme à un petit garçon, elle venait de lui conseiller de rentrer chez lui ! Pourtant, elle mourait d'envie de se retrouver dans ses bras, elle en avait parfaitement conscience.

— Tu n'as pas changé, Nick, tu prends toujours tout au tragique. C'est ma faute. Te connaissant, je n'aurais pas dû…

— Tu regrettes ?

— Oh, non ! J'ai adoré faire l'amour avec toi et…

— Je te ramène à mon hôtel, alors ?

Elle le regarda, hésita puis secoua la tête.

— Je vais te faire une réponse honnête : je ne demande pas mieux. Seulement je suis persuadée que tu attends autre chose de moi. Demain matin, en se quittant, qu'est-ce qu'on se dira ? À la prochaine ? Ensuite, tu t'inventeras des voyages d'affaires ? Et puis, un jour, tu me demanderas ce que j'ai fait en ton absence, qui j'ai vu… Je tiens à ma liberté et tu finiras par ne pas le supporter. J'ai tort ?

— Toi non plus, tu n'as pas changé d'un iota, répliqua-t-il amèrement. Tu me condamnes sans me laisser la moindre chance de te convaincre. Pourquoi es-tu tellement sûre que tu ne m'aimeras jamais ? Que ce ne sera pas toi qui t'inquiéteras de savoir où je suis ?

La dérision lui allait mal, il devait déjà souffrir et elle éprouva une sensation de malaise. Elle l'avait mis dans une situation impossible, elle le comprenait, mais trop tard.

— Toi, poursuivit-il, depuis dix ans, tu te partages entre une liaison intermittente et quelques coups de cœur sans suite. Je pense que tu n'as jamais été follement amoureuse de personne, mais ça peut t'arriver, qui sait ?

Après un long silence, durant lequel elle le considéra pensivement, elle finit par hocher la tête. Elle avait rencontré Nicolas trop tôt, elle en eut soudain la certitude. Il avait toujours vu en elle la femme de sa vie alors qu'elle le considérait juste comme un garçon séduisant, près duquel elle se sentait bien. Mais elle était en train de découvrir qu'il possédait une tout autre dimension. D'une part, il avait mûri, d'autre part, elle-même n'était plus désespérément en quête d'une image paternelle. Aujourd'hui, elle aurait très bien pu tomber amoureuse de lui. Mais où cela les conduisait-il ?

— Tu es marié, Nick, tu as un fils. Je ne veux pas bousiller ton existence.

— Ni la tienne, sans doute ? répliqua-t-il d'une voix tendue. Dans laquelle il n'y aura jamais de place pour quelqu'un comme moi ?

— Je n'en sais rien, murmura-t-elle.

— Lucrèce ! protesta-t-il rageusement. C'est tellement important pour moi ! Et tu me dis que tu *ne sais pas* ?

Cette fois, il était vraiment en colère et, apparemment, il avait du mal à se maîtriser. Elle se sentit agacée par son insistance, par cette façon qu'il avait de rendre leur situation dramatique.

— Je suis prêt à tout, y compris à t'attendre dix ans de plus s'il le faut ! Comment peux-tu me conseiller de rentrer chez moi, de raconter n'importe quelle salade à Stéphanie, et de faire comme si de rien n'était ? J'en suis incapable !

Il tendit la main vers elle mais n'acheva pas son geste.

— Il y a très longtemps, je t'ai demandé si tu tenais à Fabian, et tu as eu la même réponse : « Je ne sais pas. » Personne ne compte donc jamais pour toi ?

— Si, bien sûr que si ! se défendit-elle. Arrête de me juger, de me mettre en main des marchés impossibles ! À t'entendre, tu veux quitter ta femme à cause de moi, j'ai de quoi avoir la trouille, non ? Avec toi, tout va trop vite, trop loin…

— Tu voulais juste une aventure en passant ? demanda-t-il durement. Je suis le dernier que tu aurais dû choisir pour ça, c'est très cruel de ta part.

Sans lui laisser le temps de protester, il se leva et quitta la table. Incrédule, elle le suivit des yeux, le vit s'arrêter une seconde près d'un maître d'hôtel à qui il tendit une liasse de billets avant de sortir. C'était bien la première fois qu'un homme l'abandonnait en plein milieu d'un repas et les regards en coin de quelques dîneurs l'exaspérèrent. Elle attendit une minute puis se leva à son tour et gagna le vestiaire. En lui apportant son manteau, un serveur lui présenta aussi, d'un air embarrassé, un pardessus bleu marine qui devait appartenir à Nicolas et qu'elle prit machinalement.

Dehors, un vent glacial l'accueillit. La soirée avait tourné au fiasco mais était-ce uniquement sa faute ? Les reproches de Nicolas lui laissaient une impression d'autant plus pénible qu'elle les savait fondés. Impossible d'exiger de lui la légèreté d'un amant de passage, avec lui ce serait toujours tout ou rien.

Elle pressa le pas, serrant le pardessus contre elle. Était-il rentré à son hôtel ? Elle pouvait faire un crochet par la rue de Sèvres et déposer le vêtement à la réception du *Lutétia* où il était descendu. Mais que ressentirait-il en apprenant qu'elle était venue jusque-là sans daigner monter dans sa chambre ? Attendait-il un mot d'excuse, de compassion, était-il prêt à s'accrocher au moindre espoir ? Non, il ne ressemblait plus tout à fait au Nicolas d'avant, il ne se comportait plus en amoureux transi ou en chien battu. Et, comble de la dérision, la colère lui allait bien, le rendait très séduisant.

Découragée par le froid, elle renonça à se rendre au *Lutétia* et rentra rue de Médicis. Il n'y avait aucun message sur le répondeur, et elle constata avec agacement qu'elle en éprouvait de la déception.

« Tu ne sais pas ce que tu veux, ma vieille ! »

À quoi jouait-elle donc avec lui ? À le désespérer davantage à chaque fois ? Et pourquoi prenait-il soudain tant d'importance, au point qu'elle ne pouvait penser à rien d'autre ? Durant des années, elle l'avait négligé, avant de le reléguer au fond de sa mémoire. Pour elle, Nicolas était celui qui lui avait voué une passion dans sa jeunesse, un garçon évoqué de temps à autre avec de vagues regrets attendris, rien de plus. Néanmoins, ce soir, à quoi bon se raconter des histoires ? Elle aurait aimé se retrouver dans son lit, dans ses bras.

D'un geste rageur, elle décrocha le téléphone et composa le numéro du *Lutétia*. Au moins, elle allait lui dire au revoir, lui expliquer qu'elle ne s'était pas servie de lui…

— M. Brantôme a réglé sa note et vient de quitter l'hôtel, madame, déclara la voix impassible du réceptionniste.

Dépitée, elle raccrocha brutalement.

— Bon vent ! marmonna-t-elle entre ses dents.

Qu'il rentre à Bordeaux, présente des excuses à la chère Stéphanie et se remette à tailler ses vignes ! C'était ce qu'il avait de mieux à faire, de toute façon. Une fois encore leurs chemins s'étaient juste croisés, jamais ils ne se rejoindraient.

Brigitte Cerjac défit le brassard du tensiomètre tout en adressant un sourire rassurant à Stéphanie.

— Tout va bien. Tu peux te rhabiller.

Tandis que sa patiente se relevait de la table d'examen, elle alla s'asseoir à son bureau. Devant elle, tout était parfaitement en ordre, le sous-main, le pot à crayons et l'agenda bien alignés, son ordonnancier à portée de main. Sur ce dernier, la mention qu'elle avait tant désirée : « Dr Brigitte Cerjac, médecine générale, ancienne interne des hôpitaux de Bordeaux ». Et quoi que cet internat au CHU ait pu lui coûter – en particulier lorsqu'elle repensait à ses deux stages en chirurgie, transformés en calvaire par le professeur Fabian Cartier –, elle éclatait de fierté en lisant son titre.

Installée depuis trois ans dans ce cabinet de groupe où elle pouvait moduler ses horaires de consultation, elle exerçait, s'avouait-elle dans ses moments d'honnêteté, sans réelle vocation. Les malades ne l'intéressaient pas vraiment, elle ne prenait aucun plaisir à les soigner. Peut-être manquait-elle de confiance en elle, une lacune qu'elle attribuait aux professeurs qui l'avaient formée.

Parmi sa clientèle, Stéphanie Brantôme avait le mérite d'être jeune, jolie, et généralement gaie. En peu de temps, elles étaient devenues des amies, trouvant l'occasion de se voir en dehors du cabinet pour des après-midi de shopping qui s'achevaient devant une assiette de cannelés dans un salon de thé de la place des Grands-Hommes.

— Dis-moi ce qui te tracasse, suggéra Brigitte du ton docte qui seyait à son statut.

À en croire l'auscultation, Stéphanie ne souffrait de rien, néanmoins elle avait une tête de déterrée.

— Nicolas traverse une crise, avoua la jeune femme d'une petite voix pitoyable.

Ses grands yeux gris, très doux, restaient posés sur Brigitte avec angoisse, comme si elle espérait un remède miracle à ses problèmes conjugaux.

— Les hommes sont chiants, laissa tomber Brigitte sans chercher à dissimuler son mépris. Toujours un truc qui ne va pas ! L'angoisse de l'âge, de la carrière... S'ils avaient nos soucis de femmes et de mères, je crois qu'ils n'y résisteraient pas. Qu'est-ce qu'il a, Nicolas ?

— Je crois qu'il en aime une autre.

— Non ! Il a une liaison ? s'écria Brigitte en ouvrant de grands yeux.

Comment ce type pouvait-il être assez stupide pour aller chercher ailleurs ce qu'il avait chez lui ? Stéphanie était folle de son mari, ça crevait les yeux, et en plus elle était ravissante.

— Non, je ne pense pas, il a l'air trop malheureux pour ça.

— Dis, tu ne vas pas le plaindre, quand même ? S'il a jeté son dévolu sur une fille qui ne veut pas de lui, c'est ce qui peut t'arriver de moins grave. Tu vas le consoler, le récupérer comme ça !

D'un geste sec, elle venait de faire claquer ses doigts.

— Vampe-le, sors-le, achète-toi de la lingerie en dentelle…

— Brigitte !

— Mais si ! Ils sont tous pareils, crois-moi. Chaque fois que Guy me paraît moins empressé, ou bien si par hasard je le vois loucher sur une minette, j'utilise la tactique séduction et ça marche à tous les coups.

Bien entendu, elle ne précisa pas que, contrairement à Stéphanie, elle n'avait jamais été très amoureuse de son mari et l'avait choisi pour des raisons qui n'étaient pas uniquement sentimentales. Guy, qu'elle avait fait divorcer tambour battant afin de l'épouser plus vite, représentait l'image qu'elle se faisait du mari idéal, capable de lui offrir la sécurité financière et la position sociale dont elle rêvait alors. En revanche, elle était sincère en affirmant qu'elle voulait – et savait – le garder.

— Je vais te prescrire un cocktail de vitamines, ça te donnera un peu d'entrain.

Elle rédigea son ordonnance en s'appliquant, comme toujours. Elle pouvait se permettre de prendre tout son temps avec ses patients, ces derniers n'étant pas nombreux.

— Si tu veux qu'on aille faire des courses, vendredi après-midi, je suis libre. Et ne me dis pas que tu n'as pas la tête à ça !

Le sourire de Stéphanie manquait de conviction, néanmoins elle accepta. Très contente d'elle, Brigitte la raccompagna jusqu'à la porte puis alla jeter un coup d'œil dans sa salle d'attente où il n'y avait plus personne. En revanche, la pièce voisine était pleine et elle se demanda pour la énième fois comment ses confrères pouvaient supporter de consulter à longueur de journée, parfois même jusqu'à dix heures du soir. Dernière associée en date du cabinet de groupe, elle ne cherchait nullement à augmenter sa clientèle. Ses deux filles avaient besoin d'elle, pas question de devenir un bourreau de travail, et de toute façon rien ne l'obligeait à gagner sa vie.

Elle regagna son bureau, rangea ses affaires. La médecine de ville, telle qu'elle la pratiquait, la satisfaisait pleinement. Quelle différence avec le rythme insoutenable de l'hôpital ! Elle conservait un très mauvais souvenir des années d'internat qu'elle avait dû y passer, mais à présent c'était terminé, elle faisait ce qu'elle voulait. Plus de nuits de garde, de chefs de service survoltés, de grands patrons arrogants. Et parmi eux le pire, Cartier, à qui elle aurait bien voulu ne plus jamais penser. Mais comment l'ignorer ? Non seulement cette punaise de Lucrèce était toujours sa maîtresse, mais de surcroît il était invité partout et elle le croisait plusieurs fois par an dans des dîners ou des cocktails. Guy n'osait pas le bouder trop ostensiblement, mais pour sa part elle ne s'en privait pas. D'autant plus qu'elle ne lui avait jamais pardonné la manière dont il l'avait traitée, refusant de valider son stage et le lui faisant recommencer, la mettant sur la sellette en salle d'opération alors qu'elle ne supportait pas la vue du sang. Sans compter qu'il avait totalement ignoré les avances qu'elle était prête à lui faire. Car, elle ne s'en souvenait jamais sans honte ni sans rancœur, cet homme lui avait plu. Un vrai comportement de gourde, de midinette ! Elle toujours si rationnelle, comment avait-elle pu rêver de succomber au play-boy de l'hôpital ? Évidemment, il possédait mille fois plus de charme que Guy…

Furieuse de l'avoir pensé, elle lâcha un petit ricanement amer. En tout cas, il trompait Lucrèce, elle le savait par d'anciennes relations qui travaillaient toujours à l'hôpital, et un de ces jours elle transmettrait l'information à sa belle-fille, juste pour voir sa tête !

Une fois de plus, Lucrèce s'interrompit, incapable de se concentrer. Pourtant, elle aimait travailler le matin, encore en pyjama et au chaud sous la couette, une tasse de café posée sur la table basse qui lui servait aussi de table de nuit. Le stylo en l'air, elle relut distraitement ce qu'elle venait d'écrire. Tombé la veille, à l'issue d'un procès très médiatique, le verdict de dix-huit ans de réclusion pour Omar Raddad l'avait fait bondir. Elle souhaitait réagir, exprimer ses doutes, mais pour l'instant son début d'article n'était pas très convaincant.

Elle déchira la feuille du bloc, en fit une boule qui alla rejoindre les autres sur le tapis. De nouveau, elle contempla son agenda. Bon, elle n'inscrivait pas toujours la date de ses règles, qui étaient d'ailleurs assez irrégulières, néanmoins, là, il semblait y avoir un problème. Depuis quelques jours, elle y pensait vaguement, repoussant la question à plus tard, cependant elle ne pouvait plus différer. À peine réveillée, l'idée s'était imposée avec insistance, jusqu'à ce qu'elle se mette en quête de ses agendas. Sur le calendrier, elle avait relevé les marques habituelles en octobre, novembrc, décembre. Mais sur sa nouvelle recharge, il n'y avait rien en janvier. Un oubli ? Elle essayait en vain de sc souvenir à quel moment elle avait acheté sa dernière boîte de tampons.

— Pas de panique… marmonna-t-elle.

Il existait toutes sortes de raisons possibles pour un retard. Dont la plus plausible était évidemment un début de grossesse.

« Non, non ! »

Le cœur battant, elle essaya de retrouver son sang-froid. Avec Fabian, les choses étaient très simples, il utilisait toujours des préservatifs. Laurent aussi, d'ailleurs leur brève aventure avait pris fin en novembre. Restait la nuit passée avec Nicolas.

« Oh, mon Dieu, pas ça… »

Mais elle savait qu'ils avaient été imprudents. Trop pressés de se jeter l'un sur l'autre. Elle n'y avait même pas pensé, et lui non plus. Le fait de se connaître – et de se désirer – depuis si longtemps ne constituait pas une excuse valable. Il s'agissait ni plus ni moins d'un oubli impardonnable, qu'elle risquait de payer cher.

« Pour une femme libérée, tu te poses là ! »

À présent, elle voulait une certitude. Était-il plus rapide de prendre un rendez-vous chez son médecin ou d'aller acheter un test de grossesse en pharmacie ? Elle opta pour le test, tant pis si elle arrivait en retard au journal.

Nicolas remonta délicatement la couverture jusqu'au menton de Denis qui dormait à poings fermés, au milieu d'une multitude de peluches. Coincé sous sa joue, le gros lapin bleu offert par Guillaume le soir même semblait l'avoir conquis. De toute façon, il appréciait toujours les cadeaux de son oncle qui faisait preuve d'une imagination extravagante pour le gâter. Un paradoxe troublant quand Nicolas songeait à la manière dont Guillaume l'avait élevé. « Jusqu'à quel âge vas-tu traîner cet ours avec toi ? » lui avait-il lancé un soir, trente ans plus tôt, peu après le décès de leur mère. Confisqué, l'ours s'était retrouvé consigné tout en haut d'un placard.

Sur la pointe des pieds, Nicolas quitta la chambre en laissant la veilleuse allumée. Stéphanie se chargerait de l'éteindre plus tard, lors de sa dernière inspection nocturne. Elle adorait leur fils et s'en occupait très bien. Bonne mère, bonne épouse, bonne maîtresse de maison et jolie femme, il n'avait décidément rien à lui reprocher. Pourtant, il souhaitait la quitter, ce qui le désespérait.

Alors qu'il descendait l'escalier, il perçut le murmure des voix en provenance de la salle à manger. S'il n'avait tenu qu'à lui, Guillaume ne serait jamais venu dîner ici, mais par égard pour Agnès, il les invitait régulièrement.

Tout en reprenant sa place à table, il essaya de s'intéresser à la conversation. Son frère parlait des excellents résultats de 1993, de la prospérité de son affaire de négoce, et les parents de Stéphanie l'écoutaient bouche bée. D'ici peu, ils poseraient la question rituelle à leur gendre : pourquoi ne confiait-il pas sa production à Guillaume ? Eux n'avaient pas hésité à le faire et s'en trouvaient très bien.

— Tu n'as rien mangé, murmura sa femme en lui présentant le plat de pigeons rôtis aux épices.

Elle était, de surcroît, une excellente cuisinière. Navré pour elle, il refusa d'un signe de tête.

— Il a une bonne attaque en bouche, tu es en progrès ! lui lança son frère.

Avec une mine gourmande de connaisseur, il savourait ostensiblement le vin de Nicolas qui le regarda sans répondre. Durant deux ou trois secondes, ils se toisèrent, et Guillaume fut le premier à baisser les yeux. Trop longtemps, il avait empêché Nicolas d'acheter des vignes, sans compter la manière dont il l'avait ensuite jeté hors de la société familiale. Leur contentieux était beaucoup trop lourd pour se dissiper grâce à quelques compliments.

Machinalement, parce qu'il le faisait toujours, Nicolas se mit en devoir d'aider Stéphanie à débarrasser. L'un derrière l'autre, chargés d'assiettes sales, ils gagnèrent la cuisine en silence.

— Tu ne veux vraiment adresser la parole à personne ? dit-elle d'une voix sourde. Mes parents ne comprennent pas ce qui se passe…

Pourquoi désirait-elle à tout prix sauver les apparences ? Il ne comprenait pas son acharnement à refuser la réalité. « Ne me dis rien ! » suppliait-elle chaque fois qu'il essayait de s'expliquer. Combien de temps pourraient-ils cohabiter de façon aussi absurde ? Il s'était montré sincère avec elle en avouant qu'il avait honte de lui. Lorsqu'il était rentré, cet horrible matin, elle l'avait empêché de parler, comme si elle avait peur de ce qu'il allait dire, mais elle savait. Indéniablement, elle avait deviné, compris, et préférait le silence à ses explications. Quelques jours plus tard, elle s'était jetée sur lui alors qu'il sortait de la douche. « Je te pardonne, oublions tout ça », avait-elle chuchoté en s'accrochant à son cou. Sans comprendre qu'il était incapable d'oublier sa nuit avec Lucrèce et n'en avait pas l'intention. Écrasé de culpabilité, il endossait l'entière responsabilité de ce qui était en train d'arriver entre eux et ne voyait pas d'autre issue qu'une séparation.

— S'il te plaît… murmura-t-elle en lui posant la main sur le bras.

Têtue, elle voulait qu'il reste et qu'il fasse semblant. Quand elle lui déposa un baiser léger au coin des lèvres, il resta figé.

Devant la double porte laquée – il n'y en avait qu'une seule par palier – Lucrèce hésita. Elle possédait la clef depuis longtemps mais s'en servait rarement, comme si elle répugnait à se comporter en terrain conquis. Et ce soir plus que tout autre ! Mais elle avait déjà sonné deux fois, à présent il lui fallait se décider, Fabian n'étant à l'évidence pas encore rentré de l'hôpital.

Elle finit par ouvrir, alluma et déposa son sac sur une console de verre. Elle connaissait l'appartement par cœur, en appréciait la décoration sobre et luxueuse, pourtant elle ne s'y était jamais sentie chez elle. Peut-être parce que Fabian n'était lui-même que de passage chez lui ?

Dans le salon, une table avait été dressée pour deux, près d'une des hautes fenêtres à petits carreaux. Sans doute par la femme de ménage, qui avait dû laisser les paquets du traiteur dans le réfrigérateur.

— Mon Dieu, comment vais-je lui annoncer ça ? dit-elle à voix haute.

Pour la première fois depuis qu'elle connaissait Fabian, elle allait le confronter à un problème qu'il serait incapable de résoudre. Un problème qui, soulignant leur différence d'âge, ne pourrait que les éloigner l'un de l'autre. De quelle façon allait-il accepter ou rejeter ce qu'elle s'apprêtait à lui avouer ?

Oppressée, elle regarda autour d'elle. Tout était impeccablement en ordre, seule une revue médicale traînait sur l'accoudoir d'un des canapés de cuir bleu nuit. Elle s'approcha des étagères d'acier brossé, choisit un CD et mit en marche la platine laser. Arrivait-il à Fabian de ramener des femmes ici ? En général, elle évitait d'y penser, mais la liberté réciproque qu'ils s'étaient accordée faisait partie intégrante de leur relation. Jusqu'où allait cet accord ? Fabian était son amant, son ami aussi, quelqu'un qui comptait beaucoup dans sa vie. Était-il concevable qu'un jour il n'en fasse plus partie, et que ce jour soit arrivé ?

Le bruit de la porte d'entrée, qui venait de claquer, la fit tressaillir.

— Je suis navré d'être en retard, je sors du bloc !

Il semblait fatigué mais il souriait et, de façon paradoxale, elle se sentit rassurée par sa présence. Arrêté à quelques pas d'elle, il prit le temps de la détailler tandis que son sourire s'accentuait.

— Tu es ravissante…

Les cheveux encore mouillés, il avait dû prendre une douche dans le vestiaire des chirurgiens avant de se rhabiller. Il était aussi séduisant que de coutume, constata-t-elle sans surprise. Chaque fois qu'elle le voyait, elle ressentait la même attirance, intacte. Comment s'y prenait-il pour si peu vieillir ? Chemise blanche, cravate stricte, blazer bleu marine admirablement coupé, teint bronzé, il était égal à lui-même malgré son air las.

— C'est un tel plaisir de te voir, dit-il en la prenant dans ses bras.

Il la serra contre lui, et aussitôt elle se sentit fondre. Près de lui, elle était à l'abri. Ne l'avait-il pas toujours valorisée, protégée ? Tout en la laissant entièrement libre, il était pour elle un véritable rempart.

— Fabian… souffla-t-elle.

Si elle ne lui parlait pas tout de suite, elle allait manquer de courage.

— Je crois que la femme de ménage s'est occupée de tout, déclara-t-il d'un ton léger. As-tu faim ?

Elle adorait la caresse de sa voix grave, ses mains fines et nerveuses, le parfum boisé de son shampooing, et jusqu'à la douceur du tissu de cachemire sous sa joue. Déjà, elle le désirait.

— Je vais nous chercher quelque chose à boire, décida-t-il.

Il ne bâclait jamais rien et, même s'il avait perçu l'envie qu'elle avait de lui, il n'allait évidemment pas se jeter sur elle à peine arrivé. En lui adressant un clin d'œil charmeur, il se débarrassa de son blazer et de sa cravate qu'il jeta sur un des canapés.

— Le chauffage de cet immeuble est dément… Tu aimerais du champagne, ma belle ?

Avant qu'elle ait pu répondre, il s'éclipsa vers la cuisine, d'où il revint deux minutes plus tard, porteur d'un grand plateau.

— Coquilles Saint-Jacques et saumon mariné, ça t'ira ? J'ai mis des toasts à griller. En attendant…

D'un geste précis, il déboucha la bouteille, emplit deux verres tulipes.

— D'abord, on trinque, ensuite tu me racontes ce qui te préoccupe.

Saisie, Lucrèce secoua la tête puis finit par esquisser un pauvre sourire.

— Comment le sais-tu ?

Il releva les yeux vers elle, la considéra attentivement.

— Tu n'as pas ouvert la bouche depuis que je suis arrivé.

Avec lui, comme toujours, les choses étaient faciles, elle en éprouva une bouffée de reconnaissance.

— J'ai des ennuis, admit-elle.

— Importants ?

— Oui.

Durant quelques instants, il continua de la scruter, et l'intensité de son regard bleu acier la troubla. Quand il prenait cet air sérieux, celui avec lequel il examinait ses malades, il l'intimidait presque. Comme elle ne se décidait pas, il fronça les sourcils.

— Assieds-toi, suggéra-t-il. C'est si grave ?

Choisissant de rester debout pour pouvoir lui faire face, elle prit une profonde inspiration.

— Je suis enceinte.

Au moins, elle était débarrassée de l'aveu. Elle se mit à guetter sa réaction mais, réfugié dans son rôle de médecin qui pouvait tout entendre, il restait impassible. Sans la quitter des yeux, et tout en conservant une expression indéchiffrable, il laissa le silence s'installer entre eux tandis qu'elle cherchait désespérément comment poursuivre.

— Je… C'est ma faute, bien entendu. Négligence, bêtise… Mais bon, le résultat est là, et je ne sais pas quoi faire.

— Il n'y a jamais que deux solutions, dit-il d'un ton qui, malgré l'apparente mesure, dissimulait mal sa colère. Tu le gardes ou pas.

Il reposa son verre avec précaution, se détourna pour aller couper le son de la chaîne stéréo. Même de dos, elle voyait à quel point il était tendu.

— Quand j'ai su, je me suis dit que j'allais avorter. C'est légal, c'est facile. Mais j'ai beaucoup réfléchi et, aujourd'hui, je crois bien que…

Elle hésita, baissa les yeux malgré elle, consciente du mal qu'elle allait lui faire, puis se décida à achever :

— Écoute, j'ai trente-deux ans, j'ai envie d'un enfant.

L'avoir dit lui procura un tel soulagement qu'elle eut soudain les larmes aux yeux. Jusque-là, elle ne se l'était pas avoué à elle-même.

— Et le père ?

S'appuyant d'une épaule aux étagères, il la considérait sans indulgence. Bien sûr, elle avait prévu que ce serait l'une des premières questions qu'il poserait, et elle s'était juré d'être honnête, néanmoins elle se sentit incapable d'évoquer Nicolas devant Fabian.

— Non, bredouilla-t-elle, ça ne le… Non.

— Non, quoi ? interrogea-t-il d'une voix brusquement cassante. Tu penses que ça ne le concerne pas, c'est ça ?

— Pour vous, c'est différent, juste…

— *Nous* ? Tu m'associes donc à quel genre d'hommes ?

Le ton s'était encore durci et il fit un effort évident pour retrouver son sang-froid. Pourquoi s'y prenait-elle aussi mal ? Elle avait réfléchi durant des heures à la meilleure manière de lui présenter la nouvelle, et elle parvenait tout juste à bredouiller, le blessant au lieu de l'épargner.

— Fabian, déclara-t-elle très doucement, il est marié.

— Marié ? Tu parles de Valère ?

Il avait lâché le nom avec un mépris ironique qui la fit se cabrer.

— Tu es fou ? Je ne couche pas avec Claude-Éric !

La réponse était très maladroite, il n'avait sûrement pas envie de savoir avec qui elle couchait ou pas. Elle voulut ajouter quelque chose mais il leva la main pour la faire taire. Un nouveau silence s'éternisa.

— Excuse-moi, dit-il enfin d'une voix beaucoup plus calme, ce n'est pas un interrogatoire, je suis désolé.

Il revint près d'elle, effleura sa frange, écarta quelques mèches, puis d'un geste délicat, il lui prit le menton et l'obligea à lever la tête.

— Donc, tu veux le garder ? Très bien. Dis-moi ce que je peux faire.

Sans comprendre ce qui lui arrivait, elle s'aperçut qu'elle était en train de pleurer. Était-ce la gentillesse de Fabian ? Ou toute la tension nerveuse accumulée ces derniers jours, depuis qu'elle avait lu le résultat du test ? En tout cas, elle craquait, et c'était lui qui allait en faire les frais.

— Bois ça, dit-il en lui tendant le verre de champagne auquel elle n'avait pas touché. Si tu as envie de cet enfant, tu ne dois pas t'en faire une montagne. Tu verras, c'est tout simple, tu vas l'adorer…

Alors qu'il essuyait une larme sur sa joue, elle en profita pour le saisir par le poignet puis elle se força à le regarder dans les yeux.

— Je n'en ai parlé à personne, je tenais à te le dire d'abord. Je sais que ça te contrarie forcément.

— Forcément, répéta-t-il avec un sourire crispé.

Elle faisait parfaitement la différence entre un accord tacite, jamais exprimé clairement, et la brutale réalité de ce qu'elle venait de lui annoncer.

— Tu es jaloux ? murmura-t-elle.

— Oui. Mais c'est très primaire, et tout à fait inutile.

— Voudrais-tu que…

— Je ne te demande rien, Lucrèce.

Elle n'avait pas vraiment espéré qu'il réagisse aussi bien. Qu'aurait-elle éprouvé s'il avait fait un enfant à une autre femme ? Se prétendre libre ne revenait-il pas à mentir, au bout du compte ? Qu'il soit jaloux, malheureux et en colère n'avait rien d'étonnant, elle l'aurait été à sa place.

— Tu n'es pas seule, ajouta-t-il. Si tu as besoin de moi, je suis là.

Il dégagea sa main et lui passa un bras autour des épaules.

— Viens dîner.

Au lieu de le suivre, elle l'empêcha de bouger, accrochée à lui.

— Embrasse-moi, chuchota-t-elle.

Ils savaient tous les deux qu'elle ne cherchait ni à le consoler ni à le remercier, cependant il s'écarta d'elle.

— Viens, répéta-t-il.

Dès qu'elle fut assise à table, Fabian repartit chercher les toasts. Une fois seul dans la cuisine, il poussa un profond soupir, comme s'il avait retenu son souffle jusque-là. Ne pas la questionner, ne pas lui demander l'identité du père, ça allait exiger un réel effort mais il s'y tiendrait. Au moins, il ne s'agissait pas de Claude-Éric Valère, qu'il tenait pour son plus dangereux rival depuis que Lucrèce l'avait suivi à Paris.

Les mains crispées sur le rebord de l'évier, il se contraignit à respirer lentement. Il avait vingt-deux ans de plus que Lucrèce et il était sans illusion quant à leur avenir, il *devait* accepter la situation. Parce qu'il n'avait pas eu le courage de la quitter – et ne l'aurait jamais –, il avait proposé un mode de vie qui finalement le crucifiait : tant pis pour lui.

Baissant les yeux, il découvrit que les articulations de ses doigts étaient devenues blanches. Il ouvrit les mains, lâcha l'évier, se redressa. Il était prêt à consentir n'importe quoi pour pouvoir la garder encore un peu, et si jamais elle attendait quelque chose de lui, ce n'étaient sûrement pas des reproches. Donc il ne lui demanderait pas non plus pourquoi elle avait été assez folle pour ne prendre aucune précaution élémentaire. Surtout avec un homme marié !

Rageusement, il balança les toasts dans une corbeille à pain. S'il avait pu imaginer qu'elle avait envie d'un enfant… Mais elle n'en savait rien elle-même avant de se retrouver au pied du mur, c'était évident.

— Fabian ? Tu passes ta colère sur le grille-pain ?

Elle se tenait immobile sur le seuil, une main appuyée au chambranle, le considérant avec un mélange d'inquiétude et de curiosité.

— Tu préfères que je m'en aille ?

— Absolument pas.

Pour le lui prouver, il la rejoignit et la reprit dans ses bras. Avec toute la sensualité experte dont il était capable, il l'embrassa, une main au creux de son dos, une autre sur sa nuque. Quels que soient ses amants de passage, il la connaissait mieux que personne et pensait l'aimer davantage.

3

Mai 1994

Depuis quelques minutes, la conférence de rédaction était en train de tourner à l'orage. Plus sarcastique que jamais, Claude-Éric laissait à peine à ses collaborateurs le temps d'exprimer leurs idées que déjà il les cassait sans pitié.

— « Les nouvelles exigences des homosexuels au sein de la société », lut-il en agitant une feuille largement raturée par ses soins. C'est quoi, ce titre ? Présenté comme ça, d'un bord ou de l'autre, personne n'a envie de lire la suite !

Il se tourna vers le rédacteur en chef qu'il gratifia d'un ricanement.

— Et vous, vous me collez ça en face de l'élection de Nelson Mandela ? Aberrant, comme mise en page ! D'ailleurs, Mandela, je le veux en couverture. Je le trouve plus vendeur que l'inauguration du tunnel sous la Manche !

Dans le silence qui suivit, il en profita pour s'en prendre à Lucrèce. Le reste n'était qu'un préambule, il la guettait depuis le début de la réunion.

— Retrouver les soirées « rave » dans les pages culture, ça me dépasse, laissa-t-il tomber. En quoi quelques milliers de jeunes qui se réunissent clandestinement dans un champ, la nuit, pour se défoncer à loisir, peuvent-ils bien être culturels ?

Il attendit deux secondes pour lui donner le temps de protester, mais comme elle se taisait il enchaîna, d'un ton sec :

— Ces trucs-là n'ont pas besoin de publicité. Ou pas dans mon journal.

— La techno fait partie intégrante de…

— De quoi ? Pas de la musique, quand même ?

— Si ! Les rassemblements de foule sur ces rythmes hypnotiques sont…

— Je n'en veux pas. Révisez votre copie.

D'un geste ostentatoire, il déchira l'article qu'elle avait préparé et jeta les morceaux en l'air.

— Le mois de mai ne vous inspire décidément pas, ni les uns ni les autres. Ceux qui ont envie de vacances peuvent s'en offrir de très longues, j'accepte toutes les démissions ! Réunion demain à la même heure.

En se levant brusquement, il renversa sa chaise et ne se donna pas la peine de la ramasser. Après son départ, il y eut un instant de flottement, puis tous les journalistes se mirent à parler en même temps. Ils avaient beau être habitués aux sautes d'humeur de Valère, ils n'appréciaient pas son agressivité, qui durait depuis le début de la semaine.

— Tu n'es plus en odeur de sainteté, on dirait ? murmura la voisine de Lucrèce.

Sonia, engagée depuis trois mois à *Maintenant*, s'occupait surtout de politique étrangère, et seul son dossier sur le Rwanda avait obtenu l'aval de Claude-Éric ce matin.

— Il a tort, se contenta de répondre Lucrèce. Il n'a pas à faire passer ses goûts avant ceux de ses lecteurs.

— Pourquoi ? C'est lui le patron, c'est lui qui décide ! De toute façon, ça n'a aucune importance, ces pages culturelles, est-ce que quelqu'un les lit ?

— Pas les incultes comme toi, c'est probable…

Posément, Lucrèce rassembla ses notes et se leva tandis que Sonia lui jetait un regard critique tout en marmonnant :

— Tu grossis, non ?

— Moins que ton ego, répliqua Lucrèce avec un sourire froid.

En proie à de vagues nausées, comme tous les matins, elle se sentait trop mal pour se laisser piéger dans une querelle inutile. Sonia était une brebis galeuse, même si elle possédait un vrai talent de reporter, et il faudrait qu'elles aient un jour une explication.

Dans le couloir, elle se hâta vers les toilettes. Pourquoi fallait-il que cette grossesse soit un cauchemar ? Fatiguée, barbouillée, elle aurait donné n'importe quoi pour rentrer chez elle, mais il n'en était pas question, une montagne de travail l'attendait.

Après s'être passé le visage à l'eau froide, elle jeta un coup d'œil au miroir où elle s'observa sans complaisance, surprise de constater que, malgré tout, elle n'avait pas trop mauvaise mine. Dans quatre mois, le bébé arriverait, et d'ici là elle devait absolument régler certains problèmes. Elle avait commencé par le pire en annonçant la nouvelle à Claude-Éric l'avant-veille. Il devait s'en douter, car effectivement elle avait grossi, et il en avait profité pour piquer une crise de rage, comme si elle l'avait personnellement offensé en décidant d'avoir un bébé. Depuis, il ne décolérait pas.

Elle remit la tête sous le robinet pour avaler deux comprimés du cocktail de vitamines prescrit par son nouveau médecin, un obstétricien recommandé par Fabian. Elle avait décidé d'accoucher à Paris afin d'éviter les immanquables commérages bordelais, mais surtout pour être le plus loin possible de Nicolas. Elle ne l'avait pas revu et ne lui avait rien dit. À quoi bon le rendre fou ? Par sa mère, elle savait qu'il allait mal, néanmoins il n'avait pas quitté Stéphanie et c'était le principal. Lucrèce ne serait pas celle qui avait détruit une famille. Ce rôle-là, elle l'associait immanquablement à Brigitte, qui n'avait pas hésité à faire divorcer Guy puis n'avait eu de cesse qu'il oublie les enfants de son premier mariage.

— Oh, Nick…

Elle aurait bien voulu ne jamais penser à lui. Ne pas se dire que le bébé qu'elle attendait aurait peut-être les mêmes yeux dorés et le même fichu caractère.

Lorsqu'elle émergea des toilettes, ce fut pour tomber nez à nez avec Claude-Éric qui faisait les cent pas dans le couloir.

— Vous êtes malade, en plus ? persifla-t-il. J'ai cru que vous ne sortiriez jamais de là, je songeais à appeler les pompiers ! Bon, eh bien, s'il vous reste cinq minutes, venez avec moi…

De sa démarche énergique d'homme toujours pressé, il la précéda jusqu'à son bureau dont il referma soigneusement la porte.

— Je me suis peut-être montré un peu désagréable, tout à l'heure, mais vous êtes responsable d'un service, vous n'avez pas droit à l'erreur.

Visage fermé, regard dur, il la toisait sans la moindre indulgence.

— Avez-vous une idée valable pour remplacer cet article inepte ?

Au lieu de répondre, elle désigna l'un des fauteuils et le regarda droit dans les yeux pour demander :

— Je peux m'asseoir ?

— Oui, bien sûr, allez-y…

Apparemment vexé qu'elle ait souligné son manque de courtoisie, il prit place à son tour et croisa les bras, se tenant très droit.

— Pourquoi inepte ? s'enquit-elle d'un air innocent. Les raves sont un concept nouveau, qui fascine des millions de jeunes dans le monde entier. Les pulsations de la musique leur tiennent lieu de…

— Je sais, je vous ai lue ! Les fameux BPM, cent soixante battements par minute pour mieux devenir branque dans les *acid parties* ! D'accord, ça existe, mais voilà, je m'en fous. Il n'y a aucune révolution politique chez ces jeunes, seulement une frénésie de consommation qui m'emmerde. C'est clair ?

— Vous êtes juste conservateur, un peu dépassé, ou carrément réactionnaire ? répliqua-t-elle sans se démonter.

— Réactionnaire ? Moi ? Pourquoi ? Vous n'appelez tout de même pas ces conneries un progrès social ?

Il lui décrocha un regard hostile avant de hausser les épaules.

— Allons, Lucrèce, vous savez faire mieux que ce torchon, j'en suis persuadé… C'est votre état qui vous enlève toute imagination ? Je me rappelle que chaque fois que ma femme était enceinte, sa conversation ne tournait plus qu'autour de la layette… Et après, c'est pire, à l'arrivée du bébé, le langage s'appauvrit jusqu'à l'onomatopée. Poignant !

Ulcérée, Lucrèce jaillit hors de son fauteuil et se pencha au-dessus du bureau.

— Gardez vos réflexions pour vous !

— J'essaye, mais je ne peux pas !

La violence du ton la fit taire. Quand il se mettait en colère, il ne servait à rien de discuter avec lui. Pourquoi en faisait-il une affaire personnelle ? Plus que jamais, il avait l'air d'un rapace prêt à l'attaque.

— On dirait que vous voulez vous détruire, ça me met hors de moi ! Qu'avez-vous besoin d'un enfant ? Il faut dix ans pour faire un bon journaliste, et vous, à peine au but, vous décidez de pouponner ! Vous n'avez donc rien dans la tête ? Aucune ambition ? Vous pensez qu'on peut laisser sa carrière en plan, prendre quelques années sabbatiques et s'y remettre comme si de rien n'était ? Où vous croyez-vous ? C'est la capitale, ici, pas la banlieue de Bordeaux, il y a de la concurrence !

— Et alors ? C'est ma vie !

— Que vous êtes en train de bousiller, comme la dernière des idiotes ! Pourquoi êtes-vous venue à Paris ? Pourquoi ai-je passé autant de temps à vous former ? Hein ? Parce que vous possédez du talent ! Une denrée plus rare qu'on ne croit... Vous aviez un carré d'as entre les mains, et vous jetez vos cartes en disant : « Sans moi. »

— Mais non, je...

— Mais si ! Élever seule un bébé vous demandera un certain temps, imaginez-vous ! Regardez la vérité en face, vous venez de vous attacher un boulet au pied et vous en prenez pour perpète. Si seulement vous m'en aviez parlé à temps, je vous aurais convaincue d'avorter. Vous êtes mal entourée, Lucrèce, et pas fichue de vous préserver toute seule.

— Assez ! hurla-t-elle en tapant du plat de la main sur le bureau. Tout ça ne vous regarde pas, vous n'êtes que mon employeur, pas mon mari ni mon père !

— Ah oui, parlons-en ! Qui est le père ? Si vous faites des mystères, c'est que vous en avez honte ! Il s'agit de Fabian ? À son âge, il perd les pédales, ma parole, il...

— Allez vous faire foutre, Claude-Éric !

Elle avait baissé la voix pour le dire mais elle le vit serrer les dents sous l'injure. L'humilier était la dernière des choses à faire, elle se demanda si elle ne venait pas de jouer tout son avenir professionnel sur un mouvement de rage.

— En colère, articula-t-il, vous me plaisez encore plus que d'habitude… Seulement ce ne sera pas suffisant si je décide de vous flanquer à la porte.

— Vous me licenciez ?

— Non. Mais je peux m'arranger pour que vous préfériez partir de vous-même.

Avec une expression indéchiffrable, il l'observa un moment puis lui fit signe de se rasseoir.

— Écoutez-moi bien, Lucrèce… J'espère qu'en ce qui vous concerne, je n'ai pas misé sur le mauvais cheval parce que j'ai horreur de me tromper. Je vous prends pour une femme intelligente et vous savez très bien que si je veux vous casser, d'un point de vue professionnel, j'y arriverai. Vous ne retrouverez jamais l'équivalent de ce que vous avez à *Maintenant.*

— Peut-être, admit-elle à contrecœur. Mais si j'ai vraiment du talent, et ça c'est vous qui l'affirmez, je devrais pouvoir me recaser quand même.

Elle soutint son regard sans ciller, bien décidée à ne pas se laisser intimider. Au bout d'un moment, il esquissa un sourire froid.

— En attendant, si vous alliez me pondre ce papier ? suggéra-t-il.

— Volontiers !

Sa nausée revenait, accompagnée d'une migraine, et elle se dépêcha de se lever. Arrivée à la porte, elle se retourna vers lui.

— Internet et les cybercafés, ça vous irait ? Ou est-ce une forme de culture trop moderne pour vous ?

— Très bonne idée. Et dîner avec moi, ça vous irait ? Sauf si vous vous couchez tôt, dans votre état…

Le cynisme dont il abusait était exaspérant, néanmoins elle jugea plus prudent d'accepter.

Aline Vidal raccompagna elle-même Brigitte jusqu'aux ascenseurs.

— Te voilà rassurée, j'espère ? Tu es en parfaite santé, alors si tu veux t'offrir un petit dernier, dépêche-toi de le faire !

La pochette contenant tous ses résultats d'examens serrée sous son bras, Brigitte acquiesça en souriant. L'idée d'un bébé la tenaillait de plus en plus, ne fût-ce que pour ne plus entendre Guy se réjouir à l'idée d'être bientôt grand-père. Contrairement à ce qu'elle avait espéré, la grossesse de Lucrèce ne le scandalisait pas et il attendait la naissance comme un événement capital, déjà prêt à s'extasier au-dessus du berceau. Une occasion pour lui de se rapprocher de sa fille, dont il parlait de plus en plus souvent.

— L'hôpital ne te manque pas ? interrogea Aline avec un sourire malicieux.

— Tu veux rire ? Si tu savais à quel point j'ai détesté cet endroit !

Autour d'elles, le large couloir du service de médecine générale était aussi animé que de coutume, avec des internes pressés, des infirmières affairées, des visiteurs intimidés, et des malades en pyjama qui traînaient leur ennui ou leur souffrance.

— J'ai appris le départ de Cousseau… commença Brigitte d'un ton prudent.

Le professeur Cousseau, victime d'un grave accident de voiture, avait opté pour une retraite anticipée qui aurait dû permettre à Aline de prendre le poste de chef de service, puisqu'elle était son agrégée depuis bien des années, et d'accéder ainsi au statut envié de grand patron. Mais quelqu'un d'autre avait été nommé à sa place.

— Ne m'en parle pas ! s'écria rageusement Aline. Tu ne peux pas imaginer comme ils ont été lâches… tous ces types du conseil d'administration… Et le directeur de l'hôpital lui-même, la gueule enfarinée, qui m'a expliqué que j'étais trop jeune, pas assez titrée. Une femme, en plus, ça les aurait étouffés ! Finalement, ils ont choisi un type de Toulouse, agrégé comme moi, et qui a exactement mon âge. Il paraît que tout se décide au fond du ministère. Mais je ne suis pas dupe, je *sais* ce qui s'est passé. Cartier a mis son veto.

— C'est vrai ? murmura Brigitte, horrifiée.

Elle devinait sans mal pourquoi Fabian Cartier s'était opposé à la nomination d'Aline, et rien que d'y penser, elle se sentit rougir.

— À ton avis, demanda-t-elle en avalant sa salive, c'est toujours à cause de…

— Oui.

Ce souvenir-là, Brigitte aurait préféré l'oublier pour de bon. À l'époque de son internat, alors qu'elle travaillait sous les ordres d'Aline Vidal, elle avait été à l'origine d'un grave incident opposant le service de médecine générale à celui de chirurgie orthopédique. Arrivé en urgence, un patient polytraumatisé devait être opéré pour de multiples fractures et Brigitte l'avait déclaré stable, mais sans vraiment l'examiner, par négligence ou par fatigue car elle sortait d'une dure nuit de garde. L'homme était décédé au bloc, pendant l'intervention, entre les mains de Fabian Cartier. Ce dernier n'avait pas apprécié, venant faire un véritable scandale dans le service de médecine. Aline avait couvert Brigitte, puisque c'était son interne, et avait violemment affronté Fabian. L'affaire était remontée jusqu'au directeur, provoquant des remous dans tout l'hôpital. Finalement, Aline avait écopé d'un blâme officiel.

— C'était resté dans mon dossier, rappela-t-elle amèrement à Brigitte, et crois-moi, ça suffit à freiner une carrière. Cartier a joué là-dessus pour m'évincer.

Leurs regards se croisèrent. Celui d'Aline était brillant de haine, de dépit, de frustration. Jamais elle n'obtiendrait le poste pour lequel elle luttait depuis vingt ans.

— J'aurai sa peau un jour, je te le jure, dit-elle entre ses dents.

Elle ne semblait pas tenir rigueur à Brigitte de sa faute passée, sa rancune visait exclusivement Fabian.

— Il a beau vieillir, il reste la coqueluche de cet hôpital, même mon nouveau patron l'écoute bouche bée et va le voir opérer ! Mais il a forcément une faille quelque part, je la trouverai et je le ferai payer.

L'hôpital était toujours le siège d'intrigues usantes, de luttes de pouvoir, de sordides règlements de compte. Brigitte se félicita d'avoir su en partir, ce monde-là n'était vraiment pas pour elle. Alors qu'Aline, malgré toutes ses déconvenues, ne quitterait sans doute jamais le CHU.

Elles étaient en train de s'embrasser lorsque les portes d'un des ascenseurs coulissèrent enfin devant elles. Comme par un fait exprès, Fabian Cartier se trouvait parmi le groupe qui occupait la cabine, apparemment lancé dans une discussion avec son anesthésiste. En voyant les deux femmes, il adressa un petit signe de tête hautain à Aline et ignora Brigitte.

— Je prendrai le suivant, bredouilla-t-elle tandis que les portes se refermaient.

— Quand on parle du loup… maugréa Aline.

— J'aurai aussi vite fait par l'escalier, décida Brigitte.

Elle ne voulait plus entendre parler de rien, ne plus voir tous ces gens, ne plus se rappeler que, à cause d'elle, Aline ne serait jamais chef de service. Elle s'en moquait, pour l'instant tout ce qui comptait était d'arrêter la pilule et de se dépêcher de tomber enceinte avant d'avoir quarante ans. Un petit frère ou une petite sœur ravirait forcément Agathe et Pénélope, ses deux filles. Quant à Guy, il serait plus heureux d'être une nouvelle fois père que grand-père ! Et avec un nourrisson à la maison, il n'aurait plus guère le temps de chercher à reconquérir l'affection de Lucrèce et de Julien. Pour vouloir se rapprocher de ses grands enfants, il devait se sentir vieillir, elle allait se charger de le rajeunir. Enfin et surtout, ce serait l'occasion rêvée de mettre au point un projet de donation qui lui tenait à cœur. S'il arrivait quelque chose à Guy, elle voulait être à l'abri financièrement.

— Tiens, il a repeint la cuisine en jaune ! s'étonna Sophie.

Elle regardait autour d'elle d'un air si nostalgique que Lucrèce lui tapota gentiment l'épaule.

— Où a-t-il trouvé le temps ? enchaîna la jeune femme. Il a tellement voyagé, cette année…

Parler de Julien semblait à la fois la mettre mal à l'aise et la soulager. Depuis leur rupture, trois ans plus tôt, elle n'était plus revenue dans ce pavillon qui lui rappelait sans doute trop de souvenirs, préférant donner rendez-vous à Lucrèce dans un bistrot, ou encore dans le petit appartement qu'elle louait désormais, à deux pas du jardin public.

— J'achète toutes les revues spécialisées pour suivre ses résultats, avoua-t-elle, un peu embarrassée.

Apparemment, elle n'était toujours pas guérie de Julien, et Lucrèce était persuadée que son frère ne l'était pas davantage. Ces deux-là auraient pu être très heureux ensemble, mais ils l'avaient découvert trop tard. Exactement comme elle-même et Nicolas… Pourquoi étaient-ils tous passés à côté du bonheur ? Parce qu'ils étaient trop jeunes à ce moment-là ?

Arrêtée devant une série de photos punaisées aux murs, Sophie les examinait une par une.

— Il y est arrivé quand même, finit-elle par soupirer.

— À quoi ?

— À devenir un champion. Est-ce que… il a quelqu'un dans sa vie ?

— Pas que je sache. Je crois qu'il est trop occupé.

Entièrement absorbé par la compétition, Julien ne vivait toujours que pour ses chevaux. Soutenu par la Fédération française des sports équestres, il disposait à présent de deux hongres de haut niveau, en plus de sa propre jument, achetée l'année précédente et dans laquelle il avait investi tous ses gains.

— Bon sang, qu'il est mignon !

Sophie désignait un cliché où Julien, debout sur un podium, souriait en brandissant une coupe.

— Tu sais que mon père m'a demandé de vos nouvelles ? dit-elle soudain d'une voix ironique. Tu te rends compte ! Lui qui ne voulait pas entendre parler de toi, et de ton frère encore moins… Mais depuis qu'il est député, il ne néglige aucun atout électoral, tu t'en doutes, alors en tant que journaliste, tu l'intéresses. Quant à Julien, les sportifs sont à la mode, et le cheval, c'est très écolo ! Avant, il vous jugeait déchus, maintenant, il vous trouve modernes !

Ensemble, elles éclatèrent de rire à cette évocation du trop démagogique Arnaud Granville. Promoteur sans scrupule, il s'était lancé avec aisance dans la politique et, dès son élection au poste de député, avait tenté de se concilier les bonnes grâces de tout le monde. À commencer par celles de sa fille Sophie, avec laquelle il était un peu en froid.

— Œufs durs et salade de tomates ? proposa Lucrèce qui venait d'ouvrir le réfrigérateur.

— Toujours aussi piètre cuisinière, hein ?

— Oui, mais c'est surtout pour ne pas finir comme une montgolfière. Je suis bien assez grosse comme ça !

— Tu es superbe, trancha Sophie. Épanouie, radieuse.

À six semaines d'accoucher, Lucrèce en avait assez de ne porter que des vêtements lâches et des talons plats, néanmoins elle était resplendissante. Du moins Fabian le lui avait-il affirmé, la veille, tandis qu'ils dînaient ensemble.

— J'aimerais qu'elle soit déjà là, murmura-t-elle.

— C'est une fille, alors ? Sûr ?

— Oui. Et j'aimerais que tu sois sa marraine. Oh, je sais bien que ces trucs-là sont démodés, mais…

— Pas du tout ! Je suis ravie, je n'ai jamais eu de filleul, je te jure que je prendrai mon rôle très à cœur ! Si tu ne me l'avais pas demandé, je t'en aurais voulu.

— Julien sera le parrain, ça ira quand même ? Parce que, si tu ne veux pas le voir…

Avec un petit sourire navré, Sophie secoua la tête.

— Au contraire, c'est l'occasion que j'attendais. Mais je suppose qu'il m'en veut beaucoup, alors pose-lui la question d'abord.

— Je l'ai fait.

— Ah !

Une soudaine rougeur venait d'envahir ses joues et Lucrèce se remit à rire.

— Tu as toujours l'air d'une vraie gamine !

Malgré deux ans de psychothérapie, Sophie n'avait pas entièrement vaincu sa timidité, ni surmonté tous ses complexes. Ravissante, avec ses cheveux blonds courts et bouclés, ses grands yeux bleu porcelaine, sa silhouette tout en courbes, elle n'arrivait pourtant pas à avoir confiance en elle et se troublait aussi facilement qu'à quinze ans.

— On s'offre un verre d'entre-deux-mers ? suggéra Lucrèce.

— Tu as le droit de boire ?

— Manquerait plus que ça ! Je ne fume pas, je me couche tôt, j'en ai marre d'être raisonnable. Mon médecin affirme qu'il faut aussi se faire plaisir.

— Pourquoi as-tu choisi d'accoucher à Paris ?

La question prit Lucrèce au dépourvu. Elle ne voulait parler de Nicolas à personne, même pas à Sophie, et désirait se trouver loin de Bordeaux au moment de la naissance de sa fille.

— Tu sais, ça peut me prendre n'importe quand et je tiens à travailler jusqu'au dernier moment. Fabian m'a adressée à une maternité de pointe, à l'hôpital Antoine-Béclère, tout ira très bien. D'ailleurs, il les appelle assez souvent pour les maintenir sous pression !

— Ne te moque pas de lui, il a vraiment une attitude de grand seigneur, protesta Sophie.

C'était vrai, mais Lucrèce n'avait pas envie qu'on le lui fasse remarquer. Sa mère avait eu exactement la même réaction, stupéfaite d'apprendre que Fabian n'était pas le père du bébé mais que ça ne l'empêchait pas de veiller sur Lucrèce avec un soin jaloux.

Tandis qu'elles mettaient le couvert tout en continuant à bavarder, le vrombissement sourd et puissant d'un moteur de moto les interrompit. Affolée, Sophie se précipita à la fenêtre.

— Tu m'avais dit que Julien ne…

— Il ne devait pas rentrer de la journée ! affirma Lucrèce.

Sinon, jamais elle n'aurait proposé à Sophie de déjeuner au pavillon. Le grondement s'amplifia lorsque la moto s'engagea sur la pente du sous-sol, puis s'arrêta d'un coup.

— Qu'est-ce qu'il va dire ? chuchota Sophie.

— Écoute, on vient juste de décider que vous seriez parrain et marraine, profitons-en…

Elles attendirent quelques instants, un peu crispées à l'idée de la tête qu'allait faire Julien en entrant dans la cuisine, mais rien ne se produisit. Au bout de cinq minutes, Lucrèce se leva et alla se planter en haut de l'escalier dont elle ouvrit la porte.

— Julien ?

Vaguement inquiète, elle se pencha au-dessus des marches de béton et l'aperçut. Débarrassé de son casque, il n'était pas descendu de la moto immobilisée sur sa béquille, et il se tenait dans une position étrange, incliné vers le guidon, la tête sur ses bras repliés.

— Julien !

Elle descendit jusqu'à lui mais s'arrêta net en réalisant qu'il était en train de sangloter.

— Qu'est-ce qui t'arrive ? bredouilla-t-elle, le cœur battant.

Même dans les pires moments, elle n'avait pas souvenir d'avoir jamais vu son frère craquer. Il était fort, solide, et il savait garder ses chagrins pour lui.

— Julien…

Angoissée, elle lui empoigna l'épaule pour l'obliger à relever la tête. En larmes, il essuya ses joues d'un revers de manche rageur.

— Iago, articula-t-il d'une voix blanche. Il a fallu… l'abattre.

La nouvelle atteignit Lucrèce comme une gifle et elle se sentit blêmir. Perdre Iago semblait déchirer son frère, être au-dessus de ses forces. Elle comprit que, au-delà du cheval, il venait aussi de perdre sa jeunesse et qu'il avait du mal à l'accepter. Leur père lui avait acheté ce bel alezan caractériel sur un coup de tête, en guise de cadeau d'adieu, juste avant de se séparer de leur mère. Une façon de se déculpabiliser comme une autre. À l'époque, Julien avait seize ans, il était déjà très bon cavalier, gagnait des concours juniors dans toute la région. Iago était difficile, parfois rétif, mais il avait une fantastique aptitude à l'obstacle, et Julien avait vu en lui sa seule chance d'avenir. Il voulait le conserver à tout prix, mais savait que leur mère n'en avait pas les moyens, alors il avait arrêté ses études, s'était fait embaucher comme palefrenier dans son club hippique. Il avait charrié du fumier, claqué des dents l'hiver, essuyé des engueulades sans jamais se plaindre. Puis il avait passé son brevet de moniteur, un métier dur et mal payé qui lui permettait juste de garder Iago. Ensuite, il avait parcouru beaucoup de chemin, avec la même détermination farouche, et chaque jour de sa vie, il s'était occupé de son cheval. De critériums en championnats, de classements en sélections, ils étaient arrivés ensemble aux premières grandes victoires. Devenu un cavalier très recherché, Julien avait fini par mettre Iago à la retraite dans un pré où il passait le voir presque chaque jour.

— Hier soir, je l'ai trouvé couché près de son abri, plutôt mal en point. J'ai fait venir le véto, on a eu un mal fou à le charger dans le camion. Tu sais, il avait beau être vieux, toujours son foutu caractère… J'ai passé la nuit avec lui, mais ce matin il a fallu se décider pour l'euthanasie. Je n'avais plus le choix. Seulement, c'était si difficile…

Julien parlait d'une voix hachée, sans parvenir à dominer son chagrin. Quand il se redressa tout à fait, Lucrèce vit que sa chemise noire était couverte de petits poils roux. Il avait dû se cramponner à l'encolure de son cheval jusqu'à la fin. Même si l'injection mortelle était foudroyante, comment avait-il trouvé le courage de regarder Iago s'effondrer ? À l'idée de ce qu'il venait de subir, elle se sentit complètement bouleversée.

— Je ne devrais pas t'en parler, s'excusa-t-il. Je suis désolé, je ne pensais pas te trouver à la maison. Tu ne déjeunais pas avec Sophie ?

— Elle est là-haut.

— Oh, non…

Il se reprit d'un coup, le visage fermé et les mâchoires crispées. S'il pouvait se laisser aller devant sa sœur, il ne se montrerait jamais à Sophie dans cet état.

— Je ne veux pas la voir maintenant. S'il te plaît, Luce.

— D'accord, on va aller ailleurs. Nous serons parties dans cinq minutes, en attendant reste là.

Avec une tendresse presque maternelle, elle le prit dans ses bras et demeura un moment serrée contre lui.

— J'ai de la peine pour toi. Promets-moi qu'on dîne ensemble, je t'emmènerai dans un endroit marrant, il faut que tu te changes les idées.

Au lieu de lui répondre, il la serra davantage. Puis soudain, il retint sa respiration avant de chuchoter, d'une voix très différente, presque extasiée :

— C'est ma nièce qui bouge comme ça ? Mon Dieu…

Elle lui adressa un sourire rassurant.

— Pose ta main là, vas-y… Tu sens ?

Il resta un moment à guetter les mouvements du bébé, sous sa paume, puis il s'écarta un peu.

— Quand je pense qu'il y a un connard trop chanceux qui rate ça !

D'abord sidérée, elle faillit éclater de rire. Jusque-là, il s'était abstenu de tout commentaire, mais il était toujours son grand frère, prêt à la protéger du reste du monde, même s'il était capable de pleurer devant elle.

— Ne me présente jamais ce mec, dit-il très sérieusement, je le démolirais.

— Tu es bête, tu… Julien !

Une brusque faiblesse la fit se raccrocher à lui. En sentant le liquide qui coulait le long de ses jambes, elle éprouva un début de panique incontrôlable qui balaya tout autre pensée.

— Appelle une ambulance, vite !

Plus terrifié qu'elle, il la prit sous les bras et sous les genoux, la souleva sans le moindre effort.

Claude-Éric adressa un sourire froid à la superbe métisse qui continuait à lui tenir tête.

— Au moins, prévenez-le. Entre deux patients, c'est faisable ?

Il se pencha au-dessus du comptoir qui les séparait et déchiffra le badge épinglé sur la blouse de la jeune femme.

— Noémie, je vous assure qu'il me recevra, je suis un vieil ami.

Acquiesçant d'un signe de tête contraint, elle lui désigna la rangée de fauteuils en plastique alignés devant le secrétariat. Mais il n'avait aucune envie de s'asseoir, il regrettait presque d'être venu jusqu'à l'hôpital, où Fabian avait l'avantage d'être sur son terrain. Pourquoi avait-il cédé à la tentation ? En principe, il n'était descendu à Bordeaux que pour rencontrer le rédacteur en chef du *Quotidien du Sud-Ouest*. Ce journal était l'un des piliers de son empire de presse, néanmoins il songeait à le vendre. Le tirage baissait, et à moyen terme il n'y avait sans doute plus d'avenir pour les grands quotidiens de province. Toute la matinée, Claude-Éric avait dû batailler pour imposer sa volonté, proposant une dernière tentative de sauvetage aux conditions draconiennes. À prendre ou à laisser. Le rédacteur avait pris, bien obligé. Mais cet affrontement avait réveillé toute l'agressivité de Claude-Éric qui, à peine sorti du journal, s'était précipité à l'hôpital Saint-Paul. Comme un collégien. S'agissant de Lucrèce, il se comportait de manière incohérente, infantile.

— Le professeur Cartier vous attend !

Le ton n'était pas engageant, preuve que cette Noémie défendait son patron bec et ongles. Sûrement folle de lui, puisque toutes les femmes qui approchaient Fabian l'étaient. Se redressant de toute sa taille, il la suivit jusqu'à une porte qu'elle ouvrit devant lui.

— M. Valère, monsieur.

Le bureau était vaste, lumineux, assez impersonnel. Fabian se tenait de dos, debout devant un négatoscope sur lequel il étudiait des radios. Il jeta un rapide coup d'œil par-dessus son épaule mais ne se donna pas la peine de sourire.

— Bonjour… Tu es de passage à Bordeaux ?

— Pour affaires, oui ! Et je n'ai pas résisté au plaisir de venir bavarder avec toi cinq minutes.

Fabian se retourna enfin et le regarda plus attentivement. Entre eux, la guerre était déclarée depuis longtemps. À savoir, depuis le jour où Lucrèce avait quitté Bordeaux. Beau joueur, Fabian n'avait rien fait pour l'empêcher de partir, mais il avait dû en baver, c'était certain.

— Assieds-toi, je t'en prie.

Toujours aussi courtois, même s'il gardait ses distances. À l'aise dans un costume Armani qui semblait avoir été créé pour lui. Pourtant, cette visite inattendue ne devait pas lui faire plaisir.

— C'est de Lucrèce que tu veux me parler, je suppose ?

Au moins, il allait droit au but, Claude-Éric apprécia.

— Bien entendu. En principe, votre petite histoire ne me regarde pas, sauf que là, tu passes les bornes. Lui faire un enfant est d'un égoïsme prodigieux !

Il eut le plaisir de voir Fabian pâlir de rage et en profita aussitôt pour forcer l'avantage.

— Elle n'avait pas besoin de ça, tu lui casses sa carrière. Une *vraie* carrière. Qu'elle te sacrifie aujourd'hui mais, sous peu, elle t'en voudra. Je ne sais même pas si je vais pouvoir la garder au journal…

Face à lui, Fabian l'observait avec une drôle d'expression. Il n'avait décidément rien perdu de son charisme, de son pouvoir de séduction, et Claude-Éric faillit se sentir en état d'infériorité. Même s'il était plus jeune que Fabian, il savait très bien qu'il n'aurait jamais son allure. Il était trop petit, trop nerveux, ne faisait pas de sport, et malgré tout le soin qu'il apportait au choix de ses vêtements, son élégance restait un peu artificielle.

— La garder ? répéta Fabian d'un ton sec. Si tu t'amuses à licencier une femme enceinte, tu iras droit devant les tribunaux.

— Oh, laisse tomber ! Pour qui me prends-tu ? Un novice ? De toute façon, si je la vire, ça t'arrange, tu la récupères. C'est bien ce que tu voulais ? En réalité, tu es dingue d'elle et tu n'as trouvé que ce moyen pour te l'attacher. Tu es un vrai salaud…

Il prêchait le faux pour savoir le vrai mais, après y avoir beaucoup réfléchi, pour lui Fabian était forcément le père. De qui d'autre Lucrèce aurait-elle voulu garder l'enfant ? Pas d'un de ces garçons qui ressortaient de sa vie à peine y étaient-ils entrés ! Non, personne d'autre n'aurait pu la convaincre d'une telle folie, elle était trop intelligente et trop indépendante, il fallait que ce soit lui.

— Si tu as terminé, j'ai des malades qui attendent, laissa tomber Fabian, glacial.

Quand il se leva, Claude-Éric fut impressionné malgré lui par son assurance. Ici, dans son service, Cartier avait l'habitude de commander et d'être admiré, il ne serait pas facile à déstabiliser mais ça valait la peine d'essayer.

— Laisse-les attendre une minute de plus, répondit-il sans bouger de son siège, je n'ai pas fini. Il y a quelques années, c'est toi qui m'as demandé comme un service personnel d'engager ta petite amie au *Quotidien du Sud-Ouest*. Tu t'en souviens, je pense ? Tu as récidivé quand elle a écrit cet article brûlant sur le sang contaminé, que tu voulais voir publié à tout prix. À ce moment-là, tu croyais en elle et tu avais raison. Ou tu te servais d'elle ? Bref, les choses n'ont pas tourné comme tu voulais, elle m'a suivi à Paris pendant que toi, tu restais là, dans ton petit hôpital bordelais. Aujourd'hui, elle n'a plus besoin de toi, elle s'est fait un nom, et vois-tu, elle était en train de réussir sa vie. Mais sans toi ! Alors, tu lui as fait un enfant pour lui couper les ailes… Tu ne pouvais pas trouver mieux, c'est radical, elle est déjà sur la touche. Il y a une meute de gens qui guignent sa place, avec des dents qui rayent les parquets. Des types qui n'ont pas forcément son talent, mais qui ne demanderont jamais de congé de maternité, qui ne courront pas de la crèche à la nounou au moment où on a besoin d'eux, qui ne seront pas absents pour cause de maladies infantiles

C'est injuste pour les femmes, mais c'est comme ça, un journaliste n'a pas les avantages d'un fonctionnaire. J'avais confié à Lucrèce la responsabilité du département culture, je ne peux pas la lui laisser. Et j'avais prévu pour elle un avenir brillant que tu as détruit en une nuit. Je trouve ça ignoble.

— Tu avais « prévu » un avenir pour elle ? riposta Fabian. Quelle générosité ! Tu avais surtout prévu de la mettre dans ton lit, et à t'entendre, j'en déduis qu'elle n'a pas voulu de toi. Je me trompe ? Tu viens ici censément pour la défendre et me faire la morale, mais c'est toi qui vas bousiller sa carrière par dépit. Tu es un roquet. Sors tout seul de ce bureau, sinon je t'aide.

Interloqué, Claude-Éric resta figé une ou deux secondes. Il avait presque réussi à faire perdre son sang-froid à Fabian, mais s'il insistait, ce serait la bagarre. Or il n'y tenait pas, même si l'expression « roquet » lui restait sur l'estomac, lui qui se prenait plus volontiers pour un requin. Cette allusion à sa petite taille était la chose la plus désagréable qu'il ait entendue depuis longtemps et il décida que Fabian paierait pour ça aussi, en plus du reste. De toute façon, il savait comment l'atteindre, il suffirait qu'il vise Lucrèce. Très digne, il sortit sans rien ajouter.

À travers la vitrine du magasin, Emmanuelle vit arriver Nicolas. Comme toujours, elle éprouva un petit pincement au cœur à l'idée que sa fille ait pu dédaigner un homme pareil. Ils étaient faits l'un pour l'autre, elle l'avait toujours pensé, et elle-même dans sa jeunesse aurait adoré rencontrer quelqu'un qui lui ressemble. Il n'avait ni l'égoïsme de Guy ni la froideur d'un Fabian Cartier. Au contraire, il était généreux, chaleureux, irrésistiblement charmeur, Lucrèce devait être aveugle pour ne pas le voir. Et elle le rendait toujours très malheureux, davantage encore depuis qu'ils s'étaient rencontrés par hasard, ici même. À présent, Lucrèce attendait un enfant et Nicolas l'ignorait, mais Emmanuelle ne serait certainement pas celle qui lui apprendrait la nouvelle. D'autant plus qu'elle ne connaissait pas le nom du père, Lucrèce étant restée muette à ce sujet. S'agissait-il de Cartier ? D'un autre ? Pourquoi sa fille en faisait-elle un mystère ? Se pouvait-il qu'il s'agisse de Nicolas lui-même ?

Dès qu'il poussa la porte vitrée, elle constata qu'il flottait dans ses vêtements et qu'il avait besoin de se faire couper les cheveux.

— J'ai reçu les livres pour votre fils ! lui lança-t-elle gaiement. Le Marsupilami et Casper. Je vous ai préparé un paquet cadeau… Café ?

— Oui, merci.

— Pour vous, j'ai le dernier Queffélec, ça vous tente ?

— D'accord.

Laconique, comme de plus en plus souvent ces temps-ci, il s'accouda au comptoir de pitchpin. Ses yeux cernés et ses joues creuses lui donnaient vraiment mauvaise mine.

— Comment vont les vignes ? enchaîna-t-elle.

— Bien. En tout cas, il n'y a pas eu de gelées de printemps. On a éliminé les bois gourmands, et maintenant la vigne est en fleur. Si l'été continue comme ça, ce sera parfait. Sauf que je crains un peu la grosse chaleur, mon vin est déjà trop corsé…

S'agissant de son travail et de la terre, il pouvait redevenir loquace, elle le savait.

— Venez me voir là-bas un de ces jours, ajouta-t-il.

— Un lundi, pourquoi pas ? Mais je n'ai pas de voiture, je…

— Je viendrai vous chercher avec plaisir.

Il ne se forçait pas à le proposer et sa spontanéité était très attendrissante.

— Vous avez l'air fatigué, risqua-t-elle.

La remarque parut l'accabler, néanmoins il parvint à sourire.

— Non, je ne le suis pas. J'ai quelques soucis… personnels.

— Des ennuis d'argent ?

Elle s'en voulait d'insister, pourtant elle s'y sentait obligée. S'il avait des problèmes de trésorerie, elle allait devoir le rembourser au plus vite. Deux ans plus tôt, alors qu'elle traversait une très mauvaise période et que ses dettes s'accumulaient, elle s'était confiée à lui. La librairie rapportait peu, elle gérait mal sa comptabilité, d'ailleurs le petit commerce était écrasé de charges et elle pensait à fermer pour de bon. Sur le coup, il s'était presque mis en colère parce qu'elle ne lui en avait pas parlé plus tôt. Ensuite, il était venu chaque soir durant toute une semaine pour étudier avec elle ses livres de comptes, lui expliquant patiemment comment s'y prendre. Sa formation en école supérieure de commerce lui rendait les choses tellement faciles qu'il avait tout mis à plat en quelques heures. Le dernier jour, il était arrivé avec un chèque, qu'il lui avait fait accepter malgré elle. Ce n'était qu'un prêt, qu'elle lui rembourserait plus tard, quand son affaire serait florissante. Depuis, chaque fois qu'elle évoquait l'échéance, il se contentait de hausser les épaules.

— Non, Emmanuelle, je n'ai aucun problème d'argent. Vraiment.

Son sourire de gamin, sincère cette fois, ne laissait pas le moindre doute.

— Alors, je ne veux pas être indiscrète, murmura-t-elle.

Lui ne l'était jamais, il ne posait pas de question, même si, de toute évidence, il mourait d'envie qu'elle lui parle de Lucrèce. Peut-être venait-il aussi souvent pour cette unique raison, mais elle supposait qu'en plus il cherchait auprès d'elle une forme de tendresse qui avait dû lui manquer durant toute son enfance.

Il régla ses achats, récupéra sa monnaie et les livres.

— Lundi prochain ? suggéra-t-il. Je passe vous prendre à neuf heures, d'accord ? Il fait chaud dans le vignoble, pensez à emporter un chapeau !

Quand il sortit de la librairie, Nicolas leva la tête pour regarder le ciel, uniformément bleu. Une belle journée en perspective, mais ça ne suffisait pas à le rendre gai. Sa voiture était garée sur le quai des Chartrons, pas très loin du cours de la Martinique où se situait le négoce Brantôme. À cette heure-ci, Guillaume était sûrement dans son bureau, fenêtres ouvertes sur l'estuaire, occupé à traiter ses affaires. *Leurs* affaires à tous deux, à une époque. Personne ne comprenait pourquoi Nicolas ne se révoltait pas contre la mainmise de son frère sur le négoce. Il s'agissait de leur héritage à tous les deux, mais Guillaume s'était débrouillé pour l'exclure, jonglant avec les procurations que leur père lui avait accordées – et à lui seul – de son vivant. Une manière de punir son petit frère de ses velléités d'indépendance. Jamais il n'avait cru que Nicolas réussirait, que ses malheureux dix-sept hectares de vignes finiraient par l'enrichir, et il tenait à le garder en laisse.

À Stéphanie, que la situation scandalisait, Nicolas expliquait qu'un long et coûteux procès finirait par ruiner toute la famille. D'ailleurs, malgré tous ses motifs de rancune, Guillaume l'avait élevé, lui servant à la fois de père et de mère, il ne pouvait pas l'oublier, il ne le traînerait pas en justice.

Arrivé à sa voiture, il hésita. Il avait si peu envie de rentrer chez lui qu'il songea un instant à rester déjeuner en ville. Comme chaque fois qu'il voyait Emmanuelle, il se sentait horriblement triste, toujours obsédé par Lucrèce et tout à fait incapable d'affronter sa femme. Sans doute aurait-il mieux fait d'éviter la librairie, mais c'était plus fort que lui, il y revenait. Aujourd'hui, Emmanuelle n'avait rien dit à propos de sa fille, qui donc ne viendrait pas à Bordeaux ces temps-ci. Pourtant, elle devait bien avoir des vacances, comme tout le monde ! Où les passait-elle ? Au bout du monde avec Cartier ?

Il faillit donner un coup de poing sur le toit de sa Mercedes et se reprit de justesse. « Tu avais un coupé très voyant, sur le campus. » Elle s'en était souvenue. Pour cette raison, précisément, il était resté fidèle à la marque, reprenant systématiquement le même type de voiture depuis dix ans. Pauvre de lui, quelle bêtise !

D'un geste las, il déverrouilla sa portière et déposa les livres sur la banquette arrière. Stéphanie avait déjà dû mettre le couvert, avant d'aller chercher leur fils à la maternelle. Il pouvait l'appeler d'une cabine et laisser un message sur le répondeur pour la prévenir qu'il ne rentrerait pas. Quoi qu'il décide, il la retrouverait souriante, même si elle avait les yeux gonflés. Pourquoi continuait-elle cette lutte dérisoire qui ne les menait nulle part ? Elle avait refusé qu'il parte, refusé qu'il parle, aussi. Elle ne voulait rien savoir ni rien changer, alors il s'était incliné, écrasé de culpabilité. Désormais, il occupait la petite chambre d'amis, incapable de dormir à côté d'elle, encore moins de la toucher. Peut-être ferait-il mieux de précipiter les choses et de s'en aller malgré tout ? Bien entendu, la quitter signifiait aussi abandonner son fils et il en était malade d'avance. Était-ce le prix à payer ? Il ne savait pas comment leur faire à tous deux le moins de mal possible, mais il étouffait, il fallait qu'il se libère.

Après avoir exigé un compte rendu détaillé, Fabian fut escorté par un interne très intimidé jusqu'à la chambre de Lucrèce.

— Vous avez une visite, mademoiselle, chuchota le jeune médecin.

Il s'effaça pour laisser entrer Fabian, qu'il salua d'un signe de tête déférent avant de s'éclipser. Encore dans les brumes de l'anesthésie, Lucrèce somnolait, mais elle leva un peu la tête et parvint à esquisser un pâle sourire.

— Oh, c'est toi... Où est ma fille ? murmura-t-elle.

— Pour l'instant, elle doit rester en couveuse. Je l'ai vue, elle est magnifique. Et elle va très bien, ne t'inquiète pas.

Par habitude, il avait adopté le ton rassurant qu'il utilisait pour ses malades, mais il la détailla d'un regard clinique avant de baisser les yeux vers la feuille de soins, accrochée au lit. Il aurait préféré, de loin, qu'elle accouche à l'hôpital Antoine-Béclère, à la date prévue. La césarienne, pratiquée en urgence, ne semblait pas avoir posé de problème à ses confrères, néanmoins le bébé était prématuré.

— J'aurais voulu arriver plus tôt, malheureusement j'étais au bloc quand ton frère a appelé, je n'ai eu son message que bien plus tard.

— Pauvre Julien...

— Je viens de le croiser, il a l'air complètement bouleversé, tu lui as fait la peur de sa vie ! Roxane était donc si pressée de naître ?

Debout à côté du lit, il s'efforçait de ne pas lui montrer à quel point il était, lui aussi, ému. Jusque-là, il avait cru que la naissance se ferait loin de lui et qu'il se sentirait moins concerné.

— Fabian, tu es sûr qu'elle va bien ? Tu me le dirais, si…

— Oui, mais ce n'est pas le cas.

— Je te fais confiance, articula-t-elle en le regardant droit dans les yeux.

— Tu peux. Et maintenant, tu devrais te rendormir.

Pourquoi lui semblait-elle soudain si vulnérable ? Si désespérément jeune ? Elle était pourtant la femme la plus volontaire qu'il ait jamais connue.

— Tu reviendras ?

— Tous les soirs en sortant de Saint-Paul, je te le promets.

Comme la porte de la chambre était restée ouverte, il résista à l'envie de se pencher vers elle pour l'embrasser, se bornant à effleurer sa joue.

— Si tu as besoin de quelque chose…

— Non, maman ne va pas tarder à débarquer, elle veillera à l'intendance. Elle est tellement contente que ça m'ait pris ici, à Bordeaux !

Ses grands yeux bleu-vert étaient toujours rivés sur lui et il cessa de lutter. Au diable les bavardages que son geste risquait de déclencher, il avait trop envie de la toucher, alors il glissa délicatement une main sous sa nuque et l'attira à lui jusqu'à ce que leurs lèvres se rejoignent.

— Repose-toi, ma belle.

Il aurait aimé s'attarder près d'elle mais il ne pouvait pas rester là, sa présence serait sans doute mal vécue par la famille de Lucrèce. En choisissant de ne rien dire, elle l'avait mis dans une situation difficile où il tenait le mauvais rôle : un comble !

Une fois sorti de la chambre, il prit le temps de chercher le chef du service et de discuter cinq minutes avec lui, sachant que Lucrèce bénéficierait ainsi de tous les égards possibles. Il était en train de traverser le hall lorsqu'il se trouva nez à nez avec Guy Cerjac qui s'arrêta net devant lui. L'espace d'une seconde, ils se dévisagèrent plutôt froidement, puis Guy fit passer son énorme bouquet de roses dans sa main gauche pour pouvoir lui tendre la droite.

— Ma fille va bien ?

Le ton était un peu agressif, mais Guy faisait un effort visible pour paraître aimable.

— Très. Ta petite-fille aussi.

Même s'il ne l'avait jamais tenu en très haute estime, et ce depuis le temps lointain où ils étaient étudiants, Fabian devina ce que cette tentative de réconciliation coûtait à Guy.

— Ils vont garder le bébé quelques jours en couveuse, ajouta-t-il, si tu veux plus de détails, adresse-toi à François Durieux, c'est le pédiatre.

— D'accord, merci. Mais dis-moi, puisqu'on se voit…

Soudain désemparé, Guy laissa sa phrase en suspens. Fabian ne savait pas comment l'aider, ni s'il en avait envie, pourtant il finit par avoir pitié de lui.

— Tu veux qu'on prenne un café ? proposa-t-il en désignant un distributeur, à l'autre bout du hall.

Côte à côte, ils attendirent que les gobelets de plastique se remplissent, puis Guy marmonna :

— J'aurais préféré que les choses se passent autrement, mais je ne la juge pas. Toi non plus.

Sans répondre, Fabian but une gorgée avec laquelle il se brûla.

— Tu ne voulais pas l'épouser ? lâcha Guy.

— Bien sûr que si. Tu la connais donc si peu ?

— Je n'ai pas été très proche d'elle, je l'avoue. Et je le regrette. J'aimerais que ça change.

— Il ne tient qu'à toi.

Guy lui lança un regard aigu, où se mêlait autant de rancune que de curiosité.

— Est-ce que tu vas…

— Je ferai ce que ta fille me permettra de faire. Rien d'autre. Excuse-moi, il faut que je retourne à Saint-Paul.

Sans lui laisser le temps d'ajouter un mot, il se détourna. Guy Cerjac ne pouvait évidemment pas comprendre ce qu'il éprouvait. De l'angoisse, de la jalousie, du regret, rien de ce qu'il aurait ressenti s'il avait eu le bonheur d'être le père. Une demi-heure plus tôt, lorsqu'il avait contemplé le bébé attentivement, il avait pris sa décision. Au moins, il le proposerait à Lucrèce, bien qu'il soit sans illusion sur sa réponse. Cette enfant était la sienne, rien qu'à elle ainsi qu'elle l'avait souhaité, et elle refuserait certainement de lui faire porter un autre nom que Cerjac.

4

Mars 1996

Travailler en free-lance n'était pas de tout repos, mais Lucrèce s'en accommodait fort bien. Mener seule ses enquêtes lui demandait souvent du temps et de l'imagination, n'ayant le soutien d'aucun journal, cependant elle trouvait toujours preneur pour ses articles. Et si l'ambiance d'une salle de rédaction ou la solidarité d'une équipe lui manquait parfois, au moins personne ne l'obligeait à écrire sur des sujets qui ne l'intéressaient pas. Lorsqu'elle avait quitté *Maintenant*, elle s'était juré de ne plus se mettre à la merci de quiconque et elle s'y tenait. Très échaudée par Claude-Éric, dont l'attitude avait été assez odieuse pour qu'elle finisse par claquer la porte, elle se méfiait désormais de tous les patrons de presse.

Au début, certains de ses confrères, avec une hypocrisie consommée, lui avaient conseillé de se consacrer à sa fille et d'abandonner le métier ; d'autres lui avaient proposé des postes sans intérêt, où elle se serait retrouvée muselée. Écartelée entre son ambition professionnelle et le bonheur absolu que lui procurait sa fille, elle avait choisi de rester disponible et elle s'était mise au travail avec une volonté de fer. Elle décidait elle-même de son emploi du temps, écrivait volontiers la nuit, puis proposait ses papiers sans états d'âme, au plus offrant. Elle collaborait ainsi régulièrement à plusieurs hebdos, tous concurrents de *Maintenant*, ainsi qu'à un grand quotidien.

La première année de cette nouvelle vie, tandis que Roxane passait le plus clair de son temps à dormir dans son berceau, Lucrèce avait réalisé d'excellents portraits de personnalités en vue, de Jacques Chirac lors de son élection à la présidence, à David Douillet quand il avait obtenu, au Japon, le titre de champion du monde de judo, toutes catégories. Mais ses sujets de prédilection restaient les faits de société, en particulier ceux qui offraient matière à polémique, qu'il s'agisse de la conférence mondiale de Pékin sur les droits de la femme, des attentats terroristes dans le métro parisien, ou des grèves massives qui avaient paralysé le pays en décembre.

Travaillant comme une folle, Lucrèce prenait pourtant le temps de se promener avec Roxane, n'ayant que la rue à traverser pour gagner le jardin du Luxembourg. Aussi brune que sa mère, avec de grands yeux dorés étirés vers les tempes – qui rappelaient beaucoup ceux de Nicolas –, c'était une enfant absolument ravissante. Quelques jours après sa naissance, puis le jour de son premier anniversaire, Fabian avait proposé de la reconnaître comme sa fille. Ébranlée par ses arguments sensés autant que par son incroyable gentillesse, Lucrèce avait failli accepter, mais s'était finalement dérobée. Laisser Fabian endosser la paternité de Roxane, n'aurait-ce pas été trahir Nicolas pour la deuxième fois ? Et puis, elle se sentait de taille à élever seule cette enfant. Pour se le prouver, elle avait quitté le studio de Fabian et déniché un grand deux-pièces sur cour, dans l'immeuble voisin. Au cinquième sans ascenseur, avec une salle de bains minuscule et un loyer effarant, mais au moins Roxane avait sa chambre.

Juste après la naissance de sa fille, elle n'était descendue à Bordeaux que très rarement, peu désireuse de provoquer des commérages ou, pis, de croiser Nicolas. Penser à lui – ce qui arrivait plus souvent qu'elle ne l'aurait voulu – la mettait toujours mal à l'aise et ravivait le sentiment d'un immense gâchis. Cependant, au bout de quelques mois, elle avait craqué et repris le chemin de Bordeaux, constatant que sa mère lui manquait, comme son frère, Sophie, et jusqu'à l'air de la ville de son enfance. Sans compter Fabian, qui était parfois venu la retrouver à Paris le temps d'un week-end, mais qui ne pouvait pas aisément se libérer de son planning à l'hôpital.

Parmi toutes les informations qu'elle entassait en vrac, en vue d'éventuels dossiers, Lucrèce s'était penchée avec une attention extrême sur la maladie de la vache folle. Si le premier cas clinique d'ESB avait été répertorié en France dès 1991, il avait fallu attendre décembre 1994 pour qu'intervienne enfin une interdiction des farines d'origine animale destinées aux ruminants. En mai 1995, le décès d'un jeune Anglais de dix-neuf ans, atteint de la nouvelle forme de la maladie de Creutzfeldt-Jakob, avait fait couler beaucoup d'encre et mis en alerte la plupart des journalistes. Lucrèce avait alors commencé une difficile enquête personnelle, recevant un accueil glacial au ministère de l'Agriculture, accueil qui n'était pas sans lui rappeler celui qu'elle avait connu au ministère de la Santé, bien des années plus tôt, en enquêtant sur le sang contaminé.

Et voilà qu'au cours de ce mois de mars 1996, l'affaire de la vache folle rebondissait à grand fracas avec la confirmation officielle, par le gouvernement anglais, d'une possible transmission à l'homme. Une semaine plus tard, la CEE décrétait l'embargo sur les viandes britanniques. En apprenant que, désormais, il allait falloir chauffer les farines à 133 °C pour les « sécuriser », Lucrèce avait eu une sensation de déjà-vu. En leur temps, les lots de sang destinés aux transfusions et suspectés de contenir le virus du sida, les avait-on chauffés quand on l'aurait dû ?

Une nouvelle fois, trop d'intérêts financiers étaient en jeu, et Lucrèce pressentait quelque chose d'explosif : elle s'était mise en chasse. Le premier à pouvoir l'aider, bien entendu, était Fabian. Quoique peu concerné en tant que chirurgien, il lui avait néanmoins expliqué patiemment toutes les implications scientifiques. Grâce à lui, elle connaissait les différences entre la tremblante du mouton et l'encéphalite spongiforme du bovin, et savait qu'une protéine défectueuse appelée prion déclenchait la maladie. Chez l'humain, cette maladie strictement neurologique et toujours mortelle se caractérisait par une période d'incubation sans signes cliniques pouvant durer plusieurs décennies. Une véritable bombe à retardement.

Ce soir-là, alors que Roxane dormait depuis longtemps, Lucrèce était encore assise devant l'écran de son ordinateur, occupée à corriger l'article qu'elle devait livrer le lendemain. Encore un scandale financier lié à la médecine, avec la mise en examen de Jacques Crozemarie, accusé d'avoir détourné à son profit les fonds destinés à la recherche sur le cancer. Lucrèce en avait profité pour rédiger un véritable pamphlet. L'hebdo qui le lui avait commandé la payait bien, et cet argent lui serait nécessaire pour boucler sa fin de mois. Comme elle restait connectée à Internet durant des heures pour y chercher de la documentation, sa facture de téléphone finissait toujours par déséquilibrer son budget. Et entre le loyer, les frais de crèche, la baby-sitter et les billets de TGV pour Bordeaux, elle faisait de la corde raide. Le temps béni où elle avait vécu sans aucune charge était définitivement révolu.

Une fois son papier imprimé pour une dernière relecture, elle vérifia sa messagerie électronique qui ne contenait qu'un mot de Julien. Elle avait réussi à le persuader d'acheter un ordinateur d'occasion, non seulement pour visiter tous les sites concernant les chevaux, mais aussi pour communiquer avec elle. Chaque fois qu'il participait à une épreuve importante, il pouvait ainsi lui faire connaître ses résultats sans se soucier de l'heure, et à travers tous les petits mots affectueux qu'ils échangeaient, Julien se confiait sans doute davantage que s'il lui avait parlé directement au téléphone. Fabian, en revanche, ne voulait pas entendre parler d'informatique, il laissait Noémie gérer pour lui ce genre de choses et n'aurait jamais eu l'idée de passer par un ordinateur pour entrer en contact avec elle.

Immobile devant l'écran devenu noir, elle resta songeuse un moment. Elle allait avoir trente-cinq ans. Avait-elle toujours fait les bons choix ? Cette question, elle se la posait de plus en plus souvent. D'un point de vue professionnel, son parcours était sans faute, hormis son départ de *Maintenant*, qu'elle regrettait à présent de n'avoir pas négocié. Pourquoi avait-elle cédé aux provocations de Valère ? Après lui avoir retiré la responsabilité des pages culture, il s'était acharné à refuser presque tout ce qu'elle proposait, ou encore à la ridiculiser lors des réunions de rédaction. Dès son retour du congé légal de maternité, il lui avait rendu la vie impossible, alternant les plaisanteries cyniques sur « la jeune maman » avec un véritable harcèlement d'homme frustré sitôt qu'ils étaient seuls dans une pièce. Il lui reprochait d'avoir eu un enfant, de saborder sa carrière, de ne plus être disponible pour dîner avec lui ou voir un spectacle, de ne plus tenir le rôle d'élève et d'égérie qu'il lui avait assigné, cependant il ne pouvait pas s'empêcher de la désirer. À la fin, n'y tenant plus, elle était partie d'elle-même. En l'apprenant, Fabian avait levé les yeux au ciel mais sans faire de commentaire. Comme toujours, il ne s'était pas mêlé de ses affaires et elle lui en était infiniment reconnaissante.

Avait-elle eu raison de refuser son offre ? Roxane ne lui reprocherait-elle pas un jour de n'avoir pas de père ? Il serait sans doute préférable pour elle d'être officiellement la fille du professeur Cartier plutôt que née de père inconnu. Lucrèce pourrait-elle jamais lui raconter la vérité ? Quels conflits avec sa fille se préparait-elle ? En outre, si l'insécurité financière ou même les difficultés matérielles ne l'effrayaient pas, n'était-ce pas son devoir d'assurer l'avenir de sa fille par tous les moyens ? En proposant de la reconnaître, Fabian la mettait à l'abri.

Plus elle y réfléchissait, plus Lucrèce doutait. Si jamais elle disparaissait, qu'adviendrait-il de Roxane ? Sa mère, avec sa librairie, subvenait à peine à ses propres besoins. Quant à son père, même s'il s'était sensiblement rapproché de Lucrèce depuis la naissance de Roxane, il avait à sa charge Agathe et Pénélope, sans compter Brigitte, qui tentait désespérément d'avoir un troisième enfant ! Et Julien ne serait pas en mesure de s'occuper d'une fillette. En cas de malheur, Fabian serait évidemment le plus apte à prendre en charge Roxane, lui qui n'avait qu'un fils âgé de vingt-sept ans, qu'il ne voyait presque jamais.

« Si tu reviens sur ta décision un jour, ma proposition n'est pas limitée dans le temps », avait-il affirmé. Fabian était un homme stable, intelligent, cultivé, titré, qui, de surcroît, gagnait très bien sa vie. Devait-elle continuer à s'obstiner dans un refus somme toute égoïste, au nom de son indépendance ? Elle n'était plus seule en cause et il pouvait lui arriver n'importe quoi, n'importe quand.

De là à se servir de Fabian... Écartelée entre ses scrupules, ses angoisses et ce profond désir de liberté qui ne l'avait jamais quittée, elle ne parvenait toujours pas à trancher.

Il était presque minuit. Elle éteignit l'ordinateur, se leva, s'étira. Elle avait bien travaillé, et elle se félicita d'avoir refusé l'invitation à dîner d'un journaliste qui la poursuivait de manière assidue. Une soirée avec lui ne l'aurait menée nulle part, il ne lui plaisait pas. Depuis la naissance de Roxane, elle n'avait connu qu'une seule aventure sans lendemain. Qui, comme les précédentes, s'était révélée assez décevante. Au bout du compte, elle le savait bien, le seul homme qui aurait pu lui faire oublier Fabian s'appelait Nicolas mais elle refusait de penser à lui. Elle s'abstenait même de questionner sa mère, ne voulait surtout pas savoir ce qu'il devenait.

À pas de loup, elle pénétra dans la chambre de Roxane qui dormait sur le dos, la bouche entrouverte, dans une attitude d'abandon qui la faisait paraître terriblement fragile. Penchée au-dessus d'elle, Lucrèce l'embrassa doucement pour ne pas la réveiller. Autour du lit, une multitude de jouets s'éparpillait – des cadeaux de Guy pour la plupart. Il les faisait expédier directement par un magasin bordelais. Les achetait-il en cachette de Brigitte ? Cette idée lui arracha un sourire. Jamais elle n'aurait imaginé que son père serait à ce point en extase devant Roxane. Il téléphonait toutes les semaines pour avoir de ses nouvelles, mais c'était toujours de son cabinet qu'il appelait, pas de chez lui. Quand Lucrèce descendait à Bordeaux, il se précipitait au pavillon, lui qui n'y avait jamais mis les pieds à l'époque où elle y habitait. Loin de les séparer, la naissance de Roxane les avait rapprochés, à tel point que Guy arrivait même à parler de Fabian sans faire la grimace.

Elle sortit de la chambre, repoussa la porte sans la fermer tout à fait. Comme chaque soir, elle alla déplier le canapé du living, arrangea la couette et fila prendre une douche. Parfois, elle en avait assez de Paris, assez de vivre à l'étroit, assez de se sentir seule. Heureusement, le lendemain était un vendredi, et sa place de TGV était déjà réservée.

— Va-t'en d'ici ! De quel droit es-tu entré ?

Écarlate, poings serrés, Guillaume s'était arrêté à mi-étage et toisait son frère d'un regard menaçant. Nicolas renonça à lui répondre que cette maison était également la sienne. Par un accord tacite, et bien qu'ils aient hérité tous les deux de l'ensemble de la propriété, la chartreuse était la maison de Guillaume et l'ancien chai celle de Nicolas.

— Où est Agnès ? se contenta-t-il de demander.

— Qu'est-ce que ça peut bien te foutre ?

— Je vous ai entendus crier de mon jardin. J'avais l'impression que tu l'égorgeais ! Un de ces jours, je vais t'envoyer les flics pour te calmer.

— Essaye…

Le ton de Guillaume n'augurait rien de bon et son visage était congestionné. La malheureuse Agnès avait sans doute fait les frais de son humeur du moment, il avait dû la tabasser une fois de plus. Exaspéré, Nicolas fit encore deux pas dans le grand hall d'entrée, manifestant ainsi sa détermination à rester.

— Ta vie privée ne me regarde pas, dit-il d'un ton sec, mais je ne peux pas accepter que tu frappes ta femme ! Ni que tu la punisses quand elle vient se réfugier chez moi. Encore moins que tu ameutes tout le voisinage.

— Quel voisinage ? ricana son frère.

— Le vieux Roger était dans ses vignes, tout à l'heure, je suppose qu'il en a profité autant que moi.

Les vignes qui s'étendaient devant les fenêtres de Nicolas, à perte de vue, avaient autrefois été celles des Brantôme, mais Guillaume les avait vendues vingt ans plus tôt sans consulter personne.

— Tu devrais te faire soigner, ajouta Nicolas.

Il le pensait sincèrement. Au début, il ne s'agissait que de crises de rage passagères. Du plus loin qu'il se souvienne, Guillaume avait toujours été autoritaire, intransigeant, soupe au lait. Mais il avait aussi ses bons côtés, il travaillait dur et il aimait Agnès à sa façon. Pour lui, une paire de gifles n'était qu'un détail, il ne comprenait pas qu'on puisse en faire une histoire. Sous ce prétexte, il avait peu à peu laissé libre cours à sa violence. Aujourd'hui, il se comportait comme un malade.

— Je veux parler à Agnès, répéta Nicolas.

— Tu *veux* ! Et quoi encore ?

— Je ne partirai pas.

— Oh, si ! Tu vas voir…

Guillaume se mit à descendre les marches mais, au même instant, Agnès apparut en haut de l'escalier.

— Tout va bien, Nick, murmura-t-elle d'une voix mal assurée.

Arrêté dans son élan, Guillaume leva la tête vers elle. Pâle, les yeux gonflés et l'air hagard, elle tentait désespérément de sourire sans regarder personne. Malgré la pénombre du palier, Nicolas discerna une ecchymose bleutée sur sa tempe.

— Tu en es sûre ? insista-t-il.

Mais il n'avait aucune illusion, sa belle-sœur ne lui dirait rien, terrifiée par son mari qui continuait de l'observer en silence. Elle recula et disparut vers la chambre, abandonnant les deux frères face à face.

— Le jour où elle se décidera à te traîner devant un juge, je lui servirai de témoin et tu finiras en taule, marmonna Nicolas.

Que pouvait-il faire d'autre que partir, à présent ? Tout le temps qu'il mit à retraverser le vaste hall d'entrée, il sentit le regard de Guillaume dans son dos. Agnès espérait-elle vraiment que son mari cesserait de la battre un jour ? Pourquoi supportait-elle cette situation sans issue ? Nicolas la plaignait, avait envie de la protéger, cependant il se sentait découragé par son absence de réaction, qui confinait au masochisme.

Il sortit en claquant la porte. Agnès manquait de courage, certes, mais il n'avait rien à lui envier. N'était-il pas tout aussi incapable qu'elle de régler ses problèmes ? Il aurait dû divorcer depuis longtemps, et pourtant Stéphanie habitait toujours là, partagée entre l'espoir et l'aigreur, alternant les tentatives de reconquête avec les menaces. Pour lui, leur couple était mort, et cette situation lui pesait de plus en plus. Il fallait trancher dans le vif, quelle que soit la culpabilité qu'il en éprouverait ensuite. Ne pas le faire finirait, à la longue, par être malsain pour l'équilibre de leur fils.

À peine entré chez lui, il vit Stéphanie sortir de la cuisine où elle passait presque tout son temps quand Denis était à l'école. Elle s'essuya les mains sur son long tablier blanc, qui soulignait sa silhouette frêle.

— Je prépare un soufflé pour ce soir, avec un bar en croûte et une fondue de petits légumes… ça te va ?

— Parfait, murmura-t-il machinalement.

— Et chez ton frère ? Tout était normal ?

— Normal ? Oh, non ! Mais je n'y peux rien…

Il la contourna pour gagner la petite chambre d'amis où il dormait depuis deux ans.

— Je me change et je repars dans les vignes, prévint-il.

— Maintenant ? Tu rentreras à quelle heure ? protesta-t-elle d'un ton plaintif.

— Je ne sais pas.

Toute la matinée, il avait commencé à déchausser les pieds de vigne, les débarrassant de la terre accumulée en sillon qui les avait protégés du froid de l'hiver. Mais il n'était pas en retard, il pouvait même attendre encore une dizaine de jours pour exécuter ce travail, et Stéphanie, en tant que fille de viticulteur, le savait très bien.

— Tu ne tiens pas en place ! constata-t-elle avec aigreur.

La liste de ses griefs, il la connaissait par cœur et n'avait nulle envie de l'entendre une nouvelle fois. En février, puis en mars, les opérations de soutirage et de mise en bouteilles l'avaient retenu chaque jour du matin jusqu'à la nuit. Ses employés le prenaient pour un bourreau de travail, sans soupçonner qu'il ne se plaisait que là, sur ses terres de Listrac, et qu'il ne désirait pas rentrer chez lui. Lorsqu'il le faisait à une heure décente, c'était uniquement pour profiter un peu de son fils. Hélas, Denis devenait peu à peu un moyen de chantage dans les propos de Stéphanie. Essaierait-elle un jour de le monter contre son père ?

— Si tu rentres trop tard, Denis sera couché ! lui lança-t-elle, comme prévu.

Puis tout de suite, modifiant son attitude, elle s'approcha de Nicolas qu'elle prit par le cou.

— Sois gentil, reste… Ou bien va chercher Denis à l'école, il sera fou de joie !

Elle sentait bon, sans doute un nouveau parfum puisqu'elle essayait tout pour lui plaire, et la manière dont elle s'accrochait à lui aurait dû l'attendrir. Ou au moins susciter son désir. Malheureusement, tout ce qu'il éprouvait était l'envie de se débarrasser d'elle, d'en finir une bonne fois.

— D'accord, j'y vais, dit-il à mi-voix en l'écartant.

Une lâcheté supplémentaire, mais il ne voulait pas provoquer une scène maintenant, avec leur petit garçon qui sortait de classe dans une demi-heure.

Une fois assis au volant de son coupé Mercedes, il respira plus librement. Dans sa voiture, au moins, il se sentait chez lui, alors que même dans ce chai qu'il avait rénové et décoré de fond en comble dix ans plus tôt, il avait désormais l'impression d'être un intrus. Stéphanie s'était peu à peu approprié la maison, sans doute pour trouver un dérivatif à son chagrin, et elle y vivait en recluse.

« Qu'elle la garde… », songea-t-il en jetant un coup d'œil dans son rétroviseur.

Il pouvait aller vivre ailleurs. Dix fois, il le lui avait proposé, sans jamais obtenir d'autre réponse qu'une crise de larmes. Néanmoins, il avait commencé à se renseigner, cherchant un point de chute près de Listrac. N'importe quelle cabane, à louer ou à acheter, ferait son affaire. La terre était vraiment sa consolation, il arrivait à ne plus penser à rien lorsqu'il était dans ses vignes, ni à l'échec de sa vie privée ni à son avenir.

À dix-huit heures précises, Sophie traversa d'un pas pressé la double nef centrale du musée, en direction de la sortie. Habituée à travailler chaque jour dans ce cadre étonnant, elle ne prêtait plus aucune attention à l'architecture ni à l'immense volume du lieu. L'ancien entrepôt Laîné, vieux de cent cinquante ans et qui avait servi autrefois au stockage des denrées coloniales, accueillait par roulement les collections du Centre d'arts plastiques contemporains. Au début, Sophie avait tenu la librairie située au rez-de-chaussée, puis elle avait été officiellement embauchée par la direction du musée, grâce à sa maîtrise d'histoire de l'art, et elle se trouvait désormais sous les ordres du conservateur, planchant avec lui sur les différents thèmes des expositions.

En se dépêchant, elle arriverait à l'heure à la gare pour y récupérer Lucrèce et Roxane. Sa voiture était garée à deux pas, rue Ferrère, mais elle avait toute la ville à traverser, avec les inévitables encombrements du vendredi soir.

Comme chaque fois, elle se réjouissait à la perspective de passer une soirée en compagnie de Lucrèce. D'abord, elles iraient déposer Roxane chez Emmanuelle, ensuite elles pourraient prendre un verre au café *Brun* ou au *Lucifer*, avant d'aller dîner d'une grillade à *La Rose des Vents*. Lucrèce avait toujours plein d'anecdotes extraordinaires à raconter, elle qui rencontrait toutes sortes de gens, assistait à une foule de spectacles et savait toujours tout sur tout, comme si la vie à Paris avait un mois d'avance sur le reste du pays. Sophie l'écoutait, bouche bée, cependant elle-même n'éprouvait aucune envie de quitter Bordeaux. Depuis que son père était député, en plus de son rôle de conseiller à la culture dans l'équipe municipale, elle bénéficiait d'une considération qui l'amusait beaucoup. Gardant la tête froide, elle faisait très bien la différence entre les solliciteurs et ses vrais amis, mais lorsque son nom de Granville lui ouvrait certaines portes, elle en profitait sans scrupule. Si son père, même de façon involontaire, lui facilitait enfin la vie, ce n'était que justice. Il avait une dette envers elle, jamais elle ne l'oublierait, c'était lui le débiteur et non pas le contraire. Lorsque, bien des années plus tôt, elle lui avait appris avoir été victime d'un enseignant pédophile, il avait réagi comme un minable. Pour ne pas se retrouver mêlé au scandale qui venait d'éclater à l'école Sainte-Philomène, il avait minimisé les faits avec une indifférence qu'elle ne lui pardonnait pas. Faisant passer ses ambitions politiques avant son devoir de père, il n'avait pas hésité à mettre en doute la parole de sa propre fille, et n'avait pas voulu qu'elle témoigne au procès. Malgré le stupide chantage auquel il s'était alors livré, menaçant de lui couper les vivres, elle était passée outre. Mais sans le soutien de Lucrèce, aurait-elle eu le courage de se révolter ? D'aller raconter son histoire sordide devant les juges ? Lucrèce avait toujours été là pour la soutenir, même à quinze ans face au pervers de Sainte-Philomène. Lucrèce avec sa forte tête, sa personnalité affirmée, son culot monstre… Sophie aurait tellement aimé posséder son assurance !

Aux abords de la gare Saint-Jean, la circulation gagna en densité et un flot de voyageurs pressés se déversait sur le trottoir. Sophie s'arrêta en double file, le temps pour Lucrèce de jeter son sac dans le coffre, d'installer Roxane à l'arrière de la 106 puis de se glisser sur le siège passager.

— Tu es magnifique ! lui lança Lucrèce tandis qu'elle redémarrait. Ne me dis pas que tu as mis ce petit ensemble bleu juste pour dîner avec moi ? Aurais-tu rencontré le prince charmant ?

— Non, pas du tout, protesta Sophie en se sentant rougir.

Mais effectivement, elle avait choisi ses vêtements avec un soin tout particulier le matin, comme chaque fois qu'elle espérait apercevoir Julien. Soit chez Emmanuelle, où il allait parfois dîner, soit lorsqu'elle raccompagnerait Lucrèce au pavillon, en fin de soirée.

— C'est pour mon frère ? insista impitoyablement Lucrèce. Enfin, Sophie, quel âge as-tu ? Il te suffirait de l'appeler, il ne demande pas mieux !

— Je n'oserai jamais. Je suis sûre qu'il m'en veut encore, et il a raison.

— Julien n'est pas rancunier.

Peut-être ne l'était-il pas, mais Sophie ne se sentait pas en mesure d'avoir une conversation raisonnable avec lui. Ne l'avait-elle pas trahi de la manière la plus stupide qui soit ? Elle éprouvait une honte insurmontable chaque fois qu'elle y songeait. Jamais elle ne se pardonnerait de l'avoir quitté, c'était la pire erreur de toute son existence. Mais que n'avait-elle pas fait comme bêtise à ce moment-là ! Deux ans de psychothérapie aboutissant à un banal transfert sur l'homme qui la soignait. Elle s'en était cru amoureuse, ce qui aurait dû rester sans conséquence, malheureusement le psychologue avait transgressé toutes les règles de sa profession en succombant lui aussi. Il la trouvait trop jolie, trop attendrissante, lui avait-il déclaré un beau jour, s'empressant de l'adresser à un confrère. Puis, ainsi débarrassé de son dossier, il s'était autorisé à l'inviter à dîner… Maladroitement, Sophie avait tout avoué à Julien qui était entré dans une fureur noire. À ce moment-là, leurs rapports s'étaient déjà considérablement dégradés, mais la rupture avait été très douloureuse. Pour Julien, la récompense de toute sa patience, sa délicatesse, son self-control – et il lui en avait fallu une bonne dose ! – était de se voir finalement repoussé au profit de l'homme qui aurait dû guérir Sophie de ses répugnances à l'égard de tout contact physique. Traumatisée par cette horrible histoire de Sainte-Philomène, elle avait beau être folle amoureuse de Julien, elle avait un mal fou à le toucher et ne faisait l'amour avec lui qu'en serrant les dents, dissimulant mal sa terreur et son dégoût. D'accord pour qu'elle consulte, d'accord pour attendre encore très longtemps s'il le fallait, Julien avait espéré qu'une thérapie arrangerait les choses. Au bout du compte, il s'était retrouvé dépossédé, ridiculisé, tandis qu'elle surmontait enfin ses troubles dans le lit de son psy !

— Je n'arrive même pas à le regarder en face, soupira-t-elle. Au baptême de Roxane, j'ai passé mon temps à le fuir, c'est plus fort que moi.

Le fuir tout en épiant le moindre de ses gestes, immensément soulagée de constater qu'il était venu seul. Mais, un jour ou l'autre, il allait tomber de nouveau amoureux et se marier, c'était même stupéfiant qu'il ne l'ait pas déjà fait.

— Si tu veux, je lui parlerai, proposa Lucrèce.

— Oh, non ! Non…

Sa voix manquait un peu de conviction, elle se demanda si Lucrèce l'avait remarqué.

— Écoute, ajouta-t-elle honnêtement, je ne peux pas toujours compter sur toi pour arranger mes affaires, il est temps que je m'assume. Ton frère ne… Mon Dieu, regarde, il est là !

Elles étaient arrivées aux abords de la librairie d'Emmanuelle et, sur le trottoir, la moto de Julien était garée en évidence.

— Tant mieux, répliqua Lucrèce. Pourquoi ne pas l'inviter à dîner avec nous ? Ensuite, tu me déposeras chez Fabian, et vous resterez en tête à tête, c'est l'occasion ou jamais. Au moins, tu ne te seras pas habillée pour rien !

Sans attendre la réponse, elle ouvrit la portière et descendit.

Stéphanie lâcha ses sacs de provisions sur la table de la cuisine et les considéra avec dégoût. Désormais, elle ne croyait plus à ce rôle de femme dévouée qu'elle s'astreignait à tenir malgré tout, au moins pour son fils. Elle s'y était si longtemps accrochée, imaginant que Nicolas finirait par redevenir lui-même ! Depuis deux ans, il la rendait folle. D'abord, elle avait fermé les yeux, occulté le problème, parié sur une crise passagère, mais il s'était éloigné d'elle, un peu plus chaque jour. Alors elle avait suivi les conseils de sa mère, qui lui recommandait de rester patiente et irréprochable, avant d'écouter la suggestion de son amie Brigitte Cerjac, qui préconisait la reconquête par la séduction, mais tout ça en vain. La veille, Nicolas avait annoncé qu'il venait de louer une grange, du côté de Listrac, et qu'il comptait y emménager sans plus tarder.

Stéphanie n'avait plus aucune carte dans son jeu, elle avait vraiment tout utilisé, des crises de larmes aux scènes de charme, allant jusqu'à lui faire du chantage au sujet de leur fils. Sa seule satisfaction était de voir Nicolas souffrir puisque, apparemment, il était aussi malheureux qu'elle.

Longtemps, elle s'était demandé quelle femme pouvait le mettre dans cet état. Aucune rencontre de hasard n'aurait pu le détruire à ce point, elle avait fini par le comprendre, et durant des mois elle s'était rongée avec toutes les questions qu'elle ne voulait pas lui poser. Mais là, en lui assenant la nouvelle de son départ, il l'avait obligée à réagir. Cessant de se cacher la tête dans le sable, elle l'avait interrogé. À peine le prénom de Lucrèce prononcé, un souvenir désagréable lui était revenu. Bien avant leur mariage, elle se le rappelait, Nicolas avait connu une fille qui portait ce prénom rare. Aussi ne pouvait-il s'agir que de Lucrèce Cerjac, la belle-fille de Brigitte. Sauf que celle-ci vivait à Paris et était, de notoriété publique, la maîtresse d'un chirurgien.

Pour en avoir le cœur net, Stéphanie s'était précipitée le matin même au cabinet de Brigitte. Et là, apprendre que cette Lucrèce avait un bébé de dix-huit mois l'avait anéantie. Le compte était facile à faire : dix-huit plus neuf, cela correspondait très exactement à la « crise » de Nicolas.

D'un revers de main rageur, elle balaya les sacs de provisions dont le contenu s'éparpilla sur le carrelage.

— Salaud ! Menteur ! hurla-t-elle en donnant un coup de poing sur la table.

Un petit vase contenant des fleurs des champs, ramassées par Denis, tomba et se cassa en mille morceaux. Stéphanie se mit à trembler, soudain ivre de colère, et dès qu'elle entendit le pas de son mari, dans le couloir, elle se précipita à sa rencontre.

— Qu'est-ce qui t'arrive ? Tu t'es fait mal ? demanda-t-il gentiment.

Il la dévisagea, surpris de la trouver dans un tel état de nerfs. Alerté par le fracas, il avait abandonné les comptes qu'il était en train de faire et tenait encore son stylo à la main.

— Tu lui as fait un gosse, c'est ça ?

— Un gosse ? répéta-t-il, ahuri. À qui ?

Elle le gifla de toutes ses forces, le faisant vaciller.

— À cette femme ! Celle à qui tu penses tout le temps !

— Lucrèce ? Un enfant ?

Il avait prononcé le prénom spontanément, comme une évidence, et il se rendit compte qu'il la poignardait.

— Ne me joue pas cette comédie, Nicolas, tu le sais forcément ! Même si ça te rend malade car je suppose qu'elle n'a pas voulu de toi, n'est-ce pas ? Sinon, tu serais parti depuis longtemps ! Moi, ton fils, ta famille… Tu n'en as rien à foutre !

— Arrête, Stéphanie, arrête. S'il te plaît.

Anéanti, il s'appuya au mur du couloir. Les phrases que sa femme venait de prononcer commençaient à prendre un sens, pourtant il n'arrivait pas à y croire.

— J'aurais dû partir, c'est vrai, mais tu n'étais pas d'accord, dit-il d'une voix sans timbre.

— Eh bien, va-t'en !

— Oui.

— Seulement, je te préviens, je garde Denis avec moi. Et tu as intérêt à te trouver un avocat si tu veux un droit de visite !

— C'est mon fils aussi, Stéphanie…

— Tu n'auras qu'à te consoler avec ton bâtard !

Il la dévisagea une seconde, profondément désespéré, puis il se détourna.

— Je te hais ! hurla-t-elle avant d'éclater en sanglots.

À bout de souffle, Lucrèce essayait de retrouver ses esprits. Elle sentit Fabian bouger, au-dessus d'elle, puis s'allonger. Quand il posa une main sur sa nuque, écartant ses cheveux mouillés de sueur, elle poussa un long soupir de satisfaction. Ils avaient beau se connaître par cœur, il parvenait encore à la surprendre et, chaque fois, à la faire chavirer.

Elle se tourna vers lui, s'appuyant sur un coude pour pouvoir le regarder. Il lui adressa un sourire charmeur, sans la moindre trace de fatuité.

— Tu dors avec moi ?

— Oui. Je ne suis pas obligée de rentrer, Roxane est chez ma mère jusqu'à demain.

— Il y a longtemps que je ne l'ai pas vue.

Avant la naissance de Roxane, ils n'avaient jamais joué au couple, et ils n'allaient pas commencer maintenant. À deux reprises, Fabian les avait retrouvées au jardin public, se bornant à adopter l'attitude d'un ami. Il n'était pas le père de la petite fille, bien qu'il ait proposé de tenir ce rôle, et semblait ne pas vouloir s'immiscer dans leur intimité.

— Fabian… murmura-t-elle en tendant la main vers lui.

Du bout des doigts, elle suivit la ligne nette de sa mâchoire, de son menton. Il suffisait qu'il la prenne dans ses bras et commence à la déshabiller pour qu'elle le désire violemment. Mais était-ce de l'amour ? Ses sentiments envers Fabian avaient toujours été confus et, longtemps, elle avait refusé de s'interroger à ce sujet. Les années passant, leur relation s'était figée de manière étrange dans un rapport trop courtois qui se condamnait de lui-même. Amis-amants discrets et bien élevés, chacun prenant garde de ne pas empiéter sur la liberté de l'autre, finalement une distance infranchissable s'était installée entre eux.

— C'était bien, ton dîner ? demanda-t-elle.

Étonnée de sa propre curiosité, elle regretta d'avoir posé la question. Ils n'avaient pas les mêmes amis, ne partageaient pas les mêmes centres d'intérêt.

— Ennuyeux. Et toi, avec Sophie ?

Comme à son habitude, il préférait éluder et ne pas parler de lui. Il se remit à caresser ses cheveux, la faisant frissonner.

— Fais-moi plaisir, laisse-les pousser...

— Je n'ai plus l'âge de porter une queue-de-cheval, protesta-t-elle.

Il éclata de rire, sans doute amusé qu'elle puisse se trouver vieille à trente-quatre ans. Abandonnant les cheveux, il effleura son cou, son épaule.

— Tu es superbe. Tu n'as jamais été aussi belle qu'en ce moment.

Sa main frôla un sein, descendit jusqu'à la cicatrice à peine visible de la césarienne.

— Et tu me manques beaucoup quand tu n'es pas là.

À savoir, la plupart du temps. Elle se demanda s'il venait de lui faire une déclaration ou bien un reproche déguisé.

— Tu te consoles comment ?

Trop directe, la question parut le contrarier car elle le vit froncer les sourcils.

— L'hôpital ne me laisse pas le temps d'y réfléchir. Je...

La sonnerie du téléphone l'interrompit et il se figea. Sur la table de chevet, le réveil indiquait une heure et quart. Il se leva, enfila son peignoir en éponge d'un geste agacé, puis quitta la chambre dont il laissa la porte ouverte. Lucrèce l'entendit répondre sur le poste du living.

— Oui ?

Malgré elle, elle prêta l'oreille.

— Tu as vu l'heure ? Non, je... Peu importe. Tu serais gentille de ne pas me...

Sa voix froide trahissait son exaspération. Il était en train de parler à une femme, probablement à une de ses maîtresses, et Lucrèce retint sa respiration.

— Non, je ne crois pas t'avoir rien promis de ce genre ! Bonsoir.

Il revint presque tout de suite dans la chambre, s'arrêta au pied du lit.

— Désolé, soupira-t-il.

Son regard exprimait un complet désarroi. À l'évidence, il n'allait pas se lancer dans un mensonge stupide, ni chercher à s'expliquer, mais il paraissait consterné. Pourtant, ce genre d'incident était somme toute inévitable et aurait pu se produire plus tôt. En dehors des rares moments partagés avec Lucrèce, Fabian avait forcément une vie. Cinq ans plus tôt, c'était elle qui avait choisi de partir, elle n'avait rien à lui reprocher. Néanmoins, elle se sentait blessée dans son amour-propre, et prête à provoquer un esclandre. Une rage d'autant plus difficile à justifier qu'elle-même ne se privait pas, à Paris, de faire ce que bon lui semblait.

— Je ne voudrais surtout pas te déranger, déclara-t-elle en se levant.

Elle récupéra ses sous-vêtements abandonnés sur un fauteuil. À quoi pouvait bien ressembler la femme qui venait d'appeler ? Était-elle jeune ? Jolie ? Et depuis combien de temps couchait-elle avec lui pour avoir le culot de lui téléphoner en pleine nuit ?

— Lucrèce... dit Fabian entre ses dents.

Comment lui faisait-il l'amour ? Avec cette extrême sensualité, cette patience, cette habileté qui venaient de bouleverser Lucrèce ? Humiliée, hors d'elle – et incapable de le dissimuler –, elle commença à se rhabiller.

À elle non plus, Fabian n'avait jamais rien promis. Pas de déclarations, pas de serments. C'était plus commode pour lui, ainsi il pouvait avoir toutes les femmes qu'il désirait.

— Ne t'en va pas maintenant. S'il te plaît, Lucrèce.

Elle lui jeta un rapide regard, remarqua son expression angoissée mais n'en tint pas compte.

— Tu m'appelles un taxi ? lança-t-elle en enfilant son blouson de jean.

— Attends, je vais te raccompagner, je…

— Non, pas question !

Cet accès de jalousie la prenait de court, lui serrait la gorge, lui donnait envie de fuir. Tandis qu'elle bouclait sa montre, puis ramassait son sac, elle l'entendit commander par téléphone une voiture pour la place Pey-Berland. Comptait-il rappeler cette femme dès qu'elle-même serait sortie ? Qu'il aille au diable ! Elle quitta la chambre en hâte, soudain au bord des larmes.

Dans l'entrée, alors qu'elle arrivait à la porte, il la rattrapa.

— Je ne peux pas te laisser partir comme ça, dit-il d'une voix blanche.

Sans la toucher, il posa une main à plat sur le mur, juste à côté d'elle, pour l'empêcher d'avancer. Il gardait la tête baissée vers elle, mais elle refusa de le regarder.

— Laisse-moi passer, murmura-t-elle seulement en l'écartant d'un geste brusque.

Comme tous les samedis, de nombreux promeneurs flânaient dans le jardin public. Depuis plus d'une heure qu'il errait là, Nicolas ne s'était toujours pas décidé à prendre le chemin de la librairie. Il lui suffisait pourtant de gagner le cours Xavier-Arnozan, d'où partait la rue Notre-Dame, et en quelques minutes il pourrait se retrouver devant Emmanuelle. Pourquoi ne lui avait-elle rien dit ? Son silence était incompréhensible… Sauf si Stéphanie ne s'était pas trompée. Y avait-il une seule chance au monde pour que ce soit possible ?

Mais non, il n'y croyait pas. Lucrèce avait peut-être un enfant, mais dans ce cas le père devait être Fabian Cartier. Obligatoirement. Elle aimait cet homme depuis plus de dix ans et ne s'en cachait pas. D'ailleurs, malgré la jalousie féroce que Nicolas éprouvait à son égard, Cartier avait sans doute toutes les qualités voulues pour donner envie à Lucrèce de faire un bébé. À défaut de le trouver sympathique, on ne pouvait pas nier qu'il s'agissait d'un homme intelligent, brillant, compétent. Et beau, ce qui ne gâchait rien. Pourquoi ne l'avait-elle pas épousé ? Pour rester libre ? C'était bien d'elle, cet insatiable désir d'indépendance, que Cartier semblait partager.

Par quelle aberration Stéphanie s'imaginait-elle que Nicolas tenait un rôle dans la vie de Lucrèce ? Et comment avait-elle su, si longtemps après, que Lucrèce était effectivement à l'origine de l'effondrement de leur couple ?

Sans même s'en rendre compte, Nicolas avait quitté le jardin et se trouvait à présent au bord du fleuve. Avait-il le droit de demander des précisions à Emmanuelle ? De lui reprocher sa discrétion ? Pour se taire, elle possédait sans doute d'excellentes raisons, qu'il ne souhaitait pas vraiment connaître. Ni elle ni sa fille n'étaient responsables du désastre qu'il vivait.

Sur le quai, il croisa une jeune femme qui tenait une toute petite fille par la main, et il se retourna pour les suivre des yeux. Imaginer Lucrèce avec un enfant était vraiment au-dessus de ses forces. Garçon, fille ? De qui Emmanuelle était-elle la grand-mère ? Et n'avait-elle donc jamais cet enfant à garder ? Mais Lucrèce ne descendait à Bordeaux que durant les week-ends, et ces jours-là Nicolas restait chez lui pour profiter de Denis. Ses visites à la librairie avaient toujours lieu en semaine, il était normal qu'il n'y ait jamais vu de bébé.

Rue Notre-Dame, il ralentit le pas, de moins en moins sûr de lui. Que voulait-il apprendre, au juste ? Il se souvenait dans les moindres détails de la nuit passée avec Lucrèce, savait très bien qu'ils n'avaient pas pris de précautions, mais une femme comme elle ne laissait sûrement pas le soin de la contraception à ses amants ! Il ne s'était même pas posé la question, certain qu'elle prenait la pilule. Non, décidément, pour qu'elle ait choisi de faire un enfant à trente-deux ans, c'est qu'elle l'avait programmé, planifié. Stéphanie prêchait le faux pour savoir le vrai, peut-être même utilisait-elle ce prétexte pour sortir enfin d'une situation devenue inextricable.

À cent mètres de la librairie, il s'arrêta, toujours indécis. L'après-midi touchait à sa fin, Emmanuelle ne tarderait pas à fermer. Depuis combien d'années entrait-il chez elle avec, chaque fois, le même pincement au cœur ? Et jusqu'à quand allait-il continuer de se détruire pour une chimère ?

Adossé à un réverbère, il resta longtemps immobile, perdu dans une réflexion amère. S'il le voulait, il pouvait enfin mettre de l'ordre dans sa vie. D'un point de vue professionnel, il n'allait plus tarder à atteindre tous les objectifs ambitieux qu'il s'était fixés quelques années plus tôt, et au moins son travail le comblait. Quant à sa vie privée, la séparation d'avec Stéphanie, longtemps espérée, arrivait comme une libération, lui rendant la liberté à laquelle il aspirait désormais. Mûri par la quarantaine et par ses déboires sentimentaux, il ne se laisserait plus enfermer dans une illusion de jeunesse. Jamais Lucrèce ne lui avait été destinée, il s'était usé en vain à croire que leurs chemins se rejoindraient un jour. À présent, il fallait qu'il se résigne à regarder dans une autre direction, au lieu de poursuivre une ombre.

Lorsqu'il releva les yeux, il constata que le rideau de fer était baissé devant la vitrine de la librairie. Il en éprouva autant de déception que de soulagement.

Assis à la table qu'il avait réservée quelques jours plus tôt, Fabian se demanda une fois de plus si Lucrèce allait venir. Connaissant son caractère, rien n'était moins sûr. Après ce qui était arrivé, la veille, elle pouvait très bien ne plus jamais lui donner signe de vie. Une perspective tellement insupportable qu'il n'avait même pas essayé de lui téléphoner. Si elle ne voulait pas se souvenir du rendez-vous de ce soir, il le saurait toujours assez tôt.

Situé à deux pas des quais, juste derrière le Grand Théâtre, le restaurant de Jean Ramet avait beau être l'un des meilleurs de Bordeaux, il risquait fort d'y dîner seul. Toute la matinée, il avait dû fournir un effort de concentration au bloc, ce qui ne lui arrivait pourtant jamais. Avant sa consultation de l'après-midi, toujours très chargée le samedi, il avait fait expédier trente-cinq roses chez Lucrèce, mais sans carte d'accompagnement, incapable de trouver les mots qui auraient pu exprimer ses regrets.

Autour de lui, toutes les tables de la petite salle étaient occupées, certaines par des gens qu'il connaissait de vue et qui l'avaient salué lorsqu'il était entré. Dans un certain milieu bordelais, conserver l'anonymat était vraiment impossible, et dès lundi matin, à l'hôpital, les commentaires iraient bon train, même si personne n'osait lui demander ouvertement qui lui avait posé un lapin.

— Désirez-vous boire quelque chose, monsieur Cartier ? demanda un serveur en se penchant vers lui.

Résigné à attendre, il commanda une coupe de champagne. De quel droit Christine l'avait-elle appelé ? Parce qu'ils avaient passé deux soirées et une nuit ensemble ? Elle était pédiatre, il l'avait rencontrée chez des amis, mais elle ne comptait pas, il l'avait déjà oubliée, comme toutes les autres. D'ailleurs, où s'était-elle procuré son numéro, qui se trouvait sur liste rouge ? Il se souvenait vaguement qu'elle avait tenté de le joindre à l'hôpital, à plusieurs reprises, mais Noémie écartait très bien ce genre de communication importune.

La réaction de jalousie de Lucrèce, très inattendue, aurait pu lui faire plaisir, le flatter, voire le rassurer, s'il n'avait pas redouté que la jeune femme saisisse ce prétexte pour mettre un point final à leur histoire. Comment lui expliquer, maintenant, qu'un seul mot d'elle aurait suffi pour qu'il lui soit fidèle ? Que ses aventures sans lendemain l'aidaient juste à supporter son absence ? Jamais elle ne le croirait. Pourtant, en réalité, depuis qu'il la connaissait, il essayait seulement de ne pas trop souffrir.

— Fabian ?

Debout devant sa table, il la découvrit avec un choc, absolument sublime dans une robe de soie ivoire qui dénudait ses épaules. Navré de ne pas l'avoir vue entrer, il se leva aussitôt, détaillant d'un coup d'œil de connaisseur les escarpins à hauts talons, les boucles d'oreilles, les petites mèches de cheveux bruns apparemment raccourcies le jour même.

— J'avais peur que tu ne viennes pas, murmura-t-il.

Il la fit asseoir, conscient des regards sur elle. Quel homme, parmi les dîneurs, n'aurait pas été ravi d'avoir rendez-vous avec elle ? Pourtant, il allait peut-être passer la pire soirée de sa vie. En reprenant sa place, il décida de la laisser parler la première. À en croire son expression, elle ne lui avait pas pardonné.

— J'étais très en colère, hier soir, déclara-t-elle d'une voix froide.

— Oui, je sais.

D'un geste discret, il fit signe au serveur qui s'empressa de déposer une coupe devant Lucrèce.

— Pour me calmer, je suis allée chez le coiffeur ce matin !

— Je vois…

— Tu détestes, je suppose ? lança-t-elle comme si elle le défiait.

— J'en serais bien incapable. Et même si c'était le cas, le moment serait mal choisi pour te le dire.

Elle avait souligné ses grands yeux bleu-vert d'un trait de crayon, sa bouche d'un rouge brillant. Voulait-elle lui donner des regrets ? De toute façon, il en était malade. Un petit silence s'installa, durant lequel ils se dévisagèrent.

— Tu vois, Fabian, reprit-elle, quand je suis loin de toi, je ne me demande pas ce que tu fais, je ne pense pas à toi de cette façon. C'est ce qui s'appelle se voiler la face, non ? Tu es un homme à femmes, après tout, je suis bien placée pour le savoir.

Il aurait voulu hurler qu'il était l'homme d'une seule femme depuis des années, mais il jugea préférable de continuer à se taire.

— Je n'aurais pas cru pouvoir te faire une scène de ménage… Ni que je me sentirais si mal chez toi, si peu à ma place.

La manière presque peinée dont elle le fixait le réduisait toujours au mutisme et il se contentait de soutenir son regard.

— Seulement, pour être honnête, depuis hier je me demande ce que tu as bien pu éprouver le jour où je t'ai annoncé que j'étais enceinte.

Brusquement, elle se pencha au-dessus de la table et le saisit par le poignet.

— Comment vivons-nous, Fabian ? À quoi ça rime ?

Elle le scrutait avec une tristesse qui lui fit froid dans le dos.

— Tu es là-bas, moi ici, répondit-il lentement, et j'ai l'âge de ton père. J'ai toujours supposé que les choses ne dureraient pas entre nous. En tout cas, pas si longtemps. Il y a cinq ans que je me sens en sursis, mais même avant, souviens-toi... Un soir – à ce moment-là tu vivais encore à Bordeaux – tu m'as avoué qu'il t'arrivait de désirer d'autres hommes. Au moins un.

Il la vit se raidir, preuve qu'elle savait parfaitement à quoi il faisait allusion, même si elle semblait stupéfaite de la précision de sa mémoire.

— Tu es une femme indépendante, Lucrèce. Au début, ça m'arrangeait, et ensuite, très vite, j'ai dû apprendre à faire avec. Pour le... l'incident d'hier soir, je suis consterné. Vraiment. Je t'ai attendue ici sans grand espoir, dans mes petits souliers. Et en ce moment, j'ignore ce que tu as décidé. Si tu veux me quitter, je vais te redire que tu es libre, parce que c'est la vérité.

Pour ne pas la faire fuir, il ne lui avait jamais parlé d'avenir, n'avait rien exigé d'elle. Un pari risqué, tenu durant douze ans, c'était finalement mieux que tout ce qu'il aurait pu espérer.

— La... La personne qui m'a appelé, hier soir, n'a strictement aucune importance dans ma vie.

— Et moi, j'en ai ?

— Tu le sais très bien.

— Ce n'est pas une réponse, Fabian !

Il faillit céder à la tentation de se lancer dans une déclaration de collégien. Mais il la connaissait trop pour ne pas se méfier d'un moment d'émotion. S'il lui avouait qu'il l'aimait à la folie, qu'il mourait d'envie qu'elle l'épouse, qu'il ne supportait pas de la savoir dans les bras d'autres hommes, il se mettrait seulement en position de faiblesse. Elle n'attendait pas de lui une attitude d'amoureux transi, il en était certain. Le lendemain soir, quoi qu'il arrive, elle allait repartir à Paris et continuer d'y mener l'existence qu'elle avait choisie, où il n'occupait qu'une place restreinte. Être celui qui attend, qui se désespère et qui quémande ne lui donnerait aucun avantage, au contraire. Pas avec une femme comme elle.

— Tu n'as rien de plus à me dire ? insista-t-elle d'une voix inquiète.

Au moins, il pouvait la rassurer, mais il pesa ses mots pour lui répondre.

— Je t'aime. Je pensais que c'était une évidence.

Il vit son expression changer, mélange de soulagement et d'incertitude, mais au moment où elle allait parler, le maître d'hôtel s'arrêta à côté d'eux.

— Avez-vous fait votre choix ?

Lucrèce baissa les yeux vers le menu et se décida en quelques instants. Si elle restait dîner, c'est qu'elle lui accordait un nouveau sursis. Mais tout à l'heure, à condition qu'elle accepte de le suivre chez lui, comment gérerait-il la situation ? En débranchant son téléphone ? Christine n'aurait sans doute pas le front de le rappeler, néanmoins une autre pouvait avoir l'idée saugrenue de le faire. Combien avait-il eu d'aventures, ces derniers mois ? Il avait beau, chaque fois, se montrer clair sur ses intentions, certaines femmes s'accrochaient à lui comme à un gibier d'élection.

— Je te rends ta clef, dit Lucrèce en ouvrant son sac. Vu le genre de risque que je prendrais en l'utilisant, elle ne me sert à rien.

— Garde-la, murmura-t-il, je ne ramène personne chez moi.

Et elle, qui avait-elle accueilli dans le studio de la rue de Médicis, tant qu'elle l'avait habité ? Profondément mal à l'aise, il lui remit la clef dans la main.

— Je t'en prie…

Elle hocha la tête en silence, fit tomber la clef dans son sac qu'elle referma. Quand elle releva les yeux, elle esquissa un sourire résigné.

— Je n'ai pas envie de te quitter, soupira-t-elle.

Elle semblait le regretter. Sans doute était-elle assez mûre, aujourd'hui, pour souhaiter rencontrer le grand amour au lieu de continuer à le fuir. Hélas, et si désespérante que soit cette vérité, il ne pouvait pas être celui qui la rendrait heureuse dans l'avenir.

5

Novembre 1996

Prodigieusement agacé, Claude-Éric relut une troisième fois l'article de bout en bout. Impossible de laisser un hebdomadaire concurrent publier ça avant lui. Un papier pareil ne pouvait sortir que dans *Maintenant*, il allait devoir céder.

— Comment fait-elle pour se documenter ? maugréa-t-il. Ou que ne font pas les autres ?

À plusieurs reprises, du temps où elle travaillait pour lui, Lucrèce l'avait épaté, or il n'avait pas l'admiration facile. Mais elle enquêtait avec la ténacité d'un chasseur, et quand elle tenait un sujet, elle l'exploitait à fond. Jusque-là, il n'y avait guère eu dans les médias que des communiqués tronqués, des informations contradictoires ou incomplètes, mais rien d'aussi sérieux, d'aussi exaltant que ce qu'il avait sous les yeux. L'embargo sur les viandes britanniques, en mars, avait fait couler beaucoup d'encre sans que le public ait l'impression de comprendre grand-chose. Si la maladie de la vache folle, tout comme la tremblante du mouton, n'étaient pas des nouveautés, en revanche la suspicion d'une possible transmission à l'homme avait secoué les médias. Malheureusement, leur manière de présenter cette nouvelle forme de la maladie de Creutzfeldt-Jakob restait confuse. Se gargarisant de termes scientifiques sans se donner la peine de fournir des explications claires. L'encéphalite spongiforme bovine n'était certes pas un titre très vendeur, mais que l'humain puisse en mourir changeait tout.

Lucrèce avait su trier les informations, décrypter les annonces du ministère de la Santé, traduire les publications du *New England Journal of Medicine,* et surtout déceler, à travers ce fatras contradictoire, qu'un nouveau scandale se préparait. Comme toujours, les intérêts financiers de certains groupes puissants – en l'occurrence ceux de l'agroalimentaire – allaient se heurter à la santé et au bien public. Le pot de fer contre le pot de terre.

Était-ce grâce à Fabian Cartier que Lucrèce en savait autant ? En tout cas, elle soulevait de façon très claire une série de problèmes passionnants. En 1995, rappelait-elle, plusieurs agriculteurs britanniques, dont deux *jeunes*, avaient été victimes de cette maladie de Creutzfeldt-Jakob qu'on croyait réservée aux adultes au moins âgés de soixante ans. Puis, dès le début de cette année 1996, le ministre britannique avouait dix cas. Au mois de mai, commençait un abattage systématique des troupeaux suspects. Mais, soulignait perfidement Lucrèce, qu'advenait-il donc des carcasses ? Étaient-elles incinérées ou stockées dans des frigos ? Par ailleurs, le début de l'épidémie chez les vaches anglaises remontant à 1985, pourquoi avait-on attendu dix ans avant de prendre des mesures ? Retraçant l'historique de la vache folle, elle insistait sur les incertitudes scientifiques et les négligences des pouvoirs publics. La maladie était trop rare pour intéresser les grands laboratoires de recherche. Et, à constater l'effondrement des cours du bœuf, la chaîne alimentaire cherchait forcément à minimiser l'affaire. Enfin, et c'était la pire des questions posées par Lucrèce, qu'en était-il de l'hormone de croissance ? Celle qui avait été fabriquée par l'Institut Pasteur jusqu'en 1985, sans test de dépistage ? Combien de patients avaient été contaminés par des traitements contenant ces hormones ?

À lire et relire l'article, Claude-Éric songeait à ce premier papier qui avait lancé Lucrèce bien des années plus tôt, au *Quotidien du Sud-Ouest*, et qui traitait, avec la même rigueur, du sang contaminé par le virus du sida. Elle était fichue de relancer sa carrière avec ce nouveau scandale. Pourquoi n'avait-il pas suggéré à ses propres journalistes de plancher sur cette piste ? La réponse était évidente, il n'y pensait plus depuis l'embargo de mars. Or Lucrèce savait, elle, ne pas hurler avec les loups. Le journal qui allait publier son enquête serait seul à le faire, prenant tous les confrères par surprise.

— Et merde ! maugréa-t-il en reposant les feuillets.

Par l'interphone, il demanda à sa secrétaire de faire entrer Lucrèce. Depuis vingt minutes qu'elle attendait, elle devait être à bout de patience et pouvait tout aussi bien décider de s'en aller.

— Ravi de vous voir, vous êtes radieuse, lui dit-il d'un ton affable.

Ce n'était pas un mensonge de politesse, elle paraissait vraiment en pleine forme, bien davantage que lorsqu'elle avait quitté *Maintenant*. Il se leva pour lui serrer la main, agacé de constater que, sur ses hauts talons, elle était plus grande que lui.

— Asseyez-vous, je vous en prie…

Elle prit place au bord d'un fauteuil, jambes croisées, élégante et à l'aise, mais prête à partir.

— C'est un excellent papier, dit-il aussitôt. Une de vos enquêtes les mieux documentées. Naturellement, je suis preneur.

— Vous n'êtes pas le seul, Claude-Éric.

— Je m'en doute.

Si elle voulait se venger de lui, le moment était bien choisi. Savait-elle jusqu'à quel point il l'avait cassée auprès des autres rédactions, lorsqu'elle avait jugé bon de claquer la porte ? Son talent lui avait permis de s'en tirer malgré tout, mais ce n'était pas grâce à lui.

— C'est vrai cette histoire de…

Baissant les yeux vers les feuillets, il rechercha le terme exact.

— De prion ?

— Oui, répondit-elle en s'animant. C'est le nom de la protéine défectueuse qui déclencherait la maladie, à en croire les études américaines. De toute façon, *tout* ce que j'ai écrit est vrai, je ne me suis permis aucune extrapolation.

— J'imagine que votre ami Cartier a vérifié, d'un point de vue scientifique…

Il n'avait pas pu s'empêcher de lui envoyer cette pique mais elle ne réagit pas, se contentant soutenir son regard.

— Pourquoi pensez-vous que le moment est bien choisi pour publier votre enquête ? interrogea-t-il alors.

— Parce que les gens sont en train d'oublier. Cette année, la consommation de bœuf a énormément chuté en France, pourtant les chiffres des ventes commencent déjà à remonter. L'attention se porte sur d'autres sujets, on finira par ne plus y penser.

— Et vous êtes certaine de votre conclusion ?

— Oui. Il faut toujours se demander à qui profite le crime.

Amusé malgré lui, il se surprit à sourire. Bon sang, il avait adoré travailler avec elle, et la voir assise devant lui ravivait ses regrets.

— Je suppose qu'il n'est pas question de changer une seule ligne de tout ça ? insista-t-il pour la pousser dans ses derniers retranchements.

— Bien sûr que non ! D'ailleurs, laquelle voudriez-vous modifier, Claude-Éric ?

Cette fois, il se permit un rire franc, considérant qu'elle avait gagné et qu'elle le savait pertinemment.

— Entendu, j'achète. Vous déjeunez avec moi ?

— Pas si vous en faites une condition. Sinon, je suis d'accord.

Elle avait pris beaucoup d'assurance et il éprouva une bouffée de désir pour elle qui le prit de court. Pourtant, il avait bien cru l'avoir oubliée. Lorsqu'elle était enceinte, il s'était même mis à la détester.

— Un plateau de fruits de mer au *Dôme* ? dit-il en se levant.

Ainsi que Guy le prévoyait, dès le début du mois de décembre, Brigitte commença à devenir fébrile à la perspective de Noël. Elle ne consultait plus que le matin, réservant ses après-midi à de longues séances de shopping d'où elle revenait épuisée. Pour ses deux filles, Agathe et Pénélope, rien n'était jamais trop beau ou trop cher, elle achetait sans discernement des vêtements ou des objets qui lui plaisaient à elle mais ne seraient pas forcément du goût des deux adolescentes.

Guy était depuis longtemps résigné à cette débauche annuelle de cadeaux. De toute façon, pour avoir la paix, il ne critiquait jamais les initiatives, plus ou moins heureuses, de sa femme. Une fois pour toutes, dès le début de leur mariage, elle lui avait fait comprendre qu'elle ne supportait pas d'être contrariée et il en avait pris bonne note.

Assis sur le canapé, il l'observait tandis qu'elle sortait un à un ses achats, campée au milieu d'une multitude de sacs provenant des meilleurs magasins de Bordeaux.

— Et là, regarde, c'était trop craquant, je n'ai pas pu résister ! s'exclama-t-elle.

Il jeta un regard circonspect aux cols roulés de cachemire rose pâle qu'elle était en train de lui montrer. La mode des jeunes de quinze ans étant plutôt aux pulls-serpillière et aux énormes chaussures d'agriculteur émergeant de jeans trop longs, il supposa que jamais ses filles ne mettraient ces cols roulés trop classiques qui plaisaient tant à leur mère.

— Tu devrais cacher tout ça, se borna-t-il à déclarer, elles ne vont plus tarder.

Pour sa part, il avait déjà acheté le cadeau de Brigitte chez un joaillier, acquisition dont il s'était débarrassé comme d'une corvée avant de s'octroyer, en récompense, une virée dans son magasin de jouets favori. Gâter sa petite-fille lui procurait vraiment un plaisir inouï dont il n'était pas dupe : grâce à Roxane, il se déculpabilisait d'avoir négligé ses aînés.

— Je me chargerai de trouver quelque chose pour Lucrèce et pour Julien, ajouta-t-il doucement.

— Mais je peux m'en occuper ! protesta-t-elle.

Chaque année, elle dénichait à leur intention des bricoles sans intérêt, qu'elle leur offrait de la part de Guy.

— Non, laisse… murmura-t-il.

Pour une fois, il allait s'en charger lui-même, elle ne l'en empêcherait pas. Il la vit se renfrogner, ce qui présageait une mauvaise soirée, mais il n'en tint pas compte.

— Je viens de lire une remarquable enquête de Lucrèce, dit-il en désignant le journal posé à côté de lui sur le canapé.

Brigitte regarda l'hebdomadaire d'un air surpris.

— Elle travaille de nouveau pour *Maintenant ?*

— Elle vend ses articles à qui elle veut, elle est indépendante et…

— Oh, ça !

Il détesta son petit ricanement chargé de mépris. En ce qui le concernait, Lucrèce avait fini par forcer son admiration, elle n'était plus la jeune fille rebelle qui l'avait tant agacé dix ans plus tôt, mais une jeune femme pleine de talent qui avait su prendre sa vie en main.

— C'est quoi, le sujet de son enquête ?

— La nouvelle forme de la maladie de Creutzfeldt-Jakob, avec toutes ses implications. Un papier très brillant, vraiment.

— Je suppose qu'elle a mis Cartier à contribution ?

— Peu importe. Si elle l'a fait, elle a eu raison, d'un point de vue scientifique tout ce qu'elle avance est exact.

— Et d'un point de vue personnel, peux-tu m'expliquer pourquoi elle ne se décide pas à l'épouser ?

— Fabian ?

— Ce serait tout de même mieux si la petite avait un père, non ? Dieu sait que je trouve ce type arrogant, et que tu n'as sûrement pas envie de l'avoir pour gendre, mais Lucrèce a déjà trente-quatre ans, elle devrait se caser.

De plus en plus agacé par l'attitude de Brigitte, il haussa les épaules sans répondre. En refusant de se marier avec un homme beaucoup plus âgé qu'elle, Lucrèce faisait preuve de sagesse. Un discernement qui le ramenait à sa propre erreur : pourquoi avait-il eu la vanité d'épouser une femme si jeune ?

— Au moins, il aurait dû reconnaître Roxane, insista Brigitte.

— Il l'a proposé. Il ne s'est pas si mal comporté que je le croyais.

— Mais c'est bien lui, le père ?

— Oui.

À vrai dire, il n'en savait rien, Lucrèce n'ayant fait aucune confidence à personne.

— C'est drôle, l'une de mes patientes est persuadée que son mari a eu une aventure avec ta fille, il y a quelques années de ça…

— Et alors ?

— Alors, rien, dit-elle avec un sourire perfide.

Guy haussa les épaules. Quel que soit le père de Roxane, c'était une enfant ravissante, adorable, et il fondait devant elle.

— Tu devrais convaincre Lucrèce d'accepter, enchaîna Brigitte. Après tout, Fabian Cartier est riche. Et, de nos jours, l'avenir des enfants est si incertain !

Telle qu'il la connaissait, elle était en train de tourner autour du pot. L'avenir de Roxane lui était sans doute indifférent, tout comme celui de Lucrèce ou de Julien. Chaque fois qu'il lui avait reproché son manque d'affection à leur égard, elle avait eu la même réponse : « Ils ont leur mère pour les aimer. Ils t'ont, toi. Et puis, ils sont grands. » Elle avait réussi à les éloigner, sans s'opposer carrément à leur présence mais avec une telle mauvaise volonté ! Lâchement, il s'était incliné.

— D'ailleurs, poursuivit-elle d'une voix plus aimable, je voulais t'en parler. On ne sait pas ce qui peut nous arriver, à toi comme à moi, il faut que nous mettions les filles à l'abri.

— À l'abri de quoi ? s'étonna-t-il.

— Écoute-moi, Guy... Si tu avais un accident, si par malheur... On ne sait jamais, n'est-ce pas ? Tu pourrais... Enfin, s'il t'arrivait quelque chose, j'aurais du mal à m'en sortir toute seule. Tu comprends ? Il y a un moment que j'y pense... Comme on dit, y penser ne fait pas mourir.

— Mais, ma chérie, tu ne te retrouverais pas sans rien !

— Tu as quatre enfants, Guy. *Quatre*.

C'était bien la première fois qu'elle s'en souvenait.

— Et je ne crois pas que ta fille et ton fils seraient très tendres avec moi dans le cadre d'une succession.

Exaspéré par ses propos, autant que par le ton détaché qu'elle utilisait, il baissa la tête et son regard glissa sur le journal qui était resté posé près de ses genoux.

— Je pense qu'ils sont honnêtes, dit-il d'une voix rageuse, et qu'ils ne chercheraient pas à te léser.

— Tu n'en sais rien. Comment être sûr ? De toute façon, je serais obligée de vendre la maison... Tu imagines ?

— Mais non, tu en aurais l'usufruit, tu...

— Et après ma mort ? Agathe et Pénélope se retrouveront en indivision avec Lucrèce et Julien ? Pourquoi leur infliger ça ? Tes enfants ont réussi, ils sont bien partis dans la vie, ils n'ont plus besoin de rien ! Mais nos deux filles sont encore des adolescentes sans défense. Pour les protéger, tu devrais me faire une donation au dernier vivant, ou bien leur constituer à toutes les deux un capital en propre.

Elle paraissait bien renseignée, elle devait effectivement y songer depuis un moment. Il s'efforça de ne pas croire qu'elle l'avait déjà enterré en pensée. Néanmoins, elle en était capable, il s'aperçut avec stupeur qu'il n'était pas vraiment surpris de la découvrir si intéressée. Même si, jusque-là, elle l'avait mieux dissimulé.

— Comme tu l'as dit, chérie, j'ai quatre enfants. Je ne veux en privilégier aucun, je ne ferai pas deux poids et deux mesures.

— Oh, c'est trop fort ! explosa-t-elle.

Elle prit une profonde inspiration, apparemment décidée à se lancer dans une diatribe, mais la porte d'entrée claqua, la coupant net dans son élan. Presque aussitôt, Agathe et Pénélope surgirent dans le salon, occupées à se chamailler, comme d'habitude.

Du fond de son canapé, dont il n'avait pas bougé, il observa un moment sa femme et ses deux filles cadettes. Il aimait beaucoup les deux adolescentes mais, indiscutablement, elles ressemblaient à leur mère dont elles avaient pris le caractère à la fois futile et boudeur. Pourquoi éprouvait-il, de plus en plus souvent, l'impression d'être un étranger chez lui ? Jusqu'à l'année précédente, Brigitte lui avait témoigné une certaine affection, au moins lorsqu'ils se retrouvaient le soir au lit. À ce moment-là, elle avait encore l'espoir de tomber enceinte, d'arriver à concevoir ce petit dernier qu'elle semblait souhaiter par-dessus tout. Quand elle s'était résignée, lasse de perdre ses illusions chaque mois, elle avait commencé à invoquer des migraines, la fatigue… Désormais, ils s'endormaient en se tournant le dos. Longtemps, il s'était interrogé sur ce tardif désir d'enfant qui tenaillait Brigitte, elle qui se sentait déjà débordée par deux adolescentes. Aujourd'hui, il avait peur de comprendre. Deux enfants d'un côté, deux de l'autre, elle voulait faire pencher la balance en sa faveur, et pour cela il lui fallait l'avantage du nombre. Quelle sottise ! Décidément non, il ne se laisserait pas faire, il n'accéderait pas à cette dernière exigence, il ne léserait ni Lucrèce ni Julien. Au contraire, depuis la naissance de Roxane, il ne pensait qu'à se racheter. Car il était bien conscient que, si ses aînés avaient réussi, ainsi que le soulignait Brigitte, ce n'était vraiment pas grâce à lui.

Répugnant à quitter Agnès, Nicolas était monté avec elle dans l'ambulance. Au moment où les portes se fermaient, il avait croisé le regard de Guillaume, qui se tenait debout dans l'allée, les mains dans les poches et l'air buté. Il avait fait un véritable esclandre lorsque le SAMU était arrivé, refusant tout d'abord de laisser partir sa femme puis s'en prenant violemment à son frère. Entre eux deux, la guerre qui couvait depuis longtemps était maintenant déclarée.

Aux urgences de l'hôpital, Nicolas avait attendu sans lâcher la main d'Agnès, mais sans oser regarder son visage tuméfié. Il devinait qu'au-delà de la souffrance, elle devait se sentir humiliée, désespérée, alors il s'était contenté de rester près d'elle jusqu'à ce qu'on l'emmène en radiologie. Une heure plus tard, on lui avait fait savoir que sa belle-sœur était hospitalisée dans le service d'orthopédie où elle allait être opérée d'une fracture du bassin.

Résigné, Nicolas s'était finalement retrouvé, pour la deuxième fois de sa vie, dans le bureau de Fabian Cartier. Silencieux, celui-ci commença par étudier la fiche qu'il tenait à la main, puis il releva les yeux vers Nicolas qu'il observa quelques instants.

— J'ai déjà pratiqué une intervention sur Mme Brantôme, il y a quatre ans, pour une fracture du poignet, laissa-t-il tomber d'un ton froid.

Nicolas se contenta de hocher la tête, attendant la suite.

— Elle présente cette fois une fracture du bassin, consécutive d'après elle à une chute dans l'escalier. Un escalier très glissant, puisque c'était déjà le motif invoqué lors de sa précédente hospitalisation.

Occupé à dévisager Fabian, Nicolas ne releva pas l'allusion.

— Monsieur Brantôme... Vous êtes son beau-frère, n'est-ce pas ? J'aurais préféré pouvoir m'entretenir avec son mari.

— Il n'est pas... disponible.

— Mais vous l'êtes ?

— Oui. S'il y a des formalités, je...

— Avant tout, ce que je souhaiterais, c'est avoir une conversation.

Le regard incisif de Fabian annonçait clairement sa méfiance. Avec n'importe qui d'autre, Nicolas aurait pu parler spontanément des problèmes d'Agnès, mais Cartier l'avait obsédé trop longtemps et il se sentait très mal à l'aise devant lui. Comment oublier qu'à cause de cet homme, toute une partie de sa vie avait été irrémédiablement gâchée ? Sans lui, Nicolas aurait pu réussir à se faire aimer de Lucrèce, il en était convaincu. Mais depuis le premier jour, Cartier avait été entre eux comme un obstacle infranchissable. Séduisant, sans doute aussi épris de liberté qu'elle, assez tolérant pour la laisser partir loin de lui, il l'avait finalement gardée pendant douze ans, et à présent il était le père de son enfant, ce qui les liait irrémédiablement.

— Je n'ai pas l'impression que vous m'écoutez, dit Fabian en élevant la voix. Pourtant, je suis très sérieux, je pense que Mme Brantôme devrait porter plainte.

Le dernier mot arracha Nicolas au souvenir lancinant de Lucrèce et il devint plus attentif.

— Si elle le désire, poursuivit Fabian, je suis prêt à lui établir un certificat. J'ai relevé les traces d'un certain nombre d'hématomes, plus ou moins récents, or c'était déjà le cas il y a quatre ans, c'est noté là… Pour moi, il s'agit de violence conjugale. Je suppose que vous êtes au courant ?

— Oui, admit Nicolas à contrecœur.

Ainsi qu'il s'y attendait, il vit l'expression de Fabian se durcir.

— Vous êtes au courant, mais vous n'intervenez pas ? Vous pouvez m'expliquer pourquoi, monsieur Brantôme ?

Le ton était devenu carrément cassant et Nicolas se redressa, furieux.

— Agnès n'a jamais voulu quitter mon frère, pourtant je le lui ai souvent conseillé. Il m'est arrivé de la recueillir chez moi et je lui ai proposé la même chose que vous, à savoir de témoigner pour elle si elle se décidait enfin à traîner son mari en justice. Je n'ai pas de leçon à recevoir de vous.

Fabian le fixa encore une ou deux secondes, puis il hocha la tête, le regard soudain radouci.

— Désolé. Ce genre de situation familiale est difficile à appréhender. Bien entendu, je vais opérer votre belle-sœur, mais l'idéal serait qu'elle aille passer sa convalescence ailleurs que chez elle. Le temps de la rééducation devrait lui permettre de prendre un peu de distance. Comme la plupart des femmes qui ont subi des violences pendant des années en se taisant, elle est à bout de nerfs… Vous n'avez jamais pu faire entendre raison à votre frère ?

— Non. C'est un malade. Et, en vieillissant, il ne s'arrange pas.

— Si Mme Brantôme ne fait rien pour lui échapper, elle se met à la merci d'un accident plus grave que celui qu'elle vient de subir.

— Je sais ! Mais je n'ai pas le pouvoir de les séparer malgré eux. Agnès a perdu tout contact avec sa propre famille, et elle n'a jamais travaillé. Elle ne sait pas où aller, elle pense qu'elle n'a pas le choix.

— C'est une question d'argent, alors ? Dans le cadre d'un divorce, elle obtiendrait une pension alimentaire.

— Le simple mot de divorce l'épouvante. Pour l'aspect financier du problème, elle sait qu'elle peut compter sur moi, je le lui ai proposé à plusieurs reprises.

Fabian lui adressa un sourire, soudain beaucoup plus chaleureux.

— Il suffira peut-être d'une nouvelle tentative ? Je compte lui parler, de toute façon, mais pas avant l'intervention.

— Quand l'opérez-vous ?

— Tout à l'heure… Je voulais d'abord en avoir le cœur net. J'ai déjà rencontré un cas similaire, une malheureuse femme que je passais mon temps à réparer, au bloc, et que son mari cassait avec entrain dès sa sortie de l'hôpital. Personne ne pouvait rien y faire, vu qu'elle était trop effrayée pour réagir.

— Agnès aussi a peur, mais elle a surtout terriblement honte, pour elle et pour lui.

Ils échangèrent un nouveau regard, et Nicolas s'aperçut que son antipathie pour Fabian avait disparu l'espace de quelques instants. Dans son rôle de chirurgien, il savait mettre en confiance, ses patients devaient tous lui raconter leur vie.

— Elle ne se réveillera que tard dans la soirée, déclara Fabian en se levant. Si vous pouvez venir la voir demain…

Quand il contourna son bureau, Nicolas remarqua l'élégance avec laquelle il était habillé.

— Je suis ravi de vous avoir rencontré, monsieur Brantôme.

L'ironie involontaire de sa phrase acheva de démoraliser Nicolas. Certes, il n'était plus le rival de Fabian depuis longtemps, néanmoins il n'avait aucune envie de lui serrer la main.

Lâchant la main de Roxane, Lucrèce se baissa pour ramasser le courrier que la gardienne avait glissé sous sa porte. Il faisait très chaud dans l'appartement et elle commença par ôter son manteau à sa fille, puis elle se débarrassa du sien.

— Tu as faim, mon amour ?

L'entrée étant minuscule, elle n'eut qu'un pas à faire pour pénétrer dans la cuisine où elle alluma la lumière. À force d'ingéniosité, elle avait réussi à installer une petite table ronde et deux tabourets, coincés entre le réfrigérateur et l'évier, mais au moins elles pouvaient dîner là toutes les deux. Presque chaque jour, Lucrèce songeait à déménager. Roxane n'était plus un bébé, elles auraient eu besoin de davantage de place. Dans le salon, où Lucrèce dormait et travaillait, la table était encombrée d'un ordinateur ainsi que d'une multitude de papiers, journaux, livres ouverts. Quant à la chambre de Roxane, elle débordait de jouets et de toute la collection de peluches que Guy avait constituée à sa petite-fille.

— Un de ces jours, je vais me plonger dans les petites annonces ! déclara Lucrèce en mettant de l'eau à bouillir.

Elle jucha Roxane sur l'un des tabourets, lui donna un album et des crayons de couleur pour la faire patienter. Rien ne l'empêchait de trouver un autre appartement, elle gagnait bien sa vie, néanmoins les prix étaient prohibitifs et elle n'avait pas le temps de chercher, ni envie de quitter ce quartier où elle avait vécu depuis son arrivée à Paris.

Elle commença d'ouvrir les enveloppes, parcourant leur contenu en hâte. Factures, publicités, relevés bancaires, une carte postale d'un confrère en reportage au Sénégal : rien de très exaltant. La dernière enveloppe, qui n'était pas timbrée, avait dû être déposée directement chez la gardienne. À l'intérieur, un texte dactylographié, sans le moindre en-tête ni signature, enjoignait à Lucrèce de cesser sa polémique sur la « vache folle ».

— C'est quoi, ce truc ? marmonna-t-elle en retournant la feuille.

Un lecteur mécontent ? Le boucher du quartier ? Son enquête sur les différentes implications de la maladie de Creutzfeldt-Jakob avait eu un tel impact que Claude-Éric lui avait commandé un second volet, consacré à dénoncer les responsables. Car, malgré l'embargo, des centaines de tonnes de bœuf d'origine britannique continuaient à entrer en France. Lucrèce s'était déchaînée dans les colonnes de *Maintenant,* n'hésitant pas à impliquer les grands pontes de l'agroalimentaire, en particulier les fabricants des farines de viande et d'os.

Elle roula le papier en boule et le jeta dans la poubelle, sous l'évier. Depuis le début de sa carrière, elle avait parfois subi des pressions, voire des menaces, et même une fois, bien des années plus tôt, elle avait retrouvé le pare-brise de sa voiture en miettes, devant le *Quotidien du Sud-Ouest*. Mais la plupart du temps, les représailles s'exerçaient plutôt sur le journal que sur le journaliste. Elle décida d'ignorer la vague inquiétude qu'elle ressentait malgré elle.

— Tu verras, mon petit bout de chou, dès qu'il y a beaucoup d'argent en jeu, tout le monde s'énerve…

Penchée vers sa fille, elle poussa un peu l'album à colorier pour installer leurs deux assiettes.

— Poisson-coquillettes, ça te va ?

Roxane hocha la tête avec entrain puis réclama un verre de lait. En la regardant boire, Lucrèce fut de nouveau frappée par sa ressemblance avec Nicolas, qui se précisait de plus en plus. La couleur des yeux était la même, noisette pailleté d'or, et les cheveux tout aussi blonds, bouclant à peine. Sans compter une petite fossette au menton et une manière de sourire qui évoquaient irrésistiblement son père.

— Tu es mignonne comme un cœur, dit-elle d'une voix attendrie.

Jamais elle n'avait pu se défaire du sentiment de regret qui l'accablait lorsqu'elle songeait à Nicolas. Par sa mère, elle savait qu'il avait divorcé, quitté sa maison, et qu'il devait se battre chaque fois qu'il voulait voir son fils. Était-elle responsable de ce désastre ? À plusieurs reprises, elle avait failli l'appeler, mais le jour où elle s'était décidée à le faire, elle avait constaté qu'elle ne savait pas où le joindre. D'ailleurs, pourquoi remuer le couteau dans la plaie ? Deux fois, à dix ans d'intervalle, ils avaient raté quelque chose d'important, et ils ne pourraient sans doute plus jamais se rejoindre. « Nous n'étions pas faits l'un pour l'autre, je ne l'aurais pas rendu heureux. » Elle se répétait souvent cette phrase, comme si elle voulait s'en convaincre, pourtant elle en était de moins en moins sûre.

S'arrachant à la contemplation de sa fille, elle plongea les coquillettes dans l'eau bouillante. Ressasser le passé ne servait à rien. Elle avait été stupide d'imaginer que Nicolas sauverait son mariage. De cette unique nuit passée ensemble, les conséquences étaient incroyablement lourdes. Pour Lucrèce, la naissance de Roxane, acceptée délibérément, avait été un grand bonheur, mais Nicolas, lui, avait fichu sa vie en l'air. Y penser la mettait toujours très mal à l'aise, toutefois, au-delà de la culpabilité qu'elle éprouvait, elle était obligée de constater que Nicolas représentait bien davantage qu'un simple regret.

Elle fit tomber une pluie de gruyère râpé sur les coquillettes, ajouta une noix de beurre. Alors qu'elle déposait le plat devant Roxane, son regard tomba sur le dessin maladroit que la petite fille venait de terminer. Trois personnages occupaient la feuille : un enfant donnant la main d'un côté à une gigantesque maman, reconnaissable à sa jupe, et de l'autre à un tout petit papa. Pointant le doigt vers ce dernier, elle demanda :

— Qui est-ce, là, ma chérie ?

— Un monsieur…

— Quel monsieur ?

— Sais pas…

Brusquement émue, elle s'agenouilla à côté de sa fille qu'elle serra contre elle.

Nicolas se pencha vers Agnès et l'embrassa sur la joue. Il lui trouvait meilleure mine, néanmoins elle lui semblait encore bien fragile.

— Si tu as besoin de quoi que ce soit d'autre, n'hésite pas.

Depuis une semaine, il passait chaque jour, lui apportant des fleurs, des chocolats, des livres. Il était également allé chercher ses affaires personnelles à la chartreuse. Au hasard, il avait rassemblé un nécessaire de toilette, des pyjamas et des mules, refusant d'adresser la parole à son frère qui le toisait depuis le seuil de la chambre.

— Et il ne t'a rien dit d'autre ? insista Agnès.

— Rien qui vaille la peine d'être rapporté.

— Alors, il ne viendra pas ? Tu en es sûr ?

— Ici ? Non. Je ne pense pas qu'il ose. S'il le fait, n'hésite pas à appeler une infirmière, il y a un service de sécurité dans l'hôpital.

— Mais je ne peux pas…

— Si ! Tu peux très bien. Ne le laisse plus approcher de toi ou bien tu ne t'en sortiras jamais.

Elle leva les yeux sur lui, apparemment bouleversée, mais était-ce parce qu'il l'aidait ou bien parce qu'elle regrettait l'absence de Guillaume ? D'un geste affectueux, il caressa ses cheveux, effleura l'hématome sur sa pommette. Alors qu'il se redressait, il entendit quelqu'un toussoter derrière lui, et en se retournant il découvrit une infirmière qui portait un énorme bouquet de fleurs.

— Merci, dit-il en s'interposant.

Il détacha lui-même l'enveloppe épinglée sur le papier, l'ouvrit d'autorité. Si Guillaume espérait effacer l'ardoise avec des roses, il en serait pour ses frais ! Déjà, la moutarde lui montait au nez, aussi fut-il stupéfait de découvrir le nom de Cerjac sur la carte de visite.

— Dr Guy Cerjac… marmonna-t-il.

— C'est mon dentiste ! s'exclama Agnès, apparemment très étonnée elle aussi.

Un peu embarrassé d'avoir été indiscret, il lui passa la carte et demanda un vase à l'infirmière.

— J'ai appelé son cabinet pour dire que j'étais hospitalisée et que je ne pourrais pas venir à mon rendez-vous, expliqua Agnès, alors il me souhaite un prompt rétablissement. Gentil, non ?

Nicolas hocha la tête, ému. Agnès avait sans aucun doute terriblement besoin qu'on soit gentil avec elle. Il alla mettre de l'eau dans le vase, y arrangea les fleurs et revint déposer le tout sur le rebord de la fenêtre, de façon qu'Agnès en profite.

— Je te laisse, murmura-t-il en se penchant pour l'embrasser.

Une fois dans le couloir, il se demanda par quel hasard il ne pouvait pas faire un pas dans cet hôpital sans être confronté aux hommes qui entouraient Lucrèce. Il avait déjà subi deux conversations avec Fabian Cartier, qui continuait à s'intéresser de près au sort d'Agnès, et maintenant elle recevait des fleurs de Guy Cerjac ! Un homme dont Lucrèce, à l'époque, lui avait parlé en termes plutôt durs. Un homme qui avait été, bien des années plus tôt, le mari d'Emmanuelle, et qui l'avait laissée dans une quasi-misère. Force était de constater que Bordeaux avait beau être une grande ville, tout le monde finissait par se connaître. Agnès s'était-elle confiée à Cerjac le jour où Guillaume lui avait cassé une dent ? Si c'était le cas, il pourrait faire un témoin supplémentaire lors du divorce. Car Agnès allait divorcer, Nicolas se l'était juré.

Il éprouvait une profonde affection pour elle et ne supporterait plus jamais que Guillaume la frappe. C'était après avoir raccompagné Denis, un dimanche soir – à la fin d'un de ces week-ends où il avait la garde de son fils malgré toute la mauvaise volonté de Stéphanie –, qu'il avait perçu le bruit d'une violente querelle, en provenance de la chartreuse. Inquiet, comme toujours lorsque son frère s'en prenait à Agnès, il était allé jeter un coup d'œil au lieu de remonter dans sa voiture. En découvrant le spectacle de sa belle-sœur en larmes, allongée sur le carrelage du vestibule, avec Guillaume qui continuait à s'acharner sur elle, il avait vu rouge. Et ensuite, lorsqu'il était monté dans l'ambulance, il avait décidé que cette fois son frère ne s'en sortirait pas.

En quittant l'hôpital, il décida qu'il avait le temps d'aller faire un saut à la librairie. Avoir entendu parler de Guy Cerjac lui donnait soudain une irrésistible envie de voir Emmanuelle, de bavarder avec elle cinq minutes, peut-être même de lui acheter quelques livres pour meubler ses soirées.

— Regardez-moi ça ! Vous avez fait école, on dirait ?

Planté devant un kiosque à journaux, Claude-Éric désignait quelques-uns des hebdomadaires ou mensuels dont la couverture titrait sur le scandale de l'hormone de croissance contaminée.

— Cette maladie de Creutzfeldt-Jakob n'a pas fini de faire parler d'elle, ajouta-t-il en prenant familièrement Lucrèce par le bras.

Le froid de février était mordant, autour d'eux les gens se hâtaient sur le trottoir du quai des Grands-Augustins, col relevé et mains dans les poches.

— Venez par-là…

Il poussa la porte du restaurant les *Bookinistes*, où il avait pris soin de réserver une table.

— Nous avons reçu beaucoup de courrier pour vous, que j'ai fait suivre à votre domicile puisque vous ne vous donnez pas souvent la peine de passer nous voir !

— Je devrais ? répliqua Lucrèce avec un sourire malicieux. Je ne travaille plus pour vous depuis longtemps.

— Trop longtemps, si vous voulez mon avis.

Ils s'installèrent face à face et Claude-Éric adressa un signe impérieux au maître d'hôtel. Aussi tyrannique qu'à son habitude, il commanda d'autorité pour eux deux.

— J'ai un rendez-vous à deux heures, s'excusa-t-il, et croyez bien que je le regrette, je préférerais pouvoir m'attarder avec vous.

Durant quelques instants, il la scruta de son regard d'aigle, guettant sa réaction, puis il ébaucha un sourire difficile à interpréter.

— Vous êtes magnifique, Lucrèce. Absolument splendide. Vous restez mon grand regret.

— D'un point de vue professionnel ? demanda-t-elle d'un air faussement innocent.

— À tous points de vue. Vous n'auriez jamais dû quitter *Maintenant*...

— C'est vous qui m'avez jetée dehors !

— J'étais contrarié et j'avais raison. Vous avez bousillé votre avenir, même si finalement vous réussissez mieux que je ne l'aurais cru.

Elle le vit réprimer une petite grimace de dépit, mais il poursuivit honnêtement :

— Votre talent vous sauve, néanmoins vous êtes dans une situation précaire. Pigiste, ce n'est pas sérieux. Comment se fait-il qu'aucun de mes concurrents n'ait été assez malin pour vous récupérer ?

— Peut-être que personne ne veut se fâcher avec vous ? Je crois que vous n'avez pas dit précisément du bien de moi...

Elle eut la satisfaction de le voir perdre pied une seconde, pourtant il n'était pas facile à déstabiliser.

— J'ai utilisé le mot « contrarié », je le retire. En fait, j'étais furieux.

— Je sais.

— Et très vexé. Frustré, aussi. Quand je vous vois aujourd'hui, je comprends pourquoi. Je n'ai jamais autant... désiré une femme.

Il avait mis longtemps à l'avouer de manière aussi simple et, tout en se sentant un peu embarrassée, elle lui fut néanmoins reconnaissante de cet accès de sincérité, si rare chez lui.

— Nous aurions pu faire des choses formidables, soupira-t-il. Mais vous vouliez un enfant. Et vous n'êtes toujours pas parvenue à vous débarrasser de Fabian Cartier. Je crois qu'il a cessé de vous être bénéfique depuis longtemps, quand vous vous en apercevrez enfin, vous aurez perdu un temps fou.

— Claude-Éric… s'impatienta-t-elle.

— Oui, oui ! Liberté avant tout, je vous connais. Mais réfléchissez-y.

Depuis qu'il n'était plus son employeur – ni son mentor –, elle voyait Valère sous un jour différent. Lucide jusqu'au cynisme, il n'était pas forcément de mauvais conseil et elle ne se sentait plus obligée de lui tenir tête. Avec les années, il ne changeait guère, toujours aussi ambitieux et impatient, toujours complexé par sa petite taille. Elle savait pertinemment qu'elle avait été une exception pour lui, les femmes n'étant pas la grande affaire de sa vie, et qu'il conserverait toujours vis-à-vis d'elle une sympathie mêlée de rancune.

— Vous avez levé un gros lièvre en impliquant nommément les producteurs de ces farines, Lucrèce, reprit-il soudain en se penchant en avant. Vous devriez faire attention à vous ces temps-ci. J'ai l'habitude des polémiques ou des scandales et je peux vous dire que si vous mettez en cause la Mafia, par exemple, elle s'en fout pas mal. Le gouvernement, ça laisse tout le monde de marbre. Une vedette du show-biz se contentera de réclamer des dommages et intérêts au journal… Mais les industries, c'est une autre histoire ! Surtout celles qui sont à la limite de la légalité et qui ne veulent pas attirer l'attention.

Interloquée, Lucrèce le dévisagea. Que cherchait-il à lui dire ?

— Vous regrettez d'avoir publié ces enquêtes ? demanda-t-elle.

— Non. Je regrette de vous avoir laissée les signer. On a reçu quelques coups de téléphone désagréables qui vous visaient personnellement. Si vous étiez restée à *Maintenant*, vous feriez partie de l'équipe de rédaction, et c'est l'hebdo qui serait dans la ligne de mire des gens que vous dérangez. Là, je vous trouve bien seule.

Elle médita ses paroles quelques instants puis finit par hausser les épaules avec insouciance.

— Si c'est un prétexte pour me récupérer, vous…

— Bon sang, Lucrèce ! Vous avez la grosse tête ou bien vous avez perdu la mémoire ? Je n'ai *jamais* besoin de prétexte, vous le savez très bien. Bon appétit.

Les confits d'agneau au romarin venaient d'être déposés devant eux et Lucrèce regarda Claude-Éric attaquer le sien sans plus attendre. L'avait-il invitée à déjeuner uniquement pour la mettre en garde ou avait-il d'autres choses à lui dire ? Parfois, elle regrettait de ne plus faire partie de son équipe ; ce type était vraiment un personnage à part dans le monde de la presse. Plus exigeant que les autres, plus rapide et plus brillant. Avec lui, elle avait appris presque tout ce qui faisait d'elle une excellente journaliste.

— Pourquoi me regardez-vous de cette manière ? J'ai de la sauce sur le nez ?

Elle éclata de rire et il lui adressa en retour un sourire hésitant.

— Si vous voulez revenir au journal, on devrait pouvoir trouver un terrain d'entente, lâcha-t-il d'une voix contrainte.

C'était une telle reddition de sa part qu'elle eut peur de se fâcher de nouveau avec lui en refusant tout net.

— Je ne crois pas, Claude-Éric, dit-elle prudemment. Pour l'instant, ma situation me convient très bien.

— Vous êtes incorrigible, répliqua-t-il, les lèvres pincées de rage. Qu'attendez-vous donc pour vous remettre à fond dans le bain ? Que votre fille soit majeure ?

Lucrèce étouffa un soupir. Il allait encore l'entraîner dans une querelle dont elle n'avait que faire. D'un geste spontané, elle lui prit la main, la serra une seconde dans la sienne.

— S'il vous plaît, ne nous disputons pas pour rien.

Pour la seconde fois du déjeuner, elle le vit se troubler, et elle lâcha aussitôt sa main.

Sophie désigna une série de médailles en or, dans la vitrine du bijoutier.

— Tu vois, ils ont un choix énorme, on va trouver ce qu'on cherche.

Julien acquiesça en silence, mais ce n'était pas la vitrine qu'il regardait. Il trouvait Sophie de plus en plus jolie et de moins en moins timide. Si son assurance était peut-être encore un peu artificielle, en revanche, ses grands yeux bleus ne se dérobaient plus, et son sourire était resté celui d'une gamine.

Ils s'étaient donné rendez-vous cours de l'Intendance pour acheter ensemble un cadeau destiné à Roxane. Prenant très au sérieux leur rôle de parrain et marraine, s'ils offraient des jouets chacun de leur côté, ils préféraient se réunir dès lors qu'il s'agissait d'un achat plus sérieux, appelé à durer dans la vie de leur filleule. En fait, c'était surtout un prétexte que Julien utilisait pour rencontrer Sophie et elle semblait se prêter volontiers au jeu. Prenait-elle un quelconque plaisir à sa compagnie ? Il n'arrivait plus à la cerner, ni à déterminer quel genre de sentiments elle éprouvait pour lui.

À l'intérieur du magasin, luxueux et feutré, ils se décidèrent assez vite pour une médaille de la Vierge avec une chaîne assortie, mais quand le vendeur demanda quel était le prénom de *leur* enfant, pour la gravure, Sophie rougit instantanément et s'empêtra dans ses explications. Julien la laissa bredouiller, retrouvant soudain avec attendrissement la jeune fille timide qu'il avait connue, puis il se décida à voler à son secours.

Comme convenu, ils partagèrent le montant de l'achat et, une fois dehors, Julien proposa d'aller boire quelque chose de chaud. Il vit une brusque lueur d'angoisse troubler le regard de Sophie et il crut qu'elle allait refuser, mais presque tout de suite elle se mit à sourire.

— Tu ne te résous pas à utiliser une voiture ? demanda-t-elle en désignant la moto garée sur le trottoir. Tu dois mourir de froid là-dessus !

— Si je devais avoir froid chaque fois que je suis dehors l'hiver…

Sa réussite en tant que cavalier de compétition l'obligeait à travailler plusieurs chevaux tous les jours, quel que soit le temps, et le gel de février ne le gênait pas alors que Sophie claquait des dents dans un élégant manteau de cuir un peu léger pour la saison.

— Viens, dit-il en la prenant par le bras.

Il l'entraîna vers un bar, heureux de la sentir s'appuyer sur lui. À l'intérieur, ils s'assirent côte à côte sur une banquette de velours et commandèrent des chocolats. Il n'en revenait pas d'avoir enfin eu le courage de l'inviter, ni de la facilité avec laquelle elle avait accepté.

— Lucrèce vient ce week-end, déclara-t-il, et je me demandais si… si on ne pourrait pas faire quelque chose, tous les trois ?

Autant battre le fer tant qu'il était chaud, l'occasion ne se présenterait peut-être plus avant longtemps.

— Tous les trois ? répéta-t-elle d'une voix hésitante.

— J'ai oublié le reste, c'est de l'histoire ancienne, dit-il de façon abrupte.

Il ne savait pas comment lui expliquer qu'il était prêt à tout recommencer avec elle, qu'il y pensait depuis très longtemps et que, malgré tout ce qu'il s'était efforcé de croire, aucune fille n'avait pu prendre sa place.

Sur le parking de l'hôpital, Nicolas faisait les cent pas, vaguement inquiet. Certes, Guillaume avait finalement capitulé et accepté de ne pas s'en mêler, tombant d'accord sur le principe d'une maison de convalescence pour l'instant, mais il pouvait très bien revenir sur une parole donnée à contrecœur. Entre les deux frères, il régnait désormais une animosité palpable. Combien de temps Guillaume supporterait-il que son cadet arbitre le conflit qui l'opposait à Agnès ? Si la colère le reprenait, il n'hésiterait pas à débarquer et à provoquer un scandale. Or Nicolas espérait bien avoir mis Agnès à l'abri entre-temps. L'ambulance qui allait assurer son transfert devait être là à quinze heures, et il comptait l'escorter lui-même jusqu'à Marmande.

Alors qu'il faisait demi-tour devant sa voiture pour la dixième fois, il se figea brusquement.

À trois pas de lui, Lucrèce se hâtait vers l'entrée de l'hôpital. Entre sa frange de cheveux bruns et son col relevé, ses grands yeux bleu-vert glissèrent d'abord sur Nicolas sans le voir, puis elle s'arrêta, se retourna vers lui. Durant quelques secondes, ils se dévisagèrent en silence, avec une sorte de stupeur réciproque, choqués par ce hasard qui les mettait l'un en face de l'autre.

— Nicolas…

L'entendre prononcer son prénom le fit réagir et il s'obligea à avancer vers elle.

— Comment vas-tu ? murmura-t-il. Il y a longtemps…

Il se pencha mais ne fit qu'effleurer ses cheveux.

— Je suis heureuse de te rencontrer, dit-elle en souriant. Je voulais t'appeler, seulement je ne connais pas ton nouveau numéro…

Ouvrant son manteau, il en fouilla fébrilement la poche intérieure dont il sortit une carte.

— Si l'envie te reprend, ce serait trop bête.

Sans un mot, elle prit la carte qu'il lui tendait. Le trouvait-elle trop distant, trop indifférent ? Il ajouta aussitôt, sans réfléchir :

— Est-ce que tu serais libre, ce soir ? Ou demain ?

Après une brève hésitation, elle eut un geste explicite en direction de l'hôpital.

— Ce soir, je ne peux pas.

Nicolas pesta intérieurement. Sans doute venait-elle chercher Fabian, c'était logique, il était vraiment stupide de ne pas y avoir pensé tout seul.

— Mais déjeunons ensemble demain, d'accord, accepta-t-elle d'un ton un peu réticent.

— Il y a quelque chose dont j'aimerais parler avec toi, précisa-t-il en hâte. Un problème personnel sur lequel tu pourrais peut-être me donner un conseil.

Bien sûr, il songeait à l'enquête réalisée par Lucrèce auprès des femmes battues, au livre qu'elle avait écrit là-dessus. Mais pourquoi éprouvait-il le besoin de justifier son invitation ? Il mourait d'envie de la voir, et elle n'était sûrement pas dupe.

— Je passerai te prendre à midi, ça ira ?

Comme elle tardait à répondre, il crut qu'elle hésitait et il ne lui laissa pas le temps de se rétracter.

— Va vite, il fait très froid ! À demain.

D'un simple signe de tête, elle acquiesça avant de s'éloigner. Nicolas recula de quelques pas, s'appuya à sa voiture et reprit son souffle.

Quand elle émergea le lendemain matin, Lucrèce constata avec effarement qu'elle avait dormi jusqu'à onze heures. Faire la grasse matinée ne lui était pas arrivé depuis si longtemps qu'elle ne pouvait même plus se souvenir de la dernière fois où elle avait paressé au lit. Mentalement, elle remercia sa mère d'avoir gardé Roxane chez elle. Avec sa fille, les horaires de Lucrèce étaient devenus très stricts, sans compter son travail qui l'obligeait souvent à se lever avant l'aube pour terminer un article, et même lorsqu'elle dormait chez Fabian, certains vendredis soir, il se réveillait très tôt pour aller à sa consultation du samedi matin à l'hôpital.

S'étirant comme un chat, elle se souvint brusquement qu'elle devait déjeuner avec Nicolas. Une perspective réjouissante, malgré l'angoisse diffuse qu'il avait suscitée en évoquant ce « problème personnel » dont il souhaitait lui parler.

Était-il concevable qu'il ait des questions à poser au sujet de Roxane ? Qu'à partir de sa date de naissance, il ait fait le calcul lui-même ? Mais à qui aurait-il pu s'adresser pour obtenir ce détail ? À sa grande amie Emmanuelle ? Longtemps, celle-ci s'était tue, ainsi que le souhaitait Lucrèce, mais naturellement Nicolas avait fini par apprendre qu'elle avait une petite fille. Cependant, Roxane était arrivée un peu en avance, Nicolas ne pouvait avoir aucune certitude.

Elle fila à la cuisine où Julien lui avait préparé le petit déjeuner, laissant la cafetière en marche, mais vu l'heure, il ne restait qu'un fond noirâtre qu'elle jeta.

Attendrie par la gentillesse de son frère, elle se promit de tout faire pour que la « soirée à trois » qu'il projetait lui permette de débloquer la situation avec Sophie.

— On se ressemble toujours autant, lui et moi ! marmonna-t-elle.

La similitude de leurs histoires sentimentales venait de la frapper. À force de courir sans cesse après la réussite professionnelle, ils ne s'étaient mariés ni l'un ni l'autre, et au bout du compte ils avaient raté leur premier amour et les suivants.

Ce qui la ramenait à Nicolas. À l'époque de leur jeunesse, il était trop exigeant et trop entier, tout comme Sophie avait été à la fois trop gamine et trop tourmentée pour savoir garder Julien.

Quel comportement allait-elle adopter devant Nicolas, tout à l'heure ? Amical ? Détaché ? Non, ils étaient tout sauf des amis, et il l'attirait toujours autant, elle l'avait constaté avec agacement, la veille, sur le parking de l'hôpital.

Après sa douche, elle hésita un moment puis choisit une jupe noire, des bottes, un pull blanc à col boule. Elle était en train de se parfumer lorsqu'il sonna et elle n'eut que le temps d'enfiler son manteau. Lorsqu'elle ouvrit, ils commencèrent par se dévisager, un peu embarrassés, puis ils se mirent à parler ensemble, se disant bonjour et se demandant mutuellement où ils voulaient déjeuner.

— À toi l'honneur, protesta Nicolas en souriant, tu es mon invitée, c'est toi qui choisis.

— Je mangerais bien des fruits de mer…

— Chez *Dubern* ?

Comme il lui proposait l'un des meilleurs restaurants du centre, dont Fabian était un habitué, elle hésita.

— Ou chez moi si tu préfères, enchaîna-t-il. On peut passer voir l'écailler de la place Saint-Pierre et composer un plateau nous-mêmes ?

Elle accepta d'emblée, curieuse de découvrir l'endroit où il vivait depuis qu'il avait quitté sa femme.

Une heure plus tard, il arrêtait son coupé devant une sorte de grange de pierre blanche, au toit de tuiles roses. De part et d'autre d'une lourde porte en bois sombre, assez large pour laisser passer une charrette, deux hautes fenêtres en ogive semblaient les seules ouvertures.

— Je l'ai d'abord louée, précisa Nicolas, et puis quand j'en ai eu assez de camper, je l'ai achetée pour la restaurer.

À l'intérieur, la surprise venait d'une lumière inattendue, entrant à flots par une baie vitrée qui se découpait sur tout le mur du fond. La pièce principale était immense, aménagée en cuisine-bureau-salon, et un escalier à vis menait à la mezzanine où se trouvaient la chambre et la salle de bains.

— C'est un peu rudimentaire, s'excusa-t-il, mais j'investis plutôt dans du matériel pour la vigne…

Les meubles, peu nombreux, semblaient pourtant avoir été choisis avec soin.

— Tu as chiné chez les antiquaires ?

— Non, directement dans le grenier de la chartreuse. Guillaume n'a rien pu dire, il les avait relégués là-haut il y a très longtemps.

Elle se souvenait du charme de l'ancien chai où il l'avait reçue, bien des années plus tôt, et elle retrouvait un peu la même atmosphère dans cette drôle de grange.

— On s'installe là ?

Il déplia l'abattant d'une table demi-lune de toute beauté pour y déposer avec précaution le gigantesque plateau de fruits de mer.

— Tu vis seul ? demanda-t-elle malgré elle.

— En principe, je prends mon fils un week-end sur deux. En pratique, je suis en guerre avec sa mère pour cette histoire de garde, et c'est bien rare qu'il n'y ait pas un problème de dernière minute.

Comme il était de dos, occupé à mettre le couvert, elle ne pouvait pas voir l'expression de son visage mais elle perçut très bien son intonation de désarroi.

— Nicolas, dit-elle doucement, il y a une question que je veux te poser depuis longtemps. Est-ce que ton divorce a le moindre rapport avec… avec cette nuit où tu n'étais pas rentré chez toi, à cause de moi ?

Peut-être était-elle un peu présomptueuse d'imaginer que ce simple incident de parcours avait déclenché un tel cataclysme dans la vie de Nicolas, mais elle savait par sa mère qu'il avait commencé à avoir des problèmes de couple à peu près à ce moment-là.

Il se tourna vers elle, une assiette à la main, et il lui adressa un de ces sourires craquants de gamin dont il avait toujours le secret.

— Ne te sens responsable de rien, Lucrèce. Mon mariage était fichu depuis le début, on n'épouse pas quelqu'un par dépit. Je regrette pour Stéphanie, elle méritait qu'on l'aime pour de bon et je comprends qu'elle m'en veuille.

— Mais sans moi, tu serais toujours avec elle ? insista Lucrèce.

— Sans toi, je n'aurais pas essayé de me consoler avec elle et notre aventure aurait duré trois semaines en tout.

— Donc, si tu te retrouves ici, c'est tout de même à cause de moi !

— Tu veux absolument être coupable de quelque chose ? Je suis un grand garçon, Lucrèce, je vais avoir quarante ans.

— Toi ?

Médusée, elle le contempla tout en se livrant à un rapide calcul. Même s'il conservait l'allure d'un jeune homme, il avait cinq ans de plus qu'elle et le compte était bon.

— Dois-je prendre ton étonnement comme un compliment ? demanda-t-il en riant. Allez, viens manger, je t'ouvre un graves-de-vayres.

— Blanc ?

— Blanc et sec, bien sûr ! Je connais tes goûts par cœur.

Ils s'installèrent côte à côte pour s'attaquer aux huîtres, praires, moules et langoustines disposées sur la glace pilée.

— Je suis très heureux que tu aies accepté ce déjeuner. Si j'avais su, je te l'aurais proposé depuis longtemps.

C'était dit si gentiment, et avec une telle sincérité, que Lucrèce se sentit émue, presque gênée de l'avoir délibérément écarté de sa vie. Il ne connaissait même pas cette petite fille qui était aussi la sienne, mais que Lucrèce avait gardée pour elle seule. Peut-être le moment était-il venu de rendre des comptes ? Mais était-elle prête à le faire, à répondre honnêtement aux questions qu'il pourrait poser ?

— Tu voulais me parler de quelque chose de personnel, je crois ? demanda-t-elle d'un ton qui manquait d'assurance.

— Oui… Comme c'est un peu gênant, je ne vais pas me perdre en préambules, alors pour aller droit au but, mon frère est une brute, il frappe sa femme. Il l'avait déjà envoyée une fois à l'hôpital et il a recommencé, il y a quinze jours. Je veux la sortir de là mais j'ai besoin de conseils. Je suis un homme, elle n'est pas obligée de me faire confiance, et de toute façon, elle ne me racontera jamais les détails. Tu connais bien le problème, j'ai pensé que tu pourrais me donner un coup de main, ou des adresses d'associations…

Tombant des nues, mais soulagée, elle le contempla sans savoir que répondre.

— Tu as écrit un livre là-dessus, tu devrais pouvoir m'aider, plaida-t-il.

— Oui, bien sûr… Il y a des structures d'accueil, des avocats spécialisés… Tu penses qu'elle va divorcer ?

— Je vais tout faire pour qu'elle y arrive.

— Elle a un métier ?

— Non. Elle n'en a exercé aucun, elle s'est mariée très jeune. Ensuite, elle s'est occupée de Guillaume, de mon père qui était cloué dans une chaise roulante, et accessoirement elle m'a pris en charge comme une grande sœur.

— Ton frère a-t-il une bonne situation ?

— Très bonne.

— Alors, si le divorce est prononcé à ses torts, il sera obligé de lui verser une pension conséquente. Et aussi une prestation compensatoire. Mais il faut réunir des témoignages, c'est le plus délicat. Ta belle-sœur n'a jamais appelé les gendarmes, jamais porté plainte ?

— Oh, non !

— C'est presque toujours le cas. Prouver les violences *a posteriori* n'est pas facile.

— Eh bien… Tu vas rire mais, à la rigueur, j'ai deux témoins que tu connais intimement. Des gens que tu pourrais sans doute mieux convaincre que moi.

— Qui ça ?

— Fabian Cartier, qui l'a opérée deux fois, et Guy Cerjac, qui lui a réparé une dent cassée net.

Abasourdie, Lucrèce fronça les sourcils. Que la belle-sœur de Nicolas se retrouve mêlée de si près à son entourage avait quelque chose d'effrayant.

— Papa est son stomato ? dit-elle enfin, toujours incrédule.

— Il lui a même envoyé des fleurs à l'hôpital.

— C'est vrai ? Oh, que c'est drôle ! Si Brigitte l'apprend, il n'a pas fini d'en entendre, le pauvre ! Des fleurs ? Impensable…

Son père n'étant pas du genre à s'apitoyer facilement sur sa clientèle, il devait avoir une autre raison de s'intéresser à cette femme.

— Est-ce qu'elle est jolie ?

— Agnès ? Oui, elle est encore très bien. Délicate, émouvante, capable d'une infinie tendresse et, avec Guillaume, c'est vraiment donner de la confiture à un cochon.

— J'ai l'impression que tu le détestes.

— Pas tout à fait. Il m'a élevé, il a su développer l'affaire familiale de négoce… Il y a quelques années encore, c'était juste quelqu'un de brutal, bourru, buté, mais je pouvais encore m'en accommoder. Quand je me suis rendu compte qu'il tabassait sa femme, j'ai commencé à le regarder différemment. Et là, j'ai découvert qu'il se comportait avec moi comme un escroc, et avec Agnès comme un malade mental. Aujourd'hui, il dépasse la mesure, on dirait qu'il n'a plus de garde-fou. Je ne veux pas m'ériger en justicier mais, à part moi, je ne vois pas qui l'arrêtera.

Elle perçut le mélange de tristesse et de colère qui l'habitait lorsqu'il parlait de son frère.

— Je connais un avocat vraiment pointu dans ce genre d'affaire familiale, lui dit-elle d'un ton encourageant. Si tu le charges de défendre ta belle-sœur, il ne laissera plus jamais Guillaume approcher d'elle. Encore faut-il qu'elle soit d'accord et qu'elle ne retombe pas délibérément sous la coupe de son mari. Ce qui arrive souvent.

— Je serai avec elle, affirma-t-il. Il y a beaucoup moins de travail dans les vignes, l'hiver, je vais m'arranger pour être très présent. De toute façon, tant qu'il ne saura pas où elle est, il ne pourra pas aller la tourmenter.

Attendrie, Lucrèce l'observa tandis qu'il se levait pour aller jeter les coquilles dans la poubelle. Ils avaient terminé le plateau sans s'en apercevoir, ainsi que la bouteille de blanc. D'où elle était, elle le voyait de profil, avec ses cheveux un peu longs, et elle se demanda si Roxane lui ressemblerait de plus en plus en grandissant.

— Un café ? proposa-t-il en se tournant vers elle.

Sans doute surpris de découvrir le regard attentif de Lucrèce rivé sur lui, il parut se troubler.

— T'avoir ici me fait vraiment plaisir, dit-il d'une voix hésitante. Tu n'es pas trop pressée ?

— Non…

Au lieu de mettre le percolateur en route, il revint vers la table, s'arrêta.

— Lucrèce.

Juste son prénom, rien d'autre. Leur attirance réciproque était intacte, aussi violente à chacune de leurs rares rencontres. Alors qu'il tendait la main, esquissant le geste de lui caresser les cheveux, elle se leva et le prit par la taille, appuya sa joue contre son pull. Elle sentit qu'il refermait ses bras autour d'elle.

— Ne m'en veux pas, chuchota-t-il, c'est plus fort que moi. Quand nous aurons cent ans, si je te croise au détour d'une rue, ce sera pareil.

Il la serrait un peu trop fort, respirait un peu trop vite. Un désir aigu la submergea et elle glissa ses mains sous le pull, le faisant tressaillir. Autour d'eux, le silence de la grange les isolait du reste du monde. Elle se mit sur la pointe des pieds pour l'embrasser, effarée d'avoir autant envie de lui.

Et puis il y eut un bruit de moteur, un claquement de portière, et la grande porte cochère s'ouvrit brutalement tandis qu'une jeune femme faisait irruption, échevelée, en larmes, un petit garçon dans les bras.

— C'est ton frère ! hurla-t-elle. Il est devenu fou !

Saisie, Lucrèce la regarda approcher. Il ne pouvait s'agir que de Stéphanie. Se retrouver en face de la femme dont elle avait fait le malheur, même de façon involontaire, lui procurait une sensation mitigée. Du dépit pour le contretemps, mais aussi un peu de gêne et une culpabilité latente.

— Il a débarqué à la maison, il voulait que je lui dise où est Agnès, il a cassé une lampe, il m'a giflée, Denis a eu peur…

Le petit garçon, que Stéphanie venait de poser à terre, se précipita vers Nicolas qui lâcha Lucrèce.

— Tu aurais dû appeler les gendarmes, ou m'appeler moi, dit-il à son ex-femme d'une voix tendue. Je vais aller m'occuper de lui.

Il se pencha vers son fils à qui il murmura des paroles rassurantes, et Stéphanie en profita pour dévisager Lucrèce qui avait reculé dans un coin de la pièce, se sentant de trop.

— Non, n'y va pas, dit enfin Stéphanie, ça finira mal.

— Est-ce que tu lui as donné l'adresse ?

— Je ne savais pas quoi faire d'autre, avoua-t-elle en fuyant le regard de Nicolas.

Lucrèce le vit se mordre les lèvres, sans doute pour éviter tout commentaire.

— Je peux rester ici ? murmura Stéphanie d'une voix plaintive.

— Oui, bien sûr. Mais enferme-toi à clef, à tout hasard.

Il ne s'était pas approché d'elle et, de loin, il lui désigna le trousseau, posé sur le comptoir qui délimitait la cuisine.

— Je t'appellerai dans la journée, décroche, ajouta-t-il.

Denis comprit que son père allait partir et il se mit à pleurer. Nicolas se pencha pour l'embrasser puis se redressa en lançant à Lucrèce un regard à la fois consterné et impatient.

— Viens, dit-il seulement.

Elle ramassa son sac et son manteau, le suivit dehors où il attendit d'entendre tourner le verrou.

— Je vais te déposer chez toi, et ensuite j'irai là-bas.

— Tout seul ?

— Je n'ai pas peur de Guillaume, répondit-il avec un sourire sans joie. Les types capables de tabasser une femme ne sont pas de grands courageux, il ne réagira pas de la même manière avec moi.

— Tu en es certain ?

Inquiète pour lui, elle oublia le malaise provoqué par l'arrivée de Stéphanie.

— Écoute, dit-elle très vite, je préférerais t'accompagner, j'ai tout mon temps. Je resterai dans ta voiture et, au besoin, je pourrai appeler les flics. Après, si ça peut être utile, j'irai avec toi voir Agnès.

Il parut surpris par sa détermination, mais il acquiesça d'un signe de tête. Ce ne fut qu'une fois au volant, et tout en démarrant, qu'il soupira :

— Je n'ai pas de chance avec toi, Luce… J'aimerais croire que l'occasion se représentera ? Je… C'est important pour moi.

Spontanément, elle se pencha vers lui, appuya sa tête sur son épaule.

— On se reverra quand tu voudras, Nicolas.

Elle sentit l'accélération de la Mercedes et se dépêcha de boucler sa ceinture.

6

Printemps 1997

La « vache folle » avait continué à faire régulièrement la une des journaux, parfois relayés par la radio et la télévision. Leur alimentation occupait soudain beaucoup les Français, et apprendre que, malgré l'embargo, des centaines de tonnes de bœuf britannique avaient été retrouvées à Flessingue, aux Pays-Bas, n'arrangeait rien. Le trafic de viande existait bel et bien, enrichissant les uns et menaçant de tuer les autres. Sans compter que les farines de viande et d'os continuaient à être données aux porcs, l'interdiction ne frappant que les bovins, et que personne ne s'y retrouvait dans ces demi-mesures.

Lucrèce, qui connaissait le sujet sur le bout du doigt, n'avait pas hésité à signer deux nouveaux articles. À peine se souvenait-elle de la lettre de menace reçue quelques mois auparavant, et des mises en garde de Claude-Éric. Pourtant, lorsqu'elle commença à recevoir des coups de téléphone anonymes, la nuit, puis de nouvelles lettres, elle prit peur. Chaque fois que la sonnerie la réveillait en sursaut, vers trois heures du matin, Roxane se mettait à pleurer dans son lit, ajoutant à l'angoisse de Lucrèce. Au bout de quinze jours, les appels étant devenus quotidiens, elle finit par débrancher son téléphone en allant se coucher. Porter plainte contre X ne servirait à rien, elle en était bien consciente, et changer carrément de numéro lui posait un réel problème professionnel.

Les confrères à qui elle en parlait ne lui étaient d'aucun secours, chacun ayant été exposé à ce genre de situation qui, d'après eux, cessait d'elle-même. Les mécontents se calmaient, les dingues se trouvaient d'autres interlocuteurs et, au pire, en cas de représailles, c'était toujours le journal qui était visé. Néanmoins, elle apprit que deux journalistes qui, comme elle, s'étaient vraiment impliqués dans des enquêtes poussées sur les ravages du prion semblaient connaître la même campagne d'intimidation à leur domicile.

Au mois de mars, passionnée par les Assises nationales pour les droits des femmes, qui se tenaient à la Plaine Saint-Denis, elle écrivit un superbe éditorial pour Claude-Éric, avec lequel elle continuait à travailler de temps en temps.

Presque chaque week-end, elle emmenait sa fille à Bordeaux et elle avait fini par prendre un abonnement sur le TGV. Roxane adorait dormir chez sa grand-mère, et plus encore jouer dans la librairie qui était pour elle une véritable caverne d'Ali Baba. Sans oublier son oncle Julien, dont elle raffolait depuis qu'il lui avait fait faire un tour à cheval, en la maintenant en selle devant lui. Le retour à Paris, le dimanche soir, la rendait toujours triste ou ronchon. À l'occasion des vacances de Pâques, alors que la maternelle était fermée pour dix jours, Lucrèce laissa Roxane à Bordeaux, remonta à Paris et en profita pour aller voir un certain nombre de spectacles. Ce fut en rentrant chez elle, un soir, qu'elle trouva son appartement saccagé.

La porte avait été forcée et, à l'intérieur, régnait un indescriptible chaos. L'ordinateur, la télévision, la vaisselle et même les jouets de Roxane : tout était détruit. Prise de panique, Lucrèce se précipita chez une voisine, qui lui gardait parfois Roxane et qui, mal réveillée, lui offrit un cognac tout en appelant la police. Malheureusement, les cambriolages ou les actes de vandalisme étaient devenus si nombreux dans le quartier que les chances de retrouver les coupables étaient quasi nulles. Au commissariat, où elle dut se rendre, on ne lui laissa guère d'illusions quant à l'issue d'une éventuelle enquête.

À deux heures du matin, après le départ du serrurier qui lui factura une fortune son déplacement nocturne, elle se retrouva seule, assise par terre au milieu de débris de toutes sortes, révoltée et angoissée, malade à l'idée de ce qui l'attendait. Prévenir son assureur, nettoyer, jeter, acheter d'urgence un nouvel ordinateur…

Elle regarda le téléphone, dont la prise pendait, arrachée, et elle fouilla dans son sac pour récupérer son portable, une merveille qu'elle s'était offerte deux mois plus tôt. Bavarder un peu avec Fabian serait forcément rassurant, lui toujours si calme, et s'il y avait bien une personne au monde qu'elle pouvait réveiller au milieu de la nuit, c'était lui. Pourtant, alors qu'elle allait composer son numéro, elle se ravisa à la dernière seconde et fit impulsivement celui de Nicolas. Quand il décrocha, à la deuxième sonnerie, sa voix ensommeillée n'était pas très aimable.

— Salut, Nick, c'est Lucrèce, désolée si je te dérange, mais…

— Non ! Non, pas du tout. Que t'arrive-t-il ?

— Oh, des tas de misères, et j'avais envie d'en parler à quelqu'un…

— C'est moi, *quelqu'un* ?

En entendant son rire, elle faillit se mettre à pleurer, soudain à bout de nerfs.

— Tu es toujours là ? demanda-t-il d'un ton inquiet. Je t'écoute, tu peux me parler toute la nuit si tu veux.

La gentillesse de Nicolas la bouleversait, au point qu'elle aurait donné n'importe quoi pour qu'il soit là, pour pouvoir appuyer sa tête sur son épaule et se laisser aller. Elle savait très bien que si elle n'avait pas appelé Fabian, c'était parce qu'elle avait pensé qu'il n'était peut-être pas seul. Depuis quelques mois, elle le voyait moins souvent, même lorsqu'elle était de passage à Bordeaux. Il ne lui en faisait pas le reproche mais sans doute se consolait-il de son absence avec d'autres femmes. Après tout, l'une de ses maîtresses l'avait une fois appelé en pleine nuit, Lucrèce s'en souvenait trop bien.

— Alors ? Tu me racontes ?

— Oui, excuse-moi. Je ne sais pas par où commencer. Je viens de retrouver mon appartement dévasté.

— Quoi ?

— Les types qui ont fait ça ont tout cassé mais rien volé. Un genre d'avertissement, je suppose. Il arrive que des gens s'en prennent à la presse quand on dénonce des…

Elle poussa un long soupir, se reprit et lui expliqua de quoi il retournait en quelques mots.

— Où es-tu, là ? s'inquiéta-t-il.

— Chez moi.

— Tu es folle ? Va à l'hôtel !

— Mais non, ne t'inquiète pas, je…

— Tu veux que je vienne ? Je peux prendre le premier train ou le premier avion tout à l'heure.

— Non, sûrement pas, tu as assez de problèmes sur les bras.

— Je m'en fous, je ne supporterai pas de te savoir en danger !

Son cri du cœur arracha un sourire à Lucrèce, le premier depuis qu'elle avait découvert l'état de l'appartement.

— Tout va bien, Nick. Je ne vis pas au fond des bois.

— C'est pire, tu habites une ville de dingues. Si des gens, comme tu dis, veulent te faire taire, personne ne volera à ton secours. La violence est devenue d'une telle banalité ! Je suis sûr que les flics ne lèveront pas le petit doigt, n'ouvriront pas d'enquête et ne te protégeront pas. Tu n'es qu'un cas parmi des tas d'autres. Et ta fille, où est-elle ?

Ta fille. Ce simple mot lui serra le cœur mais elle chassa le problème de son esprit.

— Elle est restée à Bordeaux avec maman.

— Qu'est-ce que tu lui aurais raconté, si elle avait été avec toi ?

— Je ne sais pas… Je vais déjà avoir du mal à lui expliquer pourquoi ses jouets ont disparu. Sauf si je peux racheter les mêmes… Il faut que je jette tout ça, je suis complètement découragée.

— Bon, je serai là en fin de matinée, décida-t-il d'un ton sans réplique. Au moins pour t'aider. Donne-moi ton adresse.

Habituée à se débrouiller seule, elle était sur le point de refuser, mais Nicolas se montra très têtu, et de toute façon elle avait une irrésistible envie de le voir.

Avec une certaine curiosité, Emmanuelle observait Guy. Appuyé au comptoir de pitchpin, il avait accepté une tasse de café qu'il buvait tout en jetant de fréquents coups d'œil à Roxane, assise à même le sol de la librairie, un album ouvert sur les genoux.

— Tu la laisses se traîner par terre ? demanda-t-il à voix basse.

Elle lui répondit par un éclat de rire.

— Finies les conventions, Guy ! Il y a des années que je m'en suis débarrassée !

Puis, voyant qu'il fronçait les sourcils, sans doute persuadé que la réflexion le visait directement, elle ajouta :

— Lucrèce trouve ça très bien, et c'est elle qui décide. Sois un peu moderne.

Il ébaucha un sourire hésitant, apparemment toujours aussi mal à l'aise avec elle.

— Et toi, Emmanuelle, ça va, tu t'en sors ?

— Pas de problème.

Si elle en avait, ce ne serait pas à lui qu'elle les confierait. Quelques années plus tôt, quand elle avait vraiment manqué d'argent, au point de penser fermer la boutique, c'était Nicolas Brantôme, un client, un parfait étranger, qui l'avait aidée, personne d'autre.

Elle leva les yeux vers lui et contempla un moment son ex-mari en silence. Pourquoi venait-il ici ? Uniquement pour voir Roxane ? Il avait quelque chose de différent, un air un peu perdu très inhabituel chez lui.

— Il faut que j'y aille, soupira-t-il.

Alors qu'il se tournait une fois de plus vers sa petite-fille, la clochette de la porte tinta et Emmanuelle poussa une exclamation de joie.

— Julien !

Stupéfait de découvrir ses parents ensemble, Julien hésita à avancer vers eux et finalement il se baissa vers Roxane qui venait de se jeter dans ses jambes. Il la souleva de terre, la jucha sur ses épaules.

— Content de te voir, mon grand ! lui lança son père avec enthousiasme. Et félicitations pour ta place de second en Allemagne.

— Tu sais ça, toi ? répliqua Julien, très surpris.

— Je me tiens au courant, je suis abonné à *L'Éperon,* à *Cheval pratique,* à je ne sais plus quoi encore… C'est même devenu l'essentiel de la lecture de ma salle d'attente !

Croyait-il faire ainsi un louable effort pour se rapprocher de son fils, avec lequel il n'avait pas réussi à renouer le dialogue ? Indécis, Julien se contenta de hocher la tête. À force de vivre seul, et uniquement pour ses chevaux, il ne se livrait pas volontiers.

— Est-ce que tu déjeunerais avec moi, un de ces jours ? insista son père.

Déjeuner : cela signifiait un tête-à-tête au restaurant, et non pas un de ces éprouvants dîners chez lui, d'où Brigitte avait depuis longtemps fait fuir Julien comme Lucrèce.

— Pourquoi pas…

— Demain ?

— D'accord. Mais, puisque je vous tiens tous les deux, j'en profite pour vous annoncer que je vais me marier, dit Julien d'une traite.

Interloqués, ses parents échangèrent un regard.

— Enfin, si elle est d'accord, ajouta-t-il.

— Mais qui ça ? s'écria Emmanuelle.

— Sophie.

— Sophie Granville ? articula Guy, complètement dépassé.

— Mon Dieu, Julien, crois-tu que c'est… qu'elle n'est pas…

Cherchant ses mots, sans doute pour ne pas le blesser, sa mère n'arrivait pas à formuler ses craintes et Julien murmura :

— Oui, maman, certain. C'est du passé.

— C'est surtout une très bonne nouvelle ! exulta Guy. La fille d'un député, bravo ! Eh bien, tout arrive, on dirait que tu t'assagis, non ?

— Tu m'as trouvé insupportable à quelle époque ? répliqua sèchement Julien.

Mouché, son père baissa les yeux. La manière dont il les avait ignorés, Lucrèce et lui, dès son divorce et alors qu'ils n'étaient que des adolescents, restait inexcusable. S'il pouvait supporter que sa mère doute, parce qu'elle connaissait les drames qu'avait traversés Sophie jusqu'à sa stupide tocade pour son psy, en revanche, Julien n'admettrait aucun jugement de valeur émis par son père.

— Elle vient d'un excellent milieu, c'est tout de même un avantage, marmonna Guy qui ne voulait pas perdre la face devant Emmanuelle.

— Je m'en fous pas mal, laissa tomber Julien, glacial. Quand Luce s'est retrouvée caissière, et moi palefrenier, on a rencontré des gens très bien, qui valaient largement un type comme Arnaud Granville.

— Qu'est-ce qu'il t'a fait ?

— À moi, rien. Mais ce n'est jamais qu'un promoteur véreux, habillé en bourgeois. Et lui non plus n'a pas été formidable avec sa fille…

Ce « lui non plus » parut assommer Guy. Après quelques secondes de silence, il enfila son imperméable et quitta la boutique sans regarder personne, même pas Roxane toujours perchée sur les épaules de son oncle.

— Tu n'aurais pas dû, murmura Emmanuelle. Pas maintenant qu'il fait des efforts.

— Des efforts ? Oui, Granville en fait aussi ! Il y a quelques années, il m'aurait jeté hors de chez lui en me disant que je sentais le fumier, mais aujourd'hui c'est un homme politique, il ne me regarde plus comme un crève-la-faim mais comme un grand sportif ! Question de point de vue. Quant à papa, il connaît Sophie depuis vingt ans, il aurait pu avoir un mot personnel pour elle, dire qu'elle est gentille, ou jolie, n'importe quel autre critère que son milieu social !

— Ne sois pas si intransigeant, Julien… Tu n'as plus besoin de prendre ta revanche, tu as réussi, et tu vas être heureux avec Sophie.

— Tout ça n'a pas été très facile, maman. Et ça reste précaire. Mais avec papa, il n'y a rien de changé, il ne se demande pas quels sont mes projets d'avenir, ni ceux de Lucrèce. Il est juste arrivé à nous accepter tels que nous sommes, je n'appelle pas ça un exploit !

Il vit que sa mère avait du mal à le comprendre, n'ayant sans doute pas mesuré la gravité de sa rancune. Elle savait seulement qu'il s'était donné du mal, mais jamais il ne lui avait expliqué à quel point il avait pu souffrir du froid, de la peur, du manque d'argent pour changer une paire de rênes ou même se payer un café en fin de mois, du regard apitoyé de ses anciens copains restés des fils à papa. Seul son employeur, Xavier Mauvoisin, à qui appartenait le club de l'Éperon, lui avait donné sa chance. Puis son estime et son affection. Récemment, cet homme venait de lui proposer une sorte d'association, lui offrant des parts dans son club. « Je bénéficie de ta renommée, qui nous a apporté beaucoup de clients, c'est normal que je te dédommage. » Dans tous les moments graves de la vie de Julien, Mauvoisin lui avait tendu la main. D'abord en l'embauchant comme moniteur alors qu'il venait juste d'avoir son diplôme, pour qu'il puisse garder son cheval et ne pas crever de faim. Ensuite lors du mémorable accident de Bergerac, qui avait handicapé Julien durant des mois. Et tout le temps, avec sa gentillesse bourrue, Mauvoisin l'avait encouragé ou au contraire engueulé chaque fois qu'il le fallait.

— Est-ce que ta sœur est au courant de ton projet de mariage ? demanda sa mère d'un ton prudent.

— Évidemment ! Elle était la première à le savoir, tu penses…

Oubliant d'un coup ses griefs, Julien se mit à sourire.

— Je peux t'amener Sophie un de ces jours, maman ?

Il ne voulait plus que la jeune femme soit considérée uniquement comme la meilleure amie de Lucrèce, la fille d'Arnaud Granville, ou encore quelqu'un qui avait connu des troubles psychiques. La « petite » Sophie n'existait plus, à en croire la manière dont ils s'étaient enfin retrouvés.

Nicolas vérifia que tous les logiciels étaient correctement chargés dans l'ordinateur, puis il installa un écran de veille. Lucrèce n'avait pas retrouvé une seule de ses disquettes dans le fatras de débris qu'elle avait balayés, preuve que son activité de journaliste était visée avant tout. Le reste de l'appartement n'avait sans doute été vandalisé que pour ajouter à son angoisse.

— Garde bien toutes les factures de ce que tu rachètes, lui rappela Nicolas, ton assureur en aura besoin.

Depuis qu'il était arrivé, en fin de matinée comme promis, il n'avait pas cessé de descendre de grands sacs-poubelle dans la cour de l'immeuble, de réparer ce qui pouvait l'être, d'aspirer, d'aérer. Trop fatiguée pour protester, Lucrèce l'avait laissé faire. Elle s'était contentée de passer quelques coups de téléphone indispensables, à sa compagnie d'assurances d'abord, puis au magasin d'informatique qui, moyennant un supplément et parce qu'elle avait lourdement insisté, lui avait livré deux heures plus tard un ordinateur. Vers quatre heures, elle était sortie acheter quelques objets indispensables, et en revenant à six heures elle avait trouvé l'appartement en ordre.

— Peut-être devrais-je installer une alarme ? suggéra-t-elle en désignant la porte d'entrée.

— Ce serait mieux que rien, mais aucune forteresse n'est imprenable ! Si les gros bras qui sont venus tout casser ici t'en veulent personnellement, ton alarme ne les arrêtera pas. Pourquoi ne pas déménager ?

— Je ne sais pas…

Fuir n'était pas dans sa nature, et par-dessus tout, elle n'arrivait pas à croire à la réalité de ce qui s'était passé. Pourquoi s'en prendre à elle ? Parce qu'elle s'était montrée trop virulente à l'encontre des producteurs de farine ? Des filières clandestines d'importation de viande ? Qu'elle avait directement impliqué les puissants de l'agroalimentaire ? Ils étaient un certain nombre de journalistes à l'avoir fait, mais elle était une femme, elle vivait seule, et elle travaillait en free-lance, ce qui la transformait en cible idéale. Son exemple pourrait servir à toute la profession. D'ailleurs, elle avait été la première à lancer la campagne de presse, à attirer l'attention de l'opinion publique et des médias.

— J'ai encore un ou deux coups de téléphone à passer, décida-t-elle en classant l'idée de déménager dans un coin de sa tête. Et après…

— Après, je t'emmène dîner. En attendant, si tu veux bien, je vais me doucher.

Elle le suivit des yeux tandis qu'il s'éloignait vers la salle de bains. Sa présence faisait paraître l'appartement encore plus petit. Oui, il était sûrement temps de déménager, mais à Paris le prix des loyers était désespérant. Avec un soupir, elle regarda autour d'elle. Nicolas avait rangé les meubles et les objets à sa manière, ce qui la fit sourire. Sans lui, elle en serait encore à passer l'aspirateur, complètement démoralisée. Il s'était montré d'une rare efficacité. Qu'aurait fait Fabian dans les mêmes circonstances ? Sans doute aurait-il convoqué une entreprise de nettoyage avant de filer à l'hôtel.

Elle composa le numéro de l'hôpital, mais Fabian était encore au bloc et elle ne laissa aucun message. Elle le joindrait plus tard, chez lui, inutile de l'alarmer pour rien. Elle appela ensuite la rédaction de *Maintenant* et obtint Claude-Éric presque tout de suite. Dès qu'elle lui eut raconté l'acte de vandalisme dont elle avait été victime, il l'abreuva de conseils de prudence.

— Ne publiez rien sur ce sujet ces temps-ci. Faites-vous oublier, et vous aurez la paix. C'est rare que les gens aillent si loin, vous avez vraiment dû déranger de gros manitous pas clairs en affaires ! Comme quoi, il n'y a pas de fumée sans feu, c'était un bon lièvre à lever... Mais vous êtes une femme seule, alors soyez prudente.

En raccrochant, elle resta songeuse un moment. « Une femme seule. » L'était-elle vraiment ? Jusqu'ici, elle n'avait pensé qu'à Roxane et à sa carrière de journaliste, laissant délibérément de côté toutes les questions qu'elle se posait sur elle-même, sur son avenir, sur ce besoin qui commençait à la tenailler de construire quelque chose.

— Je suis prêt !

Les cheveux encore mouillés, Nicolas avait mis une chemise propre et s'était rasé. Il tenait à la main son petit sac de voyage, sans doute décidé à montrer qu'il ne comptait pas s'incruster chez elle.

— Je rêve d'une côte de bœuf saignante et d'une bouteille de saint-julien ! Pas toi ?

— J'aimerais autant une sole grillée et un...

— Entre-deux-mers, je sais !

Il lui souriait si gentiment qu'elle s'approcha de lui, se mit sur la pointe des pieds et l'embrassa au coin des lèvres.

— Oh, non, ne fais pas ça, murmura-t-il en la serrant contre lui.

— Pourquoi ?

— Parce que nous sommes seuls, que personne ne t'attend et moi non plus, qu'avec un peu de chance on ne viendra pas nous déranger cette fois, et que j'ai très envie de toi.

Douze ans plus tôt, Nicolas n'aurait pas été capable d'exprimer son désir aussi simplement. Il avait bien vieilli, il semblait prêt à prendre ce qu'elle voudrait bien lui donner sans exiger d'engagement impossible.

— Moi aussi, chuchota-t-elle en glissant sa main sous sa chemise.

Elle le sentit tressaillir tandis qu'il la serrait plus fort.

Le TGV fonçait vers Bordeaux à plus de deux cents à l'heure, secouant un peu ses passagers dans les courbes, au point que Nicolas eut du mal à rapporter deux cafés de la voiture-bar sans les renverser.

Il s'assit face à Lucrèce, l'enveloppant d'un long regard tendre.

— Tu as les plus beaux yeux verts de la planète, dit-il en souriant.

Machinalement, elle lui rendit son sourire, mais elle se sentait tendue, nerveuse. Ils avaient passé la nuit ensemble, s'étaient endormis dans les bras l'un de l'autre, et en se réveillant contre lui, elle avait eu l'impression d'être à sa place, à l'abri, plus proche du bonheur qu'elle ne l'avait jamais été. Un sentiment qui la troublait beaucoup, auquel elle réfléchissait depuis des heures. Pouvait-elle envisager un avenir avec Nicolas ? Certes, il n'avait rien demandé jusque-là, et il devait bien se douter que, une fois arrivés à Bordeaux, ils allaient se séparer dans la gare. En principe, elle avait rendez-vous avec Fabian le lendemain soir. Et, le reste du temps, elle serait avec Roxane.

Roxane, qui était aussi la fille de Nicolas. Prendrait-elle un jour la décision de le lui dire ? La croirait-il ? Et quels reproches lui adresserait-il alors ?

— Tu penses toujours à tes cambrioleurs ? demanda-t-il gentiment.

— Non, je pense à toi.

— Oh, là ! J'espère que ce n'est rien de désagréable ?

— Pas du tout… Je m'interroge.

Elle le vit accuser le coup et il resta silencieux un moment.

— Tu regrettes ? dit-il enfin. Je ne vais pas te harceler, sois tranquille.

— Je sais. Tu as changé.

— Toi aussi. Je suppose que nous avons mûri. De toute façon, je ne prendrai jamais le risque de te perdre une fois de plus.

Depuis l'histoire d'Agnès, ils s'étaient revus plusieurs fois, à Bordeaux, avec bonheur mais aussi avec prudence. L'occasion de se tomber dans les bras leur avait manqué, et ils ne l'avaient pas provoquée, inquiets à l'idée de briser le lien fragile qu'ils venaient enfin de renouer après toutes ces années. Sans l'appartement vandalisé, peut-être auraient-ils continué à attendre encore.

— Tu vis toujours seul ? demanda Lucrèce.

— Oui. Pour l'instant, Stéphanie habite chez ses parents, avec Denis. Elle ne veut plus entendre parler de vivre à côté de Guillaume, elle a peur de lui.

— Que vas-tu faire ?

— Rien. Sans doute vendre la grange, que je regretterai ! Réintégrer ma maison, mettre les choses au point avec mon frère. Et proposer à Stéphanie de s'installer où elle veut. Je peux acheter quelque chose au nom de Denis ou… Enfin, ce sera comme elle voudra.

Il en parlait avec réticence et elle n'insista pas. Son fils devait lui manquer, elle comprenait très bien ce qu'il pouvait ressentir. Une fois de plus, elle pensa qu'elle avait une part de responsabilité dans ce qui était arrivé à Nicolas, son mariage et aussi son divorce. Mais l'envie de se racheter ne remplaçait pas l'amour, elle ne voulait plus se tromper, elle attendrait d'être tout à fait sûre d'elle avant de prononcer des mots définitifs.

— Nick, dit-elle en se penchant en avant et en lui posant la main sur le genou, est-ce que tu me trouverais vraiment odieuse, incorrigible, détestable, si je te demandais d'être patient ?

— Du moment que tu ne me rejettes pas… Que tu ne disparais pas sans prévenir… Chaque fois que j'ai cru t'avoir trouvée, tu…

— Non, ça, c'est fini.

— Tu n'as plus peur ?

Il la connaissait mieux qu'elle ne l'imaginait. Depuis toujours, sa crainte de s'attacher et de se retrouver un jour abandonnée, comme l'avait été sa mère, l'empêchait d'aimer pour de bon. Au lieu de lui répondre, elle se contenta de secouer la tête et il parut se satisfaire de sa réponse.

Dans le hall de la gare Saint-Jean, Fabian jeta un coup d'œil au tableau des arrivées. Le TGV en provenance de Paris était là et les nombreux voyageurs se dirigeaient déjà vers la sortie. Il aurait le temps d'accompagner Lucrèce chez elle avant de retourner à l'hôpital où il avait réussi à décaler ses rendez-vous. En principe, il ne venait jamais la chercher, et encore moins par surprise, mais elle lui avait semblé vraiment bouleversée au téléphone. Elle l'avait appelé avant qu'il ne parte de chez lui, le matin même, laconique et nerveuse, sans doute encore sous le choc du cambriolage dont elle avait été victime. Jugeant leur rendez-vous du lendemain soir un peu trop éloigné, il avait décidé de se rendre à la gare pour la voir au moins un moment, la rassurer, lui répéter qu'elle pouvait compter sur lui. Elle avait dû se sentir très seule, très angoissée malgré toute son assurance, et il ne comprenait pas qu'elle ne l'ait pas appelé plus tôt.

Avaient-ils raison, tous les deux, de maintenir une telle distance dans leurs rapports ? La question n'était pas nouvelle mais il se la posait de plus en plus souvent. En proposant d'adopter Roxane, il avait vraiment espéré que Lucrèce accepterait et qu'alors leur relation évoluerait d'elle-même. Malheureusement, elle s'était dérobée et ils en étaient toujours au même point. À savoir, nulle part.

Du regard, il se mit à la chercher, guettant une jeune femme seule, et il ne la reconnut pas tout de suite. Lorsqu'il l'identifia enfin, elle était dans les bras d'un homme d'une quarantaine d'années à peine, en train de l'embrasser d'une manière qui ne laissait aucun doute.

Par réflexe, Fabian se détourna, s'éloigna. Supposer et voir n'était pas du tout pareil. Jusque-là, il avait *supposé* qu'elle pouvait avoir, comme lui, des aventures sans suite, des amants de passage. Hypothèse sur laquelle il ne s'attardait jamais. À Paris, elle rencontrait beaucoup de gens, sortait avec qui bon lui semblait. N'en faisait-il pas autant de son côté ? Pas de promesse, pas de serment, ils ne se rendaient mutuellement aucun compte. Après tout, il existait bien, quelque part, un père à Roxane ! Il en avait éprouvé une violente jalousie, sur le coup, mais depuis il s'était maîtrisé.

Là, c'était différent. Ce qu'il venait de surprendre et ce qu'il était en train de ressentir le jetait dans une colère inattendue, dévastatrice. Il se retourna, presque malgré lui. Le couple était toujours étroitement enlacé. Ils ne s'embrassaient plus mais se regardaient. À cet instant seulement, Fabian reconnut avec stupeur le beau-frère d'Agnès Brantôme. Un homme qui habitait Bordeaux. Comment Lucrèce le connaissait-elle ? Partageait-elle depuis longtemps ses week-ends entre lui et Fabian ? Son excellente mémoire lui permit de retrouver le prénom de son rival. Nicolas. Il se revit en train de lui serrer la main, dans son bureau à l'hôpital.

Il hésita un instant puis choisit de se diriger vers la sortie. Un scandale ne lui servirait à rien. Nicolas Brantôme avait au moins quinze ans de moins que lui, il ne se donnerait pas le ridicule de faire une scène à Lucrèce. Ni ici, dans la gare Saint-Jean, ni plus tard chez lui.

De retour à l'hôpital, il s'enferma dans son bureau où Noémie vint lui porter un gobelet de café.

— Aline Vidal aimerait vous parler avant votre consultation, monsieur. Elle attend dans le couloir.

— Mon premier patient est arrivé ?

— Pas encore. J'ai déplacé les rendez-vous, comme vous me l'aviez demandé…

Noémie le considérait d'un air inquiet, ne comprenant sans doute pas pourquoi il lui avait fait bouleverser le planning alors qu'il était là.

— Je vais recevoir Aline, décida-t-il.

Il n'appréciait pas du tout l'agrégée du service de médecine générale, avec laquelle il avait eu de violents affrontements quelques années plus tôt, et qui s'arrangeait, depuis, pour lui mettre des bâtons dans les roues chaque fois qu'elle en avait l'occasion.

— Tu voulais me voir ? lui lança-t-il d'un ton pressé dès qu'elle entra.

— C'est gentil de m'accorder cinq minutes, répondit-elle avec un sourire froid, d'autant plus qu'il s'agit d'un truc très… informel.

— À savoir ?

Comme il ne lui proposait pas de s'asseoir, elle enfouit ses mains dans les poches de sa blouse et resta à danser d'un pied sur l'autre.

— Le bruit court que tu aurais reçu un certain nombre de propositions alléchantes, de la part des Américains…

— Ah, bon ?

— Oh, tout le monde sait que tu vas souvent là-bas !

— Participer à des congrès.

— Et passer tes vacances. Tu y as des amis, des…

— Bon sang, Aline ! Où veux-tu en venir ? J'ai du travail, toi aussi je suppose, alors si c'est pour me parler de vagues ragots, retourne dans ton service !

Il la vit pâlir, accomplissant un gros effort pour conserver son calme. Elle le haïssait, il le savait, et elle devait avoir une bonne raison pour être venue l'interroger.

— Tu as un petit copain chirurgien que tu voudrais caser si je libère mon poste ? ajouta-t-il, impitoyable.

— Sûrement pas ! répliqua-t-elle rageusement. D'ailleurs, les chefs de service se nomment à Paris, au fond des ministères, c'est bien connu ! Non, le problème est plus simple, et ce n'est pas le mien en particulier. Toi, tu vis dans ta tour d'ivoire, à peine concerné par ce qui se passe dans le reste de l'hôpital.

Tu n'es même pas venu à la dernière réunion du conseil d'administration.

— J'étais coincé au bloc par une urgence.

— Oui, mais tu n'as pas dû te donner la peine de lire le compte rendu. Nous avons des menaces de restriction de budget. Saint-Paul est un petit hôpital et il coûte très cher…

— Rien de nouveau là-dedans.

— Non. Sauf que, puisque tu n'étais pas avec nous, le directeur en a profité pour nous faire part de ses inquiétudes. Il est persuadé que tu vas céder aux sirènes américaines un jour ou l'autre. Et d'après lui, si tu pars, il obtiendra moins facilement ses crédits.

Fabian resta silencieux quelques instants, observant Aline Vidal avec intérêt. Fallait-il qu'elle veuille se rendre utile pour venir elle-même aux nouvelles ! Et qui avait lancé cette rumeur ? Certes, il avait reçu, à plusieurs reprises, des offres mirobolantes d'un hôpital de New York. Chaque année, il participait au congrès de chirurgie, et sa technique opératoire des prothèses de hanche suscitait là-bas un réel engouement. Mais jusqu'ici, il n'avait jamais envisagé sérieusement de quitter la France. Peut-être l'aurait-il fait sans Lucrèce, et peut-être la question n'allait-elle pas tarder à se poser.

— Fabian, je connais ton âge et je te connais… Tu ne supporteras jamais d'être mis à la retraite, or l'Assistance publique est stricte sur les limites d'âge. Tu feras comme certains de tes confrères célèbres, tu te tireras là-bas pour continuer à exercer, et comme tu es très organisé, tu n'attendras pas le dernier moment pour le faire. Je me trompe ?

Toujours muet, il continua de la dévisager jusqu'à ce qu'elle se trouble. Avait-elle pu répandre cette fausse nouvelle toute seule ? Mais dans quel but ?

Semer le doute pour le rendre suspect ? Forcer le directeur à lui chercher d'ores et déjà un remplaçant ?

— Ta sollicitude me bouleverse, dit-il d'un ton glacial. S'il y a bien une personne, ici, qui devrait se réjouir de mon éventuel départ, c'est toi.

— Oh, non ! Je ne suis pas la seule ! Tu t'es fait beaucoup d'ennemis, Fabian. Les femmes déçues, les mecs cocus…

Il se souvenait vaguement avoir couché avec elle une seule fois, quinze ans plus tôt, et n'en revenait pas d'une rancune si tenace.

— Sans oublier tous les incompétents, que je n'ai pas ratés et dont tu fais partie, acheva-t-il à sa place.

Sa propre agressivité le surprit. En principe, il était capable de garder son sang-froid et sa courtoisie dans n'importe quelle circonstance. Était-ce la vision de Lucrèce dans les bras de Nicolas Brantôme qui le perturbait à ce point ? Face à lui, Aline venait de se décomposer. Elle le toisa avec hargne avant de sortir en claquant la porte. En guise d'ennemie, celle-là allait devenir implacable, mais qu'avait-il à perdre ? La solution d'accepter un contrat en or à New York ne finirait-elle pas par s'imposer lorsque Lucrèce le quitterait ? Car l'échéance approchait, il en était désormais tout à fait certain.

Sans surprise, Guy constata que Brigitte boudait ostensiblement, agacée par ce dîner qu'il avait organisé tout seul. Comme elle s'était mise à rechigner dès qu'il en avait parlé, il s'était adressé à un traiteur, affirmant qu'elle n'aurait à s'occuper de rien. Néanmoins, il fallait bien aller chercher les plats à la cuisine et y rapporter les assiettes sales. Or ses deux filles cadettes ne pouvaient pas l'aider dans sa tâche car, de manière très opportune, elles avaient obtenu des places pour un concert unique de The Cure, groupe anglais pop-rock dont elles étaient folles.

Devant la mauvaise volonté affichée par sa belle-mère, Lucrèce avait spontanément offert son aide, aussitôt imitée par Sophie, et finalement la bonne humeur s'était imposée malgré Brigitte.

— Marier mon fils est une affaire très importante ! lança Guy en revenant de la cuisine, une bouteille de champagne dans chaque main.

Son enthousiasme, ajouté à l'expression « mon fils », fit réagir Brigitte qui, prétextant une soudaine migraine, se leva et quitta la table. Elle n'avait jamais réussi à avoir ce dernier bébé tant souhaité, le garçon dont elle avait rêvé pour que Julien ne soit plus le seul « fils » de Guy. Tout comme il s'était refusé jusque-là à cette ridicule donation qu'elle jugeait indispensable, cette mise à l'abri financière de leurs deux filles. Inflexible, il considérait qu'il avait quatre enfants et il n'en privilégierait aucun.

Au début de leur mariage, pourtant, il cédait aux exigences de Brigitte sans même discuter. Durant les premières années, il l'avait laissée imposer sa volonté, éloigner Lucrèce et Julien, effacer avec application toutes les traces du passé, comme si son mari n'avait jamais vécu avant de la rencontrer. Elle s'était battue pour qu'Emmanuelle n'ait pas de pension alimentaire – puisqu'elle n'en réclamait pas ! – pour changer radicalement la décoration de la maison, pour que Guy n'ait aucune autre source d'intérêt qu'elle-même et leurs deux filles. Combien de temps avait-il fallu avant qu'il réalise enfin qu'il étouffait ? Qu'il se mette à regretter amèrement sa faiblesse, sa lâcheté ? La naissance de Roxane l'y avait aidé et, petit à petit, il s'était senti revivre, tout en prenant conscience de ses erreurs.

Épouser une femme beaucoup plus jeune que lui se révélait, au bout du compte, une expérience amère et épuisante. Désormais, que ce soit dans la rue ou parmi ses patientes, au cabinet, il observait les femmes de sa génération avec une sorte de nostalgie. Il avait envie de tendresse, envie d'aborder l'âge de la retraite avec sérénité.

— Avez-vous choisi une date, les enfants ? demanda-t-il en débouchant la première bouteille.

L'expression qu'il venait d'utiliser le fit sourire, Julien n'était vraiment plus un gamin depuis longtemps. Il le contempla avec curiosité durant quelques instants. À trente-sept ans, son fils avait déjà des rides autour des yeux. Ces yeux superbes, d'un bleu-vert intense, comme ceux de Lucrèce, lui donnaient un charme irrésistible. Où en était-il de sa carrière de sportif ? Ils avaient si peu parlé, tous les deux, que Guy ignorait presque tout de la vie de son fils. Le peu qu'il en savait, il le lisait dans des revues spécialisées auxquelles il ne comprenait pas grand-chose. Comment avaient-ils pu en arriver là ? Trois mois plus tôt, Guy s'était déplacé pour aller assister à un concours hippique. Depuis les tribunes, il avait regardé Julien entrer en piste sur une jument alezane, avait suivi son parcours sans faute, entendu les applaudissements du public. Il ne l'avait pas vu en selle depuis plus de vingt ans, lorsqu'il lui avait acheté son premier cheval, Iago, dont Julien s'était toqué au point d'arrêter ses études. À l'époque, Guy n'avait pas compris. Il n'avait même pas imaginé que son fils pourrait devenir un jour un vrai champion, faire une vraie carrière, et il ne l'avait aidé en rien. Chaque fois qu'il parlait de lui, Brigitte levait les yeux au ciel, émettait un commentaire sarcastique. « Si ton fils aime bien remuer le fumier… Si ça lui tient lieu d'avenir… » Pis, le jour où Julien avait eu un grave accident, lors d'une chute, Brigitte avait même dit que ça devait bien finir par arriver, qu'à force de s'attarder en enfance… Mais Julien ne s'attardait pas, au contraire il jouait chaque fois son avenir. Guy était passé à côté de toutes ces années d'efforts et de risques, il n'avait rien vu.

— Papa ?

Lucrèce venait de lui poser la main sur le bras et il se secoua.

— Portons un toast aux amoureux, dit-il en levant sa coupe en direction de Sophie.

Mais presque tout de suite il reporta son attention sur sa fille, qu'il prit affectueusement par le cou.

— Et toi, ma jolie ? chuchota-t-il.

— Je suis très heureuse pour eux, mais de mon côté je n'ai pas de projet de mariage. C'était bien ça ta question ?

Il craignit de l'avoir blessée et il n'insista pas. Avec elle aussi, il avait commis beaucoup d'erreurs, dont la plus grave était sans conteste d'avoir rejeté sa liaison avec Fabian Cartier. Pourquoi l'avait-il alors si mal jugée ? Parce qu'elle prétendait aimer un homme bien plus âgé qu'elle ? Mais qu'avait-il fait, lui, en épousant Brigitte ?

— Tu seras mon témoin, Lucrèce ? demanda Sophie qui resplendissait de bonheur.

— Et moi, alors ? protesta Julien.

— J'ai demandé la première !

— Très bien. Je prendrai Mauvoisin, je suppose qu'il sera d'accord. Il reste juste un petit problème à régler…

Il tourna la tête vers son père, qu'il regarda bien en face.

— Naturellement, maman sera là. Je ne sais pas comment tu peux régler ça avec Brigitte, mais je n'apprécierais pas du tout qu'elle fasse la tête toute la journée.

C'était la première fois qu'il abordait le sujet de front. La présence d'Emmanuelle, inévitable, allait forcément rendre Brigitte très morose, voire très agressive. Guy se demanda si, à titre de compensation, Agathe et Pénélope, leurs deux filles, seraient demoiselles d'honneur. Mais non, qu'avait-il fait pour que ses aînés et ses cadettes s'entendent ? Rien du tout. Il n'avait même pas protesté pour cette histoire de concert venant fort à propos, à laquelle Brigitte avait cédé tout de suite, comme si elle était ravie que leurs enfants ratent encore une occasion de se voir.

— Tu peux compter sur moi, je m'en charge, dit-il en rendant son regard à Julien.

Puis, prenant une décision subite, il ajouta, à l'adresse de Lucrèce :

— Fabian sera le bienvenu, naturellement.

Elle dut mesurer l'effort à sa juste valeur car elle lui sourit comme elle ne l'avait pas fait depuis fort longtemps. Néanmoins, elle ne répondit rien.

— Si tu le veux, je signe le contrat de location tout de suite, affirma Nicolas.

Agnès esquissa un sourire, à la fois incrédule et émerveillée.

— Tu crois que ce serait possible ?

Elle regarda encore une fois autour d'elle, séduite par les grandes fenêtres, les murs blancs, la moquette gris pâle. L'appartement, qui venait d'être refait à neuf, comportait un living très clair, une chambre et une salle de bains, une vaste cuisine ultramoderne. Situé cours de la Marne, à deux pas de la place de la Victoire, il était loin du quartier des Chartrons et du négoce de Guillaume. Pivotant sur la canne qu'elle gardait encore pour s'aider à marcher, elle fit face à Nicolas.

— Je m'y vois très bien ! C'est juste le contraire de la chartreuse, ne m'en veux pas si je dis ça, mais ici je pourrai sûrement…

Elle n'acheva pas sa phrase, toujours un peu inquiète à l'idée de ce qu'allait être son existence solitaire. En attendant que le divorce soit prononcé, le juge des affaires familiales avait condamné Guillaume à verser une pension conséquente à sa femme, et rien ne s'opposait à ce qu'elle s'installe là, d'autant plus que Nicolas se portait garant pour elle dans chacune de ses démarches administratives.

— Tu es un amour, murmura-t-elle en tendant la main vers lui. Tu m'as trouvé exactement ce dont je rêvais.

Même si ses rêves n'étaient pas, pour l'instant, très affirmés, elle émergeait peu à peu du cauchemar que lui avait infligé son mari ces dernières années. Que Nicolas soit celui qui avait eu la force de la sauver l'émouvait profondément. Il lui rendait au centuple l'affection qu'elle lui avait témoignée lorsqu'il était adolescent et elle se sentait éperdue de reconnaissance. Mais parfois, aussi, de honte, lorsqu'il l'interrogeait. Elle ne voulait pas monter davantage les deux frères l'un contre l'autre et se rendait bien compte qu'à chacune de ses confidences, Nicolas se mettait en colère. Néanmoins, elle avait commencé à parler et ne pouvait plus s'arrêter. Lucrèce, en venant bavarder avec elle à plusieurs reprises, l'avait énormément aidée. Comme prévu, elle avait trouvé plus facile d'avouer certaines choses à une femme, des choses intimes et douloureuses qu'elle osait à peine appeler par leur nom.

— Où en es-tu avec elle, Nick ?

— Avec Lucrèce ? Oh, je… Eh bien, en fait… peut-être que je finirai par y arriver, qui sait ?

Elle éclata de rire, avec une spontanéité qu'il ne lui avait plus connue depuis longtemps.

— Il y a une bonne dizaine d'années que je lui cours après. Davantage, même.

— Quand tu me l'as présentée, je me suis souvenue qu'elle venait te voir chez toi, bien avant ton mariage. Elle a des yeux qu'on n'oublie pas.

— Oui.

— Mais c'est si drôle de penser que c'est la fille de…

Elle s'interrompit, rougit. Nicolas, quoique intrigué pour la seconde fois, s'abstint du moindre sourire, du plus insignifiant commentaire. Qu'Agnès se soit trouvé un ami était ce qui pouvait lui arriver de mieux. À quarante-six ans, elle n'avait pas perdu toute chance de plaire, surtout lorsqu'elle se serait débarrassée de cet air craintif qui lui revenait parfois.

— Alors ? Tu le prends, cet appartement ?

— Oh, oui !

Fabian attendit que Lucrèce soit montée, puis il referma la portière, contourna la voiture et s'installa au volant. Ils avaient dîné au *Château Cordeillan-Bages*, juste avant Pauillac, mais malgré l'excellence de la cuisine, l'atmosphère était restée tendue entre eux et elle ne savait plus quoi faire. Il prétendait mal comprendre qu'elle ne l'ait pas appelé, le soir où elle avait été cambriolée, s'estimant décidément tenu un peu trop à l'écart de sa vie. Étonnée par cette affirmation, qui ne ressemblait guère à Fabian, elle n'avait pas pu s'empêcher de répliquer que, de toute façon, à six cents kilomètres de là, il n'aurait rien pu faire pour elle. Tout le reste du dîner, ils avaient évité le sujet, mais elle avait continué à se sentir mal à l'aise face à lui.

— Divin, ce bar rissolé au genièvre, déclara-t-elle en bouclant sa ceinture.

— Tant mieux…

Dans la pâle lumière des réverbères qui éclairaient le parking, Fabian la dévisagea deux ou trois secondes en silence, comme s'il attendait quelque chose, puis il démarra. Bordeaux était à une quarantaine de kilomètres et, pendant un moment, il conduisit en silence. Allait-il se taire durant tout le trajet ?

— Je te ramène chez toi ? proposa-t-il enfin.

— Non, je dors avec toi, répondit-elle d'une voix mal assurée.

Elle ne voyait pas du tout comment lui expliquer qu'elle n'en avait pas très envie, aussi fut-elle stupéfaite de l'entendre déclarer, à mi-voix :

— Jc ne crois pas, Lucrèce.

Elle se raidit aussitôt. Depuis le temps qu'elle le connaissait, elle savait interpréter la moindre de ses intonations, même s'il était très maître de lui, et elle devina sa colère latente, qui ne demandait qu'à éclater.

— Tu as un problème ? s'enquit-elle, le plus posément possible.

— À toi de me le dire.

Cette fois, elle lui jeta un coup d'œil inquiet. Décidément, quelque chose clochait.

— Fabian ? Qu'est-ce qui se passe ?

— En ce qui me concerne, rien. Mais toi, pourquoi ne me parles-tu pas ? Tu n'as plus confiance en moi ?

— Si, bien sûr !

— Alors, je t'écoute.

— Je ne comprends pas, murmura-t-elle sans conviction.

— Très bien, je vais être plus précis. Je pense qu'il y a un homme dans ta vie, en ce moment. Quelqu'un qui compte.

Elle en resta sans voix. Comment avait-il deviné ?

— Ce sont des choses qui arrivent, ma chérie. Le plus inacceptable est que tu continues à te taire. Quant à te forcer à venir chez moi, simplement parce que tu n'oses pas me dire la vérité en face, je trouve ça…

Renonçant à achever, peut-être pour ne pas la blesser, il profita d'un feu rouge pour se tourner à nouveau vers elle. En pleine confusion, elle évita son regard. Elle ne supportait pas l'idée de le faire souffrir, pourtant, il avait raison, elle était amoureuse de Nicolas.

Amoureuse de Nicolas… L'avoir pensé si simplement lui causa un choc. Trop longtemps, elle avait refusé d'accepter cette évidence, à laquelle Fabian n'hésitait pas à la confronter.

Jusqu'à ce qu'ils arrivent devant le pavillon, elle garda le silence. Allait-il la mettre au pied du mur, l'obliger à choisir ? Et dans ce cas, que faire ? Depuis plus de douze ans, Fabian avait tellement compté pour elle qu'elle n'imaginait même pas la vie sans lui.

Il se rangea le long du trottoir, laissa son moteur tourner.

— Je ne vais pas tricher avec toi, reprit-il d'un ton calme. J'étais à la gare, hier. Comme quoi, les surprises sont souvent une mauvaise idée ! Je ne savais pas que tu connaissais Nicolas Brantôme.

Elle eut l'impression de recevoir une douche froide. Combien de temps était-elle restée enlacée avec Nicolas dans la gare Saint-Jean ? Imaginant ce qu'elle aurait éprouvé à la place de Fabian, elle se sentit affreusement désemparée.

— Je le connais depuis très longtemps, murmura-t-elle. En fait, je vous ai rencontrés à peu près à la même époque. Mais je n'ai pas eu de… liaison, avec lui. Juste… Enfin, c'est sans importance.

— Tu trouves ?

Se résignant à lever les yeux sur lui, elle découvrit la gravité de son expression. Le moment de parler était arrivé, qu'elle soit prête ou non.

— Nicolas est le père de Roxane. Ce qu'il ignore, lâcha-t-elle d'un trait.

De façon paradoxale, avouer enfin la vérité la soulagea de toute la tension accumulée depuis le début de la soirée.

— Tu peux m'expliquer ça plus en détail ? s'enquit Fabian, soudain glacial.

— Je ne tenais pas à le lui dire. Ni à lui ni à personne.

— Pourquoi ?

— Parce qu'il était marié, et qu'à ce moment-là, je ne l'aimais pas vraiment.

— Et maintenant, c'est le cas ?

Incapable de lui donner la réponse brutale qu'il exigeait, elle baissa la tête. Au bout d'un insupportable silence, il ôta sa ceinture de sécurité, descendit de voiture et vint lui ouvrir la portière. Allait-il la quitter là, sur ce trottoir, sans ajouter un seul mot ? Elle voulut poser la main sur son épaule, comme pour le retenir, mais il recula.

— Bonsoir, Lucrèce.

— Non, attends !

Elle parvint à le saisir par le revers de sa veste, l'obligeant à s'arrêter.

— La dernière fois, dit-elle très vite, c'est moi qui t'ai fait une scène. Jamais nous n'aurions dû vivre de cette façon ! Je suis désolée, Fabian… Ne t'en va pas, je ne veux pas que tu sois triste, je…

— Triste ? répéta-t-il avec un accent cynique.

Il prit Lucrèce par le poignet, la contraignit à lâcher prise.

— Si tu veux ma bénédiction, en plus, eh bien, tu l'as !

Jamais il ne s'était adressé à elle d'une façon aussi cassante, presque agressive.

— Ne nous séparons pas comme ça, dit-elle dans un souffle.

— Ah, nous en sommes donc à la séparation ? Et tu voulais venir chez moi ce soir ? Pourquoi ?

Elle comprit qu'il était profondément blessé, non seulement en colère mais sans doute très malheureux. Une rupture, à son âge, devait être dure à vivre, surtout pour lui qui n'avait jamais laissé à aucune femme le temps de le quitter. Tout ce qu'elle pourrait dire ne ferait qu'envenimer les choses. Il l'avait vue dans les bras de Nicolas, il savait à quoi s'en tenir.

Alors qu'il était sur le point de contourner sa voiture, il s'arrêta.

— Je t'aime davantage que tu ne l'imagines, avoua-t-il d'une voix tendue. Si j'ai une chance de ne pas te perdre, je me battrai. Sinon, ne me laisse pas me ridiculiser. Nicolas Brantôme est un homme séduisant, je suis certain que tu ne l'as pas choisi au hasard. Peut-être n'aurais-tu pas gardé l'enfant d'un autre… Tu as trente-cinq ans, moi cinquante-sept, et lui, quoi ? Quarante ? Il a toutes les chances de gagner la partie, tu le sais et moi aussi.

Une boule dans la gorge, elle dut avaler sa salive à plusieurs reprises avant de pouvoir répondre. Elle le fit sans respirer, comme une confession trop longtemps retenue.

— Il était trop jeune pour moi. Complètement immature, romantique, entier. Je ne voulais pas te quitter, ça le rendait fou. Il s'est marié par dépit, on ne s'est plus vus. Roxane, c'est la folie d'une nuit. Tu étais à New York. Ensuite, je ne l'ai pas rencontré pendant des années. C'est un hasard qui… Je n'ai pas mené une double vie en te mentant tout le temps ! Sincèrement, Fabian, je ne sais plus très bien où j'en suis.

— Alors, réfléchis. Je ferai ce que tu veux. Mais ne nous mets plus en concurrence, choisis.

C'était une vérité si flagrante qu'elle ne trouva rien à ajouter. Impuissante, elle le regarda monter en voiture, claquer sa portière. Il avait raison, elle devait choisir. Fabian ou Nicolas, les deux seuls hommes qui aient vraiment compté pour elle. Par malchance, ils avaient croisé sa route en même temps, et durant plus de dix ans Nicolas avait dû s'effacer devant son rival. Fabian, lui, n'avait pas su jusque-là qu'il en avait un.

La rue était déserte, les feux arrière de la voiture avaient disparu et Lucrèce frissonna. Ici, à Bordeaux, devant ce pavillon loué avec Julien alors qu'ils entraient à peine dans l'âge adulte, le bilan de sa jeunesse s'imposait soudain avec une acuité inattendue. Elle voyait très nettement ce qui l'avait poussée vers Fabian à une époque où elle était assoiffée de revanche sur l'indifférence de son père. N'avait-elle pas voulu prouver à ce dernier qu'elle était capable de conquérir puis de retenir un homme ? Et pas n'importe lequel, un homme devant qui Brigitte tremblait à l'hôpital, un homme que Guy admirait depuis toujours, un homme de sa génération et de son milieu.

Fabian avait fait d'elle une femme épanouie, libre, sûre d'elle. En flattant son goût pour l'indépendance, en la poussant à réussir, il lui avait donné exactement ce qu'elle cherchait alors. Mais aujourd'hui ?

À la gare Saint-Jean, dans les bras de Nicolas, elle avait éprouvé quelque chose de différent. De neuf. Comme si enfin elle pouvait se laisser aller à aimer.

Comme si, après toutes les épreuves traversées séparément, ils avaient acquis le droit de se rejoindre. Il était le père de Roxane, et Fabian ne s'y était pas trompé, sans doute n'aurait-elle pas gardé l'enfant d'un autre. Nicolas avait toujours compté, y compris quand elle croyait ne plus penser à lui.

— Luce ? Tu fais quoi, au juste ?

Sorti sans bruit du pavillon, vêtu d'un jean et d'un pull, pieds nus dans ses tennis, Julien la rejoignit et passa affectueusement un bras autour de ses épaules.

— Des soucis, ma petite sœur ? La voiture m'a réveillé, mais ensuite je ne t'ai pas entendue entrer et je commençais à me demander ce qui t'arrivait.

— Sophie est là ?

— Oui. Elle dort.

Lucrèce appuya sa joue contre le pull de son frère, ferma les yeux.

— Il faut que j'arrive à le quitter, chuchota-t-elle.

— Fabian ? Vraiment ?

— Mmm…

Julien resta silencieux un moment, se bornant à lui caresser les cheveux.

— On serait mieux à l'intérieur, dit-il enfin.

Mais elle refusa de bouger, afin qu'il ne voie pas les larmes qui ruisselaient sur ses joues.

7

Mars 1998

Le printemps n'allait plus tarder, les jours rallongeaient, le jardin du Luxembourg était magnifique. Sauf qu'il y avait trop d'enfants, trop de gens, et que Lucrèce ne pouvait s'empêcher de regretter son jardin public, à Bordeaux. De plus en plus souvent, d'ailleurs, elle se languissait de sa ville, n'ayant jamais tout à fait réussi à se sentir l'âme d'une Parisienne.

N'était-il pas temps pour elle d'envisager un changement de vie ? Elle traversait depuis plusieurs semaines une période de flottement, de doute, or elle avait l'incertitude en horreur.

Assise sur une chaise rouillée, au bord du plan d'eau, elle consulta sa montre et constata qu'elle ne pouvait plus s'attarder au soleil. À cette heure, Roxane devait être en train de déjeuner, à la cantine de l'école, au milieu du bruit, des cris, des disputes. Même chez les tout-petits, les classes étaient surchargées, et les instituteurs débordés. Mais à Paris, tout n'était-il pas saturé ? Les bus comme les wagons du métro, les trottoirs comme les cafés ou les cinémas. Sans oublier les commissariats. Elle n'avait pas eu la moindre nouvelle au sujet du saccage de son appartement, et elle n'en aurait jamais. Sa mésaventure semblait insignifiante dans un monde où la violence se banalisait de jour en jour. Elle se souvenait d'avoir écrit un article, douze ans plus tôt, sur l'insécurité des rues de Bordeaux, la nuit, pour les femmes seules. Une vraie bluette ! Aujourd'hui, la peur était partout et les risques multipliés par cent, mais qui s'en souciait ? Une évolution pernicieuse des mentalités était en train de changer la société en profondeur. Où ferait-il bon élever ses enfants, dans un proche avenir ?

Elle se hâta vers la rue Monsieur-le-Prince, où Claude-Éric l'avait convoquée, toutes affaires cessantes. Lorsqu'elle l'avait appelé, la veille, pour lui demander conseil à propos de l'offre qu'elle venait de recevoir d'un hebdomadaire très en vue, il s'était presque mis en colère. Bousculant son planning, il lui avait fixé rendez-vous sans lui laisser le temps de protester. Lui, au moins, ne changeait pas. Peut-être allait-elle pouvoir lui soumettre le projet qui était en train de prendre forme dans sa tête, mais dont elle ne parvenait pas à déterminer s'il s'agissait d'une bonne ou d'une mauvaise idée.

À *Maintenant* régnait l'effervescence habituelle d'une veille de bouclage. Avec une pointe de nostalgie, Lucrèce regretta de ne pas participer à cette fièvre. Elle monta directement chez la secrétaire de Claude-Éric, qui la regarda arriver avec soulagement.

— Le patron vous attend ! J'espère que vous allez lui rendre le sourire, il est d'aussi mauvaise humeur que d'habitude…

Amusée à cette idée, Lucrèce alla frapper à la porte du bureau. Elle n'avait jamais tremblé devant Valère, même à l'époque où elle travaillait sous ses ordres, et n'allait pas commencer aujourd'hui.

— Ah, quand même ! lança-t-il en la toisant des pieds à la tête. Vous voulez que je m'occupe de vous et vous arrivez avec un quart d'heure de retard ! Encore à courir d'une rédaction à l'autre ?

— Non, je profitais du soleil au Luxembourg. Comment allez-vous, Claude-Éric ?

— Moi, très bien ! Je ne peux pas me payer le luxe de musarder, et je m'en félicite ! Alors, cette proposition mirobolante ? Racontez-moi ça en détail…

D'un geste impérieux, il l'invita à s'asseoir, et tandis qu'elle lui exposait les conditions de l'offre qu'elle avait reçue, il se mit à faire les cent pas.

— Eh bien, ils ne lésinent pas, vous les intéressez pour de bon ! Ce qui n'a rien de très étonnant. Vous vous êtes fait un nom, l'ensemble de la profession vous connaît…

Malgré tout ce qu'il avait pu lui dire lorsqu'elle s'était obstinée à vouloir Roxane, il la considérait toujours comme une journaliste exceptionnelle.

— Néanmoins, je ne vous conseille pas d'accepter, ajouta-t-il de façon abrupte.

— Pourquoi ?

— Parce que si vous êtes enfin assez raisonnable pour réintégrer une rédaction au lieu de caracoler toute seule, autant que ce soit à *Maintenant*. Je peux vous faire un contrat équivalent, et même vous payer un peu mieux que mon concurrent pour justifier votre choix !

Éberluée, elle s'assura d'abord qu'il était sérieux, puis elle éclata franchement de rire.

— Claude-Éric ! Vous m'avez flanquée dehors !

— Non, non, c'est vous qui avez claqué la porte.

— Vous m'aviez même prédit que, tant que vous seriez vivant, je ne…

— Et alors ? Il n'y a que les imbéciles qui ne changent pas d'avis. Ces temps-ci, vous m'avez vendu des papiers fantastiques, arrêtons de travailler au coup par coup.

Il désigna la couverture du dernier numéro de *Maintenant.*

— Ce procès Papon vous a inspirée. Je ne sais pas si c'est parce que les débats se déroulaient à Bordeaux, mais votre article est le meilleur de tout le dossier que nous avons consacré à ce sujet. Non, décidément, je ne vous laisserai pas partir ailleurs que chez moi !

Le sourire de Lucrèce s'effaça et elle prit une profonde inspiration. Le moment était venu de lui exposer son projet, elle devait se jeter à l'eau.

— Chez vous, Claude-Éric, ce n'est pas uniquement *Maintenant*… Vous avez d'autres titres dans votre groupe et… Oh, je ne sais pas comment vous demander ça, mais j'y pense depuis un moment, je crois qu'un de ces jours, j'aimerais rentrer à Bordeaux.

— À Bordeaux ? Vous êtes folle ou quoi ?

Il la considéra d'un air incrédule puis, cessant de déambuler, il alla s'asseoir derrière son bureau, d'où il continua à la scruter.

— Seriez-vous en train de m'annoncer que vous prenez votre retraite ? À trente-cinq ans ? Qu'est-ce que vous avez dans la tête, Lucrèce ? Un petit pois ?

Incapable d'interpréter le regard de Valère, elle se dit que jamais il n'allait accepter ce qu'elle s'apprêtait à lui demander.

— La vie à Paris me désespère. Et j'en ai fait le tour.

— Le tour de quoi ? répliqua-t-il d'un ton sarcastique. Vous plaisantez ? Vous croyez que vous avez tout vu ?

— Pas tout, non, mais ça me suffit.

— Bon sang, si seulement vous m'aviez écouté ! Mais non, vous vous êtes encombrée d'une gamine, et aujourd'hui vous êtes le cul entre deux chaises. Ce métier-là, on ne peut le faire qu'à fond, vous le savez bien, et quand on est doué comme vous, on ne retourne pas s'enterrer dans sa province ! Trouvez-vous une nurse de confiance et venez bosser avec moi.

— Non…

— Alors, si c'est une question d'orgueil, allez chez ce foutu concurrent !

— Non plus.

— Mais qu'est-ce que vous faites là alors ? Je rêve ! Vous vouliez juste me faire perdre mon temps, ce matin ?

Sa voix vibrait de colère, il ne comprenait pas, il devait penser qu'elle était venue le narguer.

— Écoutez-moi une minute, Claude-Éric. S'il vous plaît… Il y a bien longtemps, vous m'avez convaincue de vous rejoindre à Paris, et je ne l'ai pas regretté. Avec vous, j'ai appris tout ce qu'il y a à savoir sur ce métier, la preuve, j'ai pu l'exercer sans vous par la suite. Mais vous êtes tellement parisien dans l'âme que vous n'imaginez même pas qu'on puisse exister ailleurs ! Pourtant, l'information est partout, surtout avec les moyens actuels. Ce n'est pas un avis que je suis venue vous demander, mais une faveur. J'aimerais réintégrer le *Quotidien du Sud-Ouest.* Je sais que ça vous fait frémir, alors que moi, j'en rêve. À cause de Roxane, bien sûr, mais pas uniquement. Je veux rentrer chez moi, c'est aussi simple que ça.

Soulagée d'avoir mis les cartes sur la table, elle soutint son regard tandis qu'il gardait le silence, les yeux rivés sur elle, affichant une expression indéchiffrable. Puis il poussa un long soupir et secoua la tête.

— Si je vous connaissais moins bien, Lucrèce, je vous engueulerais… Le *Quotidien du Sud-Ouest* ! Avant tout, il faut que vous sachiez une chose, ce journal perd de l'argent et je ne suis pas sûr de le garder dans mon groupe. Les tirages sont en baisse, les annonceurs se défilent et le rédac chef s'arrache les cheveux.

— Il n'y a pourtant pas de concurrence ?

— Non. Personne en face, mais c'est comme ça. Question de mode ? Les gens préfèrent les grands supports nationaux, ils ont moins l'esprit de clocher.

— C'est faux !

— Vous croyez ?

Il la contempla comme s'il se posait réellement la question. Au bout d'un instant, elle vit une étincelle s'allumer dans ses yeux et comprit qu'elle venait de toucher un point sensible. Valère avait le goût du challenge.

— Peut-être pourriez-vous les réveiller un peu, là-bas… dit-il lentement. Qui sait ? Avec quelqu'un comme vous… Mais soyons clairs, je considère que c'est du gâchis. Si le journal finit par se casser la gueule, dans un an ou deux, qu'est-ce que vous deviendrez ? Vous ferez des piges, de temps à autre, par correspondance ?

D'un mouvement du menton, il désigna la grande photo qui était toujours sur son mur, celle où la première équipe de rédaction de *Maintenant* avait posé devant le porche de l'immeuble. Lucrèce souriait à l'objectif, rayonnante, éclipsant tous ses confrères.

— J'avais de grands projets pour vous à l'époque. J'ai fait de cet hebdo ce que j'espérais, c'est-à-dire le premier du marché. Mais vous, vous m'avez claqué entre les doigts.

— Parce que je n'ai pas voulu coucher avec vous ?

Il ne put maîtriser un geste d'humeur, tapant sur son bureau du plat de la main.

— Peut-être, oui ! Et après ? C'est humain, non ?

— D'accord. Mais n'essayez pas de me culpabiliser. Vous dites toujours que je me suis gâchée parce que je n'ai pas été ce que *vous* vouliez. Nous n'avions pas forcément les mêmes ambitions.

— Vous en avez encore ?

— De l'ambition ? Bien sûr !

— En guignant une place de journaliste au *Quotidien du Sud-Ouest* ?

— Journaliste ? Pourquoi pas celle de rédacteur en chef adjoint ?

— Ah, je vois…

Esquissant un sourire, il la considéra un moment en silence.

— J'ai toujours bien aimé votre culot, finit-il par déclarer d'une voix ironique. Rédacteur en chef adjoint… Vous vous sentiriez les épaules ?

— Oui !

La réponse était nette, gaie, presque guerrière. Il se laissa aller contre le dossier de son fauteuil, les yeux mi-clos, et fit son choix en moins d'une minute.

L'instrumentiste fit claquer la pince dans la paume de Fabian. Autour de ce dernier, la plupart des membres de l'équipe chirurgicale commençaient à donner des signes de fatigue. De complication en complication, l'intervention durait depuis plus de quatre heures et l'anesthésiste devenait nerveux.

S'écartant un peu de la table, Fabian réfléchit durant deux ou trois secondes, indifférent à tous les yeux rivés sur lui, puis il prit une décision. Parfaitement concentré, comme à son habitude, il donna un ordre bref à son assistant et se remit au travail.

— Petite chute de tension, murmura l'anesthésiste.

— Soutiens-le, Paul, j'en ai encore pour un moment, répondit Fabian à mi-voix.

Les haut-parleurs diffusaient du Brahms en sourdine et personne ne parlait en dehors des phrases indispensables. L'opération se révélait plus délicate que prévu en raison de la grande friabilité des os du patient, un homme d'une soixantaine d'années auquel Fabian avait promis de rendre toute sa mobilité.

— Tu veux que je te relaie ? proposa l'assistant.

— Non, ça va.

Après avoir consulté Paul du regard, Fabian réclama un trépan. Conscient qu'il prenait des risques, il travaillait avec des gestes rapides, précis. Il creusa davantage la cavité dans la tête du fémur, tout en essayant de ne pas laisser son esprit vagabonder. Au bloc, la plupart du temps, il parvenait à ne penser qu'à l'opération en cours mais, dès qu'il franchirait la porte, tout à l'heure, il serait de nouveau assailli par ses soucis personnels.

D'un œil critique, il examina ce qu'il venait de faire, mit la prothèse en place puis la retira, pas encore satisfait. Lorsqu'il perçut le soupir exaspéré d'une infirmière, à sa gauche, il s'interrompit un instant pour lui jeter un coup d'œil, la faisant rougir jusqu'aux oreilles.

— Voulez-vous sortir ? lâcha-t-il d'une voix glaciale.

— Non, monsieur, balbutia-t-elle.

Il ne se souvenait plus de son prénom, toutefois il avait remarqué, le matin même, combien elle était jolie. Ce serait sans doute une conquête facile, mais il ne voulait pas y songer pour le moment. Durant près d'un quart d'heure, il s'obstina à rechercher la perfection, au millimètre près, sans jamais se laisser distraire.

— On termine, décida-t-il enfin.

Soulagé, il recula de deux pas pour signifier à son assistant qu'il lui laissait la place. Puis, après un dernier regard de contrôle, il quitta la salle d'opération. Dans le vestiaire des chirurgiens, il se débarrassa de son masque, ses gants, son calot et sa blouse couverte de sang.

— Superbe ! lui lança un de ses confrères en entrant. J'ai regardé la fin derrière la vitre, c'était passionnant ! À ta place, j'aurais jeté l'éponge.

— Et ce pauvre type aurait boité jusqu'à la fin de ses jours… maugréa Fabian.

Il se glissa dans l'une des cabines de douche, ouvrit l'eau. La fatigue le prit par surprise et il ferma les yeux, laissant ruisseler le jet tiède sur sa nuque douloureuse. La réussite d'une intervention difficile ne lui procurait plus la même allégresse que dix ans plus tôt. Signe qu'il vieillissait, sans doute. Ou bien qu'il était, pour l'instant, incapable d'éprouver une joie quelconque. Sa rupture avec Lucrèce l'atteignait encore plus profondément qu'il ne l'avait redouté, il lui arrivait de se demander s'il s'en remettrait jamais.

En sortant de la douche, il se sécha, s'habilla, puis alla faire son nœud de cravate devant une glace. À cinquante-sept ans, il était encore séduisant, mais pour combien de temps ? Dans l'hôpital, les femmes le regardaient toujours autant, soit parce qu'il était auréolé de son prestige de grand patron, soit parce qu'il possédait réellement du charme, hélas il restait assez indifférent à leurs avances. Son goût de la conquête n'avait plus la même force depuis que Lucrèce n'était plus dans sa vie. Quel amer paradoxe !

À la sortie des vestiaires, un petit groupe composé d'étudiants et d'internes l'attendait. Il s'arrêta cinq minutes près d'eux, abrégea leurs timides compliments et accepta de commenter pour eux les différentes phases de son intervention.

— Du très beau travail, Fabian, chuchota Paul en passant derrière lui.

Au moins, l'ambiance de l'hôpital était rassurante, familière, il s'y sentait à l'abri. D'ailleurs, il en partait de plus en plus tard, le soir. Pour éviter de se retrouver seul, il acceptait la plupart des nombreuses invitations qu'il recevait, mais même dans un dîner très animé, il ne pouvait s'empêcher de penser à Lucrèce. À Lucrèce avec Nicolas Brantôme.

Il ne l'avait pas revue depuis leur dîner au *Château Cordeillan-Bages*, trois mois plus tôt. À plusieurs reprises, elle lui avait téléphoné, comme si elle ne se résignait pas à rompre tout à fait, ce qui ne faisait que le torturer davantage. Alors, il s'était montré inflexible : elle devait choisir. Et il savait très bien quelle serait sa décision, au bout du compte. Qu'elle le veuille ou non, leur histoire était finie. Quant à rester amis, il le lui avait promis mais pour plus tard, lorsqu'il serait capable de la revoir sans souffrir comme un damné.

Lucrèce représentait plus de douze années de sa vie, elle était la seule femme qu'il ait vraiment aimée. S'il avait pu supporter qu'elle quitte Bordeaux pour aller faire carrière à Paris, qu'elle connaisse quelques aventures de passage loin de lui, et même qu'elle lui annonce un jour qu'elle attendait un enfant, en revanche, il ne s'était pas senti de taille à accepter qu'elle en aime un autre. Car elle aimait pour de bon, il en avait malheureusement la certitude.

Il gagna son bureau, à l'étage de la chirurgie orthopédique, et Noémie vint aussitôt lui apporter un café léger, sans sucre.

— Vous avez eu un appel de New York, monsieur. Je vous ai laissé les coordonnées là… J'ai aussi décalé vos deux premiers rendez-vous, le bloc m'a fait savoir que vous seriez en retard. Voulez-vous que j'aille vous chercher un sandwich ou une salade ?

— Merci, non, je vais commencer ma consultation tout de suite. Laissez-moi juste cinq minutes pour ce coup de téléphone.

Dès qu'elle fut sortie, il prit la fiche où était inscrit le numéro. Les propositions des Américains devenaient de plus en plus pressantes depuis qu'il avait laissé entendre qu'il ne serait pas opposé à une installation là-bas. Il s'était toujours dit que, après Lucrèce, ce serait pour lui une planche de salut. Le moment était-il arrivé de se décider pour de bon ? S'il devait quitter Bordeaux et changer de vie, autant ne plus différer. Aujourd'hui, il était encore au summum de ses capacités professionnelles, mais un jour ou l'autre, inéluctablement, le déclin s'amorcerait.

Songeur, il reposa la fiche. Attendre ne lui servait à rien, certes, mais avant de s'engager définitivement il voulait patienter encore un peu. Il repoussa à plus tard la conversation avec celui qui lui offrait un pont d'or, sans doute la gloire, et aussi un bloc opératoire tel qu'il n'en existerait jamais à Bordeaux.

Atterré, Nicolas regarda autour de lui. À défaut de pouvoir exercer sa violence sur sa femme, Guillaume semblait s'être défoulé sur les objets. Le grand hall de la chartreuse était jonché de débris de verre qui, à les regarder de plus près, provenaient de deux vases anciens, autrefois posés sur une commode. Guillaume avait dû les balayer d'un revers de main rageur et n'avait pas jugé utile de ramasser les morceaux.

Afin de ne pas surprendre son frère, qui demeurait invisible, Nicolas retourna vers la porte d'entrée et sonna une nouvelle fois.

— Je t'ai entendu, arrête ton cirque, grommela Guillaume.

Il venait de s'immobiliser sur le seuil du salon, une cannette de bière à la main. Nicolas lui trouva une mine épouvantable, avec ses yeux cernés, ses traits tirés, son air hagard.

— J'espère que tu as une bonne raison pour débarquer ici…

— Il faut que nous parlions, toi et moi.

— De quoi ? Du bordel que tu as mis dans mon existence ? Grâce à toi, je suis tout seul, et il y a un foutu avocat qui passe son temps à m'envoyer du courrier ! Je ne divorcerai pas tant qu'Agnès ne me l'aura pas demandé elle-même. On verra bien si elle ose me le dire en face !

— Pas question, Guillaume. Tu ne peux pas la rencontrer ni lui parler. Passe par ton avocat.

Au lieu de répondre, son frère fit quelques pas à travers le hall, piétinant les bouts de verre avec indifférence.

— Tu étais un gentil petit garçon, dit-il d'une drôle de voix. Mais c'était il y a très longtemps… J'ai fait ce que j'ai pu pour toi, et je ne pensais pas que tu te retournerais contre moi un jour.

— Je ne pouvais pas te laisser faire, Guillaume.

— Pourquoi ? Agnès t'a sûrement raconté un tas de salades, et elle n'a pas dû se vanter d'adorer les réconciliations sur l'oreiller !

— Inutile d'en parler avec moi. Tu devrais voir un psy, tu as vraiment perdu les pédales.

À plusieurs reprises, Nicolas avait tenté de joindre Guillaume à son bureau, mais sans succès. À croire qu'il ne s'intéressait plus à son affaire de négoce qui, pourtant, avait été jusque-là sa raison de vivre.

— Un psy… répéta Guillaume d'un ton sarcastique. Pour quelques gifles ?

— Appelle donc les choses par leur nom ! La première gifle, comme tu dis, elle n'aurait jamais dû l'accepter. Mais ensuite tu lui as cassé une dent, une autre fois un poignet, et pour finir le bassin ! Elle a des certificats médicaux, si elle avait porté plainte, tu serais en taule.

— Rien que ça ! s'exclama Guillaume avec un ricanement sardonique.

— Tu es sur une mauvaise pente. Quand j'étais un petit garçon, plutôt gentil d'après toi, tu m'as donné quelques raclées sévères mais tu ne m'as jamais envoyé à l'hôpital. À l'époque, tu te contrôlais, or ce n'est plus le cas aujourd'hui. Tu as vraiment besoin d'être soigné, alors soit tu le fais de ton plein gré, soit la justice t'y contraindra.

— À quel titre ? Parce que je casse les vases chez moi ?

— C'est chez *nous* et ces vases sont aussi les miens.

— Eh bien, ramasse les morceaux et emporte-les ! explosa Guillaume.

Lâchant sa canette de bière, il franchit la distance qui le séparait de son frère. Avec un affreux sentiment de déjà-vu, Nicolas recula un peu, prêt à se défendre. Une douzaine d'années plus tôt, ils s'étaient battus tous les deux, et ce jour-là, Nicolas avait cru leur contentieux enfin liquidé. Mais apparemment, il n'en était rien.

— Arrête, Guillaume, dit-il d'une voix rauque.

Répondre à la violence par la violence avait beau être stupide, il savait très bien que s'ils en venaient aux mains, toute la rancune et le mépris accumulés contre Guillaume risquaient de lui faire perdre le contrôle de lui-même. Combien de fois, en découvrant le visage tuméfié d'Agnès, avait-il eu envie de se jeter sur son frère ? Enfant, il ne pouvait pas riposter, il avait subi l'excès d'autorité de Guillaume sans broncher. Leur mère disparue, leur père cloué dans un fauteuil d'infirme, bon gré mal gré, il obéissait à son frère aîné. Adolescent, il n'avait pas eu le choix de ses orientations scolaires, et plus tard Guillaume l'avait contraint à s'inscrire dans une école supérieure de commerce, à partir pour l'Angleterre, à se former au négoce du vin, à abandonner ses rêves au sujet des vignes. Il avait dû attendre longtemps avant de pouvoir s'émanciper, et Guillaume ne lui avait pas pardonné son besoin d'indépendance, l'obligeant à se révolter pour de bon. Aujourd'hui, s'ils s'affrontaient, ce serait sans merci.

— Je ne veux pas, murmura-t-il en se dirigeant vers la porte.

Guillaume lui barra aussitôt la route, menaçant.

— Allez, Nick… Tu en meurs d'envie !

Se consolait-il du départ d'Agnès dans l'alcool ? Dans quelle mesure son état mental s'était-il dégradé ? Avait-il saccagé le reste de la maison ? Nicolas ne tenait pas vraiment à le savoir, néanmoins il ne pouvait pas abandonner son frère à ses démons. Son sens du devoir le lui interdisait, et aussi un reste d'affection dont il ne parviendrait sans doute jamais à se défaire.

— Calme-toi et écoute-moi, Guillaume. Nous battre n'arrangera rien.

— Je m'en fous ! Depuis le temps que tu me pourris la vie, tu as besoin d'une leçon.

— Je ne t'ai rien fait.

— Oh, que si ! Je t'ai élevé, et ç'a été moins facile que tu le crois. J'ai tenu à bout de bras l'affaire familiale, et tu t'es dépêché de me laisser tomber. Je t'ai donné le chai, et tu as fait monter un grillage entre toi et moi. Je t'ai montré que j'adorais ton fils, et tu n'as jamais voulu me le confier, comme si j'étais un pestiféré ! Après tout ça, tu as bourré le crâne d'Agnès, tu l'as convaincue que je suis un monstre…

D'un geste brusque, Guillaume donna une violente bourrade à Nicolas qui trébucha au milieu des débris.

— Tu n'as plus dix ans, Nick, tu vas me rendre des comptes !

Avant d'avoir pu réaliser ce qui lui arrivait, Nicolas se retrouva projeté à travers le hall. Il s'effondra au pied de l'escalier, sa tête heurtant violemment la rampe de fonte laquée.

— Je sais bien que tu dois trouver ça un peu ridicule, mais dis-moi laquelle tu préfères, insista Sophie.

— Elles ne sont pas ridicules du tout, elles sont superbes, répondit Lucrèce d'un ton réjoui.

Elle compara les deux longues robes blanches, obligeamment prêtées par la luxueuse boutique à laquelle Arnaud Granville s'était adressé pour le mariage de sa fille.

— J'aime autant la plus décolletée des deux… Elle est plus élégante, plus moderne. Passe-la !

Sans se faire prier, Sophie, qui était en sous-vêtements, enfila le fourreau de satin blanc, dont le corsage drapé était souligné de délicates broderies. Lucrèce se leva pour lui poser sur les épaules la cape trois-quarts qui le complétait.

— Tu es magnifique… apprécia-t-elle. Il faudra au moins une jaquette et un haut-de-forme à Julien pour t'accompagner !

Brusquement inquiète, Sophie fronça les sourcils.

— Peut-être ne va-t-il pas apprécier ? Je peux aussi bien me marier en tailleur, faire plus simple ! Tu sais, c'est papa qui s'est mis en tête d'organiser un mariage en grande pompe, mais je ne tiens pas à lui servir de panneau publicitaire pour sa campagne électorale !

Comme toujours, lorsqu'elle parlait de son père, elle pourtant si timide devenait presque autoritaire.

— Julien s'en moque, affirma Lucrèce d'un ton apaisant. Ce qui te fait plaisir lui ira très bien. Puisque tu es réconciliée avec tes parents, laisse-les donc s'amuser… Ton père et le mien sont exactement sur la même longueur d'ondes, la liste des invités s'allonge de jour en jour !

Rassurée, Sophie lui adressa un sourire éblouissant.

— Tu as raison, ne soyons pas rancunières ! Quand je pense qu'à une certaine époque, papa ne voulait plus que tu mettes les pieds chez nous… Pour lui, tu étais mon mauvais génie. Tu t'en souviens ?

— Très bien.

Dans ce superbe appartement du cours de l'Intendance, Lucrèce avait été interdite de séjour parce qu'elle occupait alors un emploi de caissière au supermarché, et qu'Arnaud Granville la considérait comme une fille « déclassée », infréquentable. Une notion devenue absurde, même pour lui, car non seulement les mentalités avaient beaucoup évolué depuis les années quatre-vingt mais, surtout, en tant que député et démagogue rusé, il ménageait désormais toutes les catégories sociales. D'ailleurs, Lucrèce était remontée dans son estime depuis qu'elle avait réussi sa carrière de journaliste à Paris. Quant à Julien, il possédait ses titres de champion sportif, il était aussi le fils d'un stomatologue réputé à Bordeaux, il pouvait faire un gendre très acceptable.

— Sais-tu ce que maman m'a dit, en m'ouvrant la porte tout à l'heure ? Qu'elle est bien contente que je finisse par me « caser », elle se demandait si je ne resterais pas vieille fille !

D'un geste circulaire, Sophie désigna la pièce autour d'elles.

— Regarde cette chambre… C'est d'une mièvrerie ! Quand je pense que j'ai vécu là…

Les meubles peints au pochoir, le dessus-de-lit en piqué de coton blanc, les rideaux de dentelle et la moquette bleu pâle représentaient sans doute, pour la mère de Sophie, le cadre idéal d'une jeune fille sage.

— Elle n'a touché à rien, tout est figé, pourtant elle savait bien que je ne reviendrais pas vivre ici !

Lorsque Sophie était partie de chez ses parents, en claquant la porte, elle avait loué un petit appartement près du jardin public, à deux pas du musée où elle travaillait, et même si elle n'y avait pas été très heureuse, jamais elle n'avait envisagé de rentrer au bercail.

— Eh bien, quand vous aurez des enfants, Julien et toi, ça fera une jolie nursery !

Sophie éclata d'un rire joyeux, comme si cette perspective l'enchantait.

— Je voudrais un garçon d'abord, et qu'il ait vos yeux, à ton frère et à toi !

Songeuse, Lucrèce esquissa un sourire contraint. Roxane avait les yeux de son père, les yeux dorés de Nicolas. Quand allait-elle se décider à lui apprendre que cette petite fille était la sienne ? Elle désirait le faire mais, pour l'instant, elle n'avait pas encore accepté la rupture brutale imposée par Fabian, et des sentiments contradictoires l'empêchaient de se livrer à Nicolas.

— Qu'est-ce que tu as ? murmura Sophie en se penchant vers elle. Un coup de blues ?

Lucrèce secoua la tête. Pas question d'assombrir le bonheur de Sophie avec ses propres histoires. L'une comme l'autre avaient eu un parcours difficile jusque-là, mais à présent Sophie était tirée d'affaire et elle avait le droit d'en profiter pleinement.

— Je suis très heureuse que tu épouses mon frère. Vous méritiez de vous retrouver, tous les deux, vous allez si bien ensemble ! Quand je vous voyais faire n'importe quoi, chacun de votre côté, j'en étais malade.

— Il n'y est pour rien, c'est à cause de moi que nous avons perdu tout ce temps, soupira Sophie.

— Non ! Il fallait que tu en passes par là, tu le sais très bien. Julien ne pouvait pas t'aider, et finalement ton… aventure avec ce psy vous a permis de prendre du champ. Tu as réglé tes problèmes, Julien t'a attendue, tout s'est arrangé.

Sophie acquiesça et se redressa.

— Et toi, Luce ? Est-ce que tout s'arrange pour toi ?

— On en parlera une autre fois. Là, on s'occupe de ta robe. Franchement, celle-là te va divinement bien. Avec un petit chapeau et une voilette, tu seras fantastique !

— Une voilette ?

— Oui, pour que Julien puisse la soulever, à l'église, et t'embrasser. Je suis prête à parier que tu rougiras à ce moment-là !

Elles éclatèrent de rire, retrouvant toute leur insouciance. Amies depuis le collège, elles avaient partagé les joies comme les drames pendant vingt ans, elles se connaissaient par cœur, et la perspective de devenir belles-sœurs les égayait beaucoup.

— Où comptez-vous habiter ? s'enquit Lucrèce avec curiosité. Pas le pavillon, tout de même ? Il était bon pour les joyeux célibataires que nous étions, mais je crois qu'il va falloir se décider à résilier le bail…

— Je suis capable de le regretter ! Pas toi ?

— Si, sans doute… Comme on regrette sa jeunesse, je suppose.

Le temps était loin où Lucrèce, en sortant de l'hypermarché où elle travaillait, préparait des pâtes ou des pizzas pour son frère et pour Sophie. Mais ils avaient vécu là des soirées merveilleuses, s'enivrant de projets, portés par un enthousiasme à toute épreuve, un insatiable appétit de vivre. Chacun, à sa manière, avait fini par réaliser une part de ses rêves, mais ils étaient allés chercher bien loin ce qu'ils possédaient déjà. Jamais Lucrèce n'aurait pu croire, si on le lui avait prédit, qu'elle désirerait un jour revenir au *Quotidien du Sud-Ouest*, quitté sans regret pour « monter » à Paris. Ni que, au bout du compte, elle préférerait Nicolas à Fabian. Avait-elle, sans le savoir, tout trouvé à vingt ans ?

— Julien aimerait être le plus près possible de ses chevaux, ce que je comprends, reprit Sophie. D'autant plus que Xavier Mauvoisin lui a proposé une sorte d'intéressement aux bénéfices du Cercle de l'Éperon et qu'il veut s'y investir à fond. Alors on va chercher quelque chose du côté du bois, ou du golf. Mais quoi qu'on décide, il y aura toujours une chambre pour toi et une pour Roxane !

— Tu es un amour, murmura Lucrèce d'une voix attendrie. Mais ne vous occupez pas de moi.

— Tu plaisantes ? Tu te vois descendre à l'hôtel quand tu viens à Bordeaux ?

Lucrèce aida Sophie à se débarrasser de la cape, puis à ôter le long fourreau blanc.

— À vrai dire, murmura-t-elle, il risque d'y avoir bientôt quelques changements dans ma vie…

— Encore ? s'écria Sophie. Ne m'annonce pas que tu vas partir à l'étranger ou un truc de ce genre !

— Non, c'est plutôt le contraire. Rien n'est sûr pour l'instant, mais il se pourrait bien que je revienne ici définitivement.

— Ici ?

Sans quitter Lucrèce des yeux, Sophie enfila son jean, son tee-shirt. Ainsi vêtue, et bien qu'elle ait trente-quatre ans, elle avait toujours l'air d'une très jeune fille.

— Ne me fais pas languir, raconte !

— J'en ai un peu marre de Paris. La course tout le temps, le sacro-saint boulot avec une meute de concurrents à tes trousses, la crèche et les baby-sitters... Dépenser tout mon salaire en loyer, voir Roxane tousser à longueur d'année au milieu des pots d'échappement... Et poursuivre quel but, au bout du compte ? La retraite dans un trois-pièces sur cour ?

Sophie s'assit en tailleur, à même la moquette, tout en observant Lucrèce.

— Toi, dit-elle lentement, tu as tout bêtement le mal du pays, non ?

— Peut-être. Ma famille est ici. Toi, mes racines, mes habitudes... Je pars toujours avec un sentiment de regret, de frustration.

— Mais sur un plan professionnel, qu'est-ce que tu peux faire, à Bordeaux ?

— Eh bien, il existe une possibilité. Une seule, en fait. Alors tout dépendra de mon ancien patron.

— Valère ? Celui dont tu disais qu'il ressemble à un oiseau de proie ?

— Aujourd'hui, ce serait plutôt un vieil aigle ! Tu vois, c'est drôle, ce type a été mon bon et mon mauvais ange. S'il n'y avait pas eu Fabian, je crois que j'aurais pu craquer pour lui. Il est d'une intelligence redoutable, ça finit par lui donner du charme… Mais, bon, il était trop autoritaire pour moi, de toute façon. Et puis, au fond, je ne devais pas rêver de cette vie-là. Être l'égérie d'un grand homme, sa collaboratrice, comme on dit pudiquement, non, très peu pour moi… Je pense qu'il a fini par le comprendre, à défaut de l'accepter de gaieté de cœur, et j'espère qu'il me donnera ce dernier coup de pouce. Je vise la place de rédacteur en chef adjoint au *Quotidien du Sud-Ouest*.

— Rien que ça !

— J'ai la formation voulue, l'expérience. Le seul hic, c'est que je suis une femme. Et un adjoint devient rédac chef un jour ou l'autre…

Les yeux brillants, Sophie hocha vigoureusement la tête.

— Tu y arriveras ! Je suis prête à prendre les paris.

Sa confiance absolue avait quelque chose de touchant. Depuis toujours, Lucrèce était son modèle, sa référence. Avec un sourire un peu forcé, Lucrèce acquiesça, moins sûre d'elle qu'elle l'aurait souhaité.

Nicolas n'avait perdu connaissance que quelques instants. Lorsqu'il émergea, il fut pris d'un haut-le-cœur et il faillit vomir. Il avait du mal à respirer. Sans doute son frère s'était-il défoulé sur lui à coups de pied… Au prix d'un gros effort, il parvint à se redresser puis à s'asseoir, s'adossant à la rampe de l'escalier.

Un soudain vrombissement de moteur, au-dehors, le fit sursauter. Il entendit des pneus déraper sur le gravier, puis la voiture sembla s'éloigner à toute allure. Pourquoi Guillaume fuyait-il avec une telle hâte ? Pour ne pas massacrer son frère jusqu'au bout, dans un reste de lucidité ?

Nicolas leva la main, la passa dans ses cheveux et l'en retira pleine de sang. Une plaie assez profonde lui entaillait le cuir chevelu, mais il ne voulait pas s'en occuper pour l'instant. Qu'était-il arrivé pendant son évanouissement ? Avec des mouvements prudents, il finit par se relever, s'efforçant de ne jamais respirer à fond. Il devait avoir plusieurs côtes cassées, à en croire la douleur qu'il éprouvait.

La porte d'entrée était grande ouverte. Il essaya d'imaginer son frère passant ses nerfs sur la route. Déjà, dans son état normal, il conduisait comme un fou… Et il était en train de le devenir pour de bon. Le simple fait qu'il n'aille plus au bureau se révélait vraiment alarmant. Nicolas aurait-il dû s'en soucier plus tôt ? Mais chacune de leurs rencontres se soldait par une violente dispute, Guillaume réclamant inlassablement la présence d'Agnès. Était-il possible qu'il l'aime à sa manière brutale et tyrannique, du fond de sa démence ? De toute façon, il faudrait qu'il finisse par se faire une raison, sa femme était définitivement hors de portée.

— Qu'est-ce qui lui reste ? marmonna Nicolas en traversant le hall à pas comptés.

Il alla jeter un coup d'œil dans le salon, où tout paraissait en ordre, puis à la cuisine qui, en revanche, était sens dessus dessous. Là aussi, la vaisselle cassée jonchait le sol, des restes de nourriture moisissaient dans des barquettes en carton abandonnées un peu partout.

— Mon Dieu…

Démoralisé, Nicolas s'assit sur un tabouret. Quelle part de responsabilité avait-il dans ce désastre ? Aurait-il pu exiger que son frère se fasse soigner des années plus tôt ? Mais non, jamais Guillaume n'avait accepté le moindre conseil, et surtout pas émanant de son petit frère ! Qu'il considérait toujours comme le gamin qu'il avait élevé.

« Tu étais un gentil petit garçon. » Il l'avait dit à regret, d'une voix étrange. Avait-il conscience de déraper un peu plus chaque jour ? Et dans ce cas, à qui pouvait-il se confier ? Il n'y avait plus personne autour de lui, ni épouse, ni frère, belle-sœur ou neveu, et Nicolas ne lui connaissait aucun ami.

— Je ne vais pas le plaindre, ce n'est pas lui la victime…

Malgré tout, une émotion inattendue le prenait à la gorge en imaginant la détresse de Guillaume. Qui aurait pu le tuer, un quart d'heure plus tôt. Sans doute avait-il profité de son inconscience pour le frapper, mais au moins, il avait su s'arrêter. Preuve qu'il n'était pas irrécupérable. Où avait-il pu aller ?

Abandonnant le tabouret, Nicolas gagna l'évier et s'obligea à mettre la tête sous le jet d'eau froide. Un moment, il regarda le sang couler dans le bac, ensuite il attrapa un torchon qu'il appuya le plus fort possible sur la plaie. Il avait probablement besoin de points de suture, mieux valait qu'il se rende à l'hôpital tout de suite.

Il sortit de la chartreuse, dont il referma la porte avec soin, mais il n'avait pas la clef sur lui. Une clef que son frère ne lui avait jamais réclamée, même au pire de leurs désaccords. Avec précaution, il s'installa au volant de son coupé, s'appliquant toujours à ne pas inspirer à fond. Aux urgences, on lui ferait des radios, une côte cassée pouvait très bien perforer un poumon.

Pour gagner Bordeaux, il prit la nationale en direction de Castelnau. Après l'hôpital, il se rendrait quai de la Martinique, au siège social de la société Brantôme, où il pourrait toujours interroger les secrétaires quant à l'attitude de Guillaume ces derniers temps. De gré ou de force, son frère devait se faire soigner avant de commettre une bêtise irréparable. Même s'il avait épargné Nicolas, il était devenu dangereux. Comment avait-il pu regarder son petit frère s'ouvrir le crâne sur la marche de pierre, pisser le sang, et éprouver le besoin de le frapper encore ? Depuis que sa violence ne pouvait plus s'exercer contre Agnès, à qui s'en était-il pris, hormis aux objets ?

Nicolas était perdu dans de sombres pensées lorsque, un peu avant Fourcas, il aperçut au loin des gyrophares, et deux gendarmes qui faisaient signe aux automobilistes de ralentir. Sur-le-champ, il fut envahi d'un pressentiment horrible, son estomac se tordit et il eut de nouveau l'impression d'étouffer. Un camion de pompiers lui dissimula encore quelques instants l'accident, alors qu'il roulait au pas, puis soudain il découvrit la voiture renversée sur le toit. Dans une bouffée de panique, il reconnut la tôle bleu métallisé de la Peugeot 606 de Guillaume, et il se rangea sur le bas-côté, malade d'angoisse.

L'un des gendarmes accourut aussitôt vers lui avec de grands gestes furieux.

— Circulez ! Vous ne devez pas rester là !

Nicolas ouvrit sa portière, descendit.

— C'est la voiture de mon frère, articula-t-il d'une voix à peine audible.

Le gendarme le fit répéter tout en l'examinant d'un œil critique. Il dut le trouver assez mal en point, car il se radoucit.

— Les pompiers sont en train de le désincarcérer, et le SAMU va arriver d'une minute à l'autre, mais... Mais je crois qu'il n'y a rien à faire, désolé.

Nicolas tourna la tête vers la carcasse de la Peugeot, avala sa salive à plusieurs reprises et se décida à bouger. Le gendarme, compatissant, ne chercha pas à l'en empêcher, au contraire, il lui emboîta le pas.

Quatre jours plus tard, l'église de Saint-Laurent se révéla trop petite pour contenir tous les gens qui s'étaient déplacés. Bien que modeste face aux grandes maisons de négoce, le nom de Brantôme était connu depuis plusieurs générations dans le monde viticole, et nombreux étaient ceux qui avaient tenu à rendre un dernier hommage à Guillaume. Celui-ci conservait l'image du jeune homme courageux qui avait repris en main l'affaire familiale à vingt-deux ans, lorsque son père s'était effondré, et qui avait réussi à s'imposer tout en élevant son petit frère. Certes, il avait mauvais caractère, nul ne l'ignorait, mais c'était un excellent professionnel.

Discrètement installée au bout du deuxième rang, Lucrèce observait Nicolas. À côté d'elle, sa mère gardait la tête baissée, apparemment recueillie. Pour la circonstance, elle avait fermé sa librairie, bien décidée à venir témoigner sa sympathie à Nicolas. Ce rapport de réelle amitié qu'elle lui manifestait étonnait toujours Lucrèce, mais Nicolas, à l'entrée de l'église, avait embrassé Emmanuelle avec beaucoup d'émotion et de tendresse.

Agnès, qui était la plus près du cercueil, avait les traits tirés mais les yeux secs. De temps en temps, elle serrait le bras de Nicolas d'un geste furtif, comme si elle voulait le consoler plutôt qu'obtenir son soutien. Depuis le jour où Lucrèce avait fait sa connaissance, dans la clinique de convalescence où elle se remettait de sa fracture du bassin, Agnès avait énormément changé. Même en cette circonstance pénible, elle semblait moins angoissée, moins perdue, moins vaincue.

Et en tout cas, elle ne se forçait pas à feindre un chagrin qu'elle ne ressentait sans doute pas. Comment aurait-elle pu regretter son ex-mari ? Autant elle avait eu du mal à s'en détacher, autant elle ne devait plus rien ressentir pour lui. Lucrèce se souvenait de leurs conversations, des conseils qu'elle lui avait prodigués, entre autres celui de ne jamais revoir Guillaume, de toujours passer par son avocat. Forte de toutes les confidences qu'avaient pu lui faire d'autres femmes battues, à l'époque où elle écrivait son livre, Lucrèce avait essayé d'aider Agnès, et pas seulement pour faire plaisir à Nicolas. Elle trouvait cette femme attachante, courageuse malgré tout, et aussi très digne. Jamais elle n'avait accablé Guillaume ou ne s'était apitoyée sur elle-même. Était-ce pour toutes ces qualités que Guy l'avait remarquée, lui avait envoyé des fleurs ?

Penser à son père allant chez un fleuriste en cachette de Brigitte faillit faire sourire Lucrèce qui se reprit. Durant quelques instants, elle se força à écouter le curé lancé dans un éloge de Guillaume. Comme toujours, seuls les bons aspects de la vie du défunt seraient évoqués. Respectant les conventions, le prêtre ne dirait rien de la violence de Guillaume, de son despotisme avec sa famille. Méritait-il qu'on brosse de lui un portrait flatteur ? L'hypocrisie consistait à faire semblant de croire que, une fois mort, on était forcément pardonné de ses péchés.

Lucrèce vit Nicolas s'écarter un peu d'Agnès. Son visage était creusé de fatigue et de chagrin. Quoi qu'ait pu devenir son frère par la suite, les souvenirs de son enfance devaient l'assaillir. Lucrèce éprouva pour lui un brusque élan de tendresse qui la prit à la gorge. Pourquoi la bouleversait-il à ce point ? Quand il lui avait annoncé la mort de son frère, par téléphone, elle l'avait entendu chercher ses mots, la voix au bord des larmes, et elle s'était précipitée chez lui. En plein désarroi, il essayait de ne pas trop culpabiliser, néanmoins il se sentait responsable. S'il n'était pas allé à la chartreuse ce jour-là, s'il n'avait pas provoqué Guillaume, ou même s'il n'avait pas perdu connaissance, l'accident n'aurait pas eu lieu.

Un mouvement se fit dans l'église, les gens s'apprêtant à aller bénir le cercueil. Les yeux toujours rivés sur Nicolas, Lucrèce essaya de se rappeler à quoi ressemblait Guillaume. Elle l'avait croisé une ou deux fois mais s'en souvenait mal.

— Il me fait de la peine, chuchota Emmanuelle. C'est un si gentil garçon…

Lucrèce acquiesça, occupée à observer Stéphanie qui s'avançait dans l'allée centrale, une main sur l'épaule de son fils Denis. La vue de l'enfant la troubla profondément lorsqu'elle constata qu'il avait le même regard noisette que son père, et que Roxane. Dont il était le demi-frère.

— Allons-y, maman.

Elles prirent place dans la file et Lucrèce surprit le coup d'œil assassin que lui jeta Stéphanie en se retournant. Peut-être n'aurait-elle pas dû venir ? Son histoire avec Nicolas était si compliquée, si tenace… Arriveraient-ils jamais à se rejoindre pour de bon ?

À la sortie de l'église, elle l'aperçut debout à côté du corbillard. Il regardait les employés des pompes funèbres charger les fleurs sur le cercueil, refermer les portes. Agnès se tenait un peu à l'écart, Stéphanie derrière elle, avec Denis, et ainsi Nicolas paraissait désespérément seul. Sans réfléchir, Lucrèce s'approcha de lui, posa une main sur son épaule. D'un geste vif, il la prit par la taille et la serra contre lui, un peu trop fort.

— Je t'aime, murmura-t-il en baissant la tête.

Elle eut la nette impression que, quoi qu'il puisse arriver dans la vie de Nicolas, elle serait toujours l'essentiel pour lui.

Fabian referma son téléphone portable qu'il considéra d'un œil critique. La batterie commençait à donner des signes de faiblesse, il devrait penser à la remettre en charge, mais c'était quand même un petit engin extraordinaire. Un véritable progrès technique offrant la liberté en toute discrétion. La preuve, il venait de parler durant plus d'une demi-heure avec son correspondant américain, de l'autre côté de l'Atlantique, sans que personne ne puisse écouter cette longue conversation qui allait probablement sceller son avenir professionnel. Son avenir tout court.

En bavardant, il avait déambulé autour de l'église Sainte-Eulalie, à deux pas de l'hôpital dont il ne voulait pas s'éloigner. Aurait-il vraiment le courage de quitter cette ville où il avait toujours vécu, depuis l'époque lointaine de ses études ? À Bordeaux, il n'était pas seulement quelqu'un d'important, il était quelqu'un *d'ici*. Dans un autre pays, sur un autre continent, même auréolé de son prestige d'éminent chirurgien, il serait toujours un étranger.

— Peu importe… dit-il entre ses dents.

Il se dirigea vers les marches de l'hôpital Saint-Paul, absorbé dans ses réflexions. Il avait des amis de longue date aux États-Unis, où il se rendait régulièrement depuis des années, aussi n'aurait-il pas vraiment la sensation d'être parachuté dans l'inconnu. Et, là-bas, le souvenir de Lucrèce perdrait sans doute de son intensité, du moins il l'espérait. D'ailleurs, sans cette cassure, aurait-il réussi à prendre la décision d'émigrer ? Mais jamais il ne s'était imaginé vieillir auprès d'elle, il avait toujours su qu'un jour ou l'autre, il se déciderait à partir.

À l'étage de la chirurgie orthopédique, Noémie l'attendait près des ascenseurs, avec tout le staff réuni pour la visite. Comme il était un peu en retard, il décida de commencer immédiatement la tournée des chambres. Au milieu de toutes les blouses blanches, il était le seul à être en costume. Il s'attarda auprès de chacun de ses patients, rassurant ceux qui allaient être opérés le lendemain, prescrivant de la morphine à ceux qui l'avaient été le matin même. Toujours très attentif à la douleur, il avait formé son équipe à tenir compte de la souffrance des malades, et il n'hésitait pas à tempêter contre ses confrères moins scrupuleux lors des conseils d'administration. Aurait-il le même pouvoir de décision à New York ? À quelles lois inconnues allait-il se heurter là-bas ?

Préoccupé, il posa distraitement quelques questions de routine à ses internes – qu'il mettait toujours sur la sellette lors de la visite –, donna ses dernières consignes de la journée à la surveillante de l'étage, puis s'éloigna à grandes enjambées vers son bureau. Mais il s'arrêta net en découvrant Lucrèce, assise sur l'une des chaises de plastique alignées le long du couloir. Elle devait l'attendre depuis un petit moment, à en croire le magazine ouvert sur ses genoux.

— C'est moi que tu viens voir ? demanda-t-il d'un ton qu'il essaya en vain de rendre désinvolte.

— Oui, bien sûr… Qui d'autre ?

Elle lui souriait avec une expression de tendresse qui le mit au supplice. De toute façon, la voir assise là avait de quoi le rendre mélancolique. Douze ans plus tôt, il s'en souvenait parfaitement, elle était venue lui demander une interview. Ce jour-là aussi, elle lisait un journal en patientant. Ses grands yeux bleu-vert, sa queue-de-cheval, ses longues jambes l'avaient charmé et il lui avait accordé un entretien sans hésiter. Lorsqu'elle était revenue, quelques semaines plus tard, il n'avait pas résisté au plaisir de l'inviter à dîner, conscient de son extrême jeunesse, mais tout à fait séduit. Et en sortant du *Chapon fin*, l'un des meilleurs restaurants de la ville, elle avait accepté de le suivre chez lui.

— Entre, je t'en prie.

Il lui tint la porte tandis qu'elle pénétrait dans son bureau. Elle était encore plus belle aujourd'hui qu'à l'époque, et il constata qu'il la désirait toujours aussi violemment.

— Assieds-toi… Veux-tu un café, un verre d'eau ?

— Non, merci.

Réfugié derrière son bureau, il esquissa un sourire contraint.

— Comment vas-tu, ma belle ? Tu parais en pleine forme, tu rayonnes.

Pourquoi était-elle venue ? Pour remuer le couteau dans la plaie ? Il ne voulait pas l'interroger, mais il n'arrivait pas à deviner la raison de sa présence. Tout ce qu'il constatait, avec une amère résignation, c'est qu'il était loin d'être guéri. Trois mois de séparation, d'absence, d'efforts pour ne pas y penser, se réduisaient soudain à rien.

— Fabian, dit-elle à mi-voix, tu me manques.

Incapable de répondre à cette étrange affirmation, il baissa les yeux vers son agenda ouvert, qu'il considéra sans le voir.

— As-tu dit la vérité à Nicolas au sujet de Roxane ? demanda-t-il au bout d'un long silence.

— Non, pas encore.

— Pourquoi ?

— Je ne sais pas.

Il releva la tête et croisa son regard. Que cherchait-elle à lui faire comprendre ? Ils étaient enfin parvenus à cette inéluctable rupture qui les guettait depuis le début de leur liaison, inutile de se faire souffrir davantage.

— Même si nous ne… J'ai besoin de toi, Fabian.

Se rendait-elle compte de ce qu'elle lui imposait ? Était-il possible qu'elle… Mais non, il ne voulait pas reprendre espoir, il avait eu raison d'accepter la proposition des Américains. Les incertitudes de Lucrèce ne devaient pas le faire douter, ni retarder le travail de deuil amoureux, si difficile à vivre. Pourtant, la manière dont elle venait d'avouer qu'il lui manquait, dans un murmure pathétique, prouvait qu'elle ne devait pas très bien savoir elle-même pourquoi elle était là.

— Très bien. Veux-tu dîner avec moi ? demanda-t-il avec une certaine brusquerie.

Au lieu de lui répondre directement, elle prit une profonde inspiration et lâcha d'un coup :

— Je ne serai jamais heureuse si tu dois disparaître de ma vie. Tu en fais partie depuis trop longtemps ! Si je ne peux plus t'appeler, ni passer te voir… ou même avoir ton avis, je… C'est très égoïste, d'accord. Tu m'as promis que nous pourrions rester amis, plus tard. J'espère que, maintenant, c'est assez tard comme ça ?

Il comprit enfin ce qu'elle tentait de lui dire. Sans lui, peut-être se sentait-elle orpheline, preuve supplémentaire du rôle de père qu'il avait joué auprès d'elle. À cette idée, il éprouva un sentiment de fierté mêlée d'amertume, et il faillit lui demander pourquoi Nicolas Brantôme ne la comblait pas, mais il s'en abstint. Lucrèce avait un caractère droit, fort, et le courage de regarder les choses en face. Son histoire avec Nicolas était sans doute plus complexe que ce qu'il avait supposé et, si elle était en perdition, il se sentait encore capable de l'aider.

— J'ai un peu de travail à finir. En quittant l'hôpital, je passerai chez un traiteur et je serai chez moi vers huit heures. Si tu es libre, rejoins-moi, et tu m'expliqueras ce qui ne va pas. Je ne suis évidemment pas ton ennemi.

La voir sourire constituait une récompense suffisante pour ce qu'il s'apprêtait à subir.

Nicolas avait écouté, atterré, la lecture du testament déposé par Guillaume chez leur notaire. N'ayant ni ascendants ni descendants directs, il avait réparti ses biens entre Agnès et son neveu Denis, exception faite de sa part de la chartreuse, qu'il léguait à son frère. Le document avait été enregistré deux mois plus tôt, comme si Guillaume s'était soudain mis à penser à sa mort. Et le choix de ses héritiers montrait que, même en plein déséquilibre, il avait voulu privilégier sa famille malgré tout.

Lorsqu'ils quittèrent l'étude, Nicolas et Agnès restèrent un moment silencieux, aussi mal à l'aise l'un que l'autre.

— Je t'emmène dîner avant de te raccompagner, décida Nicolas.

Ils s'arrêtèrent à Blanquefort, un peu avant Bordeaux, au relais de campagne les *Criquets*, et ce ne fut qu'une fois attablés devant une salade de langoustines qu'ils purent évoquer les dispositions prises par Guillaume.

— La chartreuse, dit Agnès d'une voix songeuse, il a toujours pensé à te la donner un jour… Après la naissance de Denis, il était persuadé que vous auriez d'autres enfants, Stéphanie et toi, et que le chai finirait par devenir trop petit pour vous. Il croyait qu'on pourrait faire échange, ça l'amusait de s'imaginer dans ta maison. Il trouvait que tu l'avais très bien aménagée.

— À moi, il me faisait surtout le reproche de la rangée de peupliers, du grillage… Mais je ne voulais pas qu'on soit l'un sur l'autre. On se serait engueulés deux fois plus…

Avec un sourire un peu triste, il regarda le sommelier verser lentement le médoc dans leurs verres. Il prit le sien, observa la couleur du vin, le respira.

— Je bois à ta santé et à ton avenir, Agnès.

— C'est grâce à toi que je vais bien, répondit-elle gravement. Tu m'as tirée des griffes d'un homme que j'ai adoré mais qui était en train de devenir fou. Aussi horrible que ce soit, sa mort m'a… délivrée. Même en étant divorcée, j'avais toujours un peu peur de le trouver sur mon chemin… Me guettant dans le hall de mon immeuble ou venant sonner à ma porte… Inconsciemment, j'ai dû souhaiter qu'il disparaisse, alors bien sûr, je me sens très coupable.

— Moi aussi. Et c'est stupide.

— Je sais. Mais je n'y peux rien.

— Moi non plus.

Nicolas but deux gorgées, pour se donner du courage, puis il ajouta :

— Le garagiste prétend qu'il n'y a eu ni rupture de frein ni… Enfin, aucune défaillance apparente de la mécanique.

Horrifiée, elle le dévisagea d'un air éperdu. Les gendarmes avaient été formels, Guillaume était seul au moment de l'accident, survenu en ligne droite, et aucun autre véhicule n'était impliqué. Avait-il eu un instant de folic ? Le désir d'en finir ? Nicolas savait que son frère avait été tué sur le coup. Sans doute ne s'était-il rendu compte de rien, en tout cas il l'espérait de toutes ses forces.

— Agnès, j'ai pensé à quelque chose, tout à l'heure, chez le notaire… Je sais que tu n'aimes pas beaucoup la vie en appartement, alors, si tu veux t'installer dans le chai, j'en serais très heureux. On restera proches et on pourra continuer à veiller l'un sur l'autre.

Ce qu'ils avaient fait, depuis qu'ils se connaissaient. Agnès d'abord, sur son beau-frère encore adolescent, et par la suite, Nicolas, pour arracher sa belle-sœur à la brutalité de Guillaume.

Il la vit sourire, le visage soudain illuminé par l'espoir.

— Tu vas habiter la chartreuse, Nick ? Ce serait… fantastique !

Malgré tout ce qu'elle avait vécu là-bas, elle restait très attachée à la propriété des Brantôme et à la région de Saint-Laurent, elle le lui avait maintes fois répété. C'était une femme de la campagne, elle avait besoin d'espace, de nature. Les mauvais souvenirs liés à la chartreuse l'empêchaient évidemment d'y revivre mais, en revanche, le chai, où elle avait souvent trouvé refuge, lui offrirait la possibilité de changer de maison sans changer de lieu.

— J'adorerais ça, ajouta-t-elle avec enthousiasme.

— Eh bien, nous sommes d'accord.

— Je ne sais pas ce que je deviendrais sans toi, Nicolas…

— Tu y arriverais, ne t'inquiète pas ! D'ailleurs, maintenant, tu as les moyens de faire ce que tu veux, tu ne seras pas obligée de chercher du travail.

Au moins, Guillaume l'avait-il mise à l'abri, devinant sans doute qu'elle n'avait aucune chance de trouver un emploi. Comment son frère avait-il pu à la fois aimer Agnès – son testament en donnait la preuve – et la frapper aussi sauvagement ? Nicolas n'obtiendrait jamais la réponse à cette question, ni à toutes celles qu'il se posait encore au sujet de Guillaume. Sa mort laissait le mystère entier, impossible de savoir s'il avait basculé pour de bon dans la démence et s'il s'en était rendu compte.

— En dehors des comptes de la maison, déclara Agnès, je n'ai pas l'habitude de gérer de l'argent. Alors, si tu pouvais t'en occuper pour moi, ça me faciliterait les choses. Je n'ai rien compris à ce que disait le notaire, tout à l'heure.

Un serveur déposa devant eux les pigeonneaux désossés et braisés à l'ancienne qu'ils avaient commandés. Songeur, Nicolas contempla son assiette sans se décider à y toucher.

— La succession va se révéler très complexe, dit-il enfin.

Il ne se résignait pas à accabler la mémoire de son frère, qui s'était octroyé sans scrupule des parts de la société Brantôme au décès de leur père. Là non plus, la succession n'était pas vraiment réglée, mais aujourd'hui il ne tenait plus à récupérer ses droits puisque son propre fils se retrouvait légataire lui aussi.

— Je crois qu'il va falloir penser à vendre le négoce, dit-il seulement.

— Tu ne reprends pas l'affaire ?

— Non.

Vendre l'immeuble du quai de la Martinique et ne plus voir sur la façade le nom de Brantôme serait un crève-cœur, mais il n'avait pas d'autre choix.

— Je veux pouvoir me consacrer aux vignes, or ce n'est pas un métier à faire en dilettante, Dieu sait ! Et si un jour j'ai l'opportunité de racheter les terres de Saint-Laurent…

Son vieux rêve, depuis son enfance, depuis ce jour où Guillaume avait décidé seul de vendre les vignes bordant la propriété. Cloué dans son fauteuil d'infirme, leur père n'avait pas protesté, de toute façon il approuvait toujours Guillaume pour avoir la paix, ainsi lui avait-il signé toutes les autorisations ou procurations possibles.

Nicolas repoussa son assiette, l'appétit coupé. Liquider le passé allait être long et douloureux. Mais si Denis, une fois grand, s'intéressait à son tour à la vigne, alors se battre en valait la peine. Et, au-delà de toute la rancune qu'elle devait éprouver, Stéphanie ne chercherait sans doute pas à éloigner leur fils de la terre, étant elle-même fille de viticulteur. Nicolas n'avait plus qu'à mettre tous ses espoirs dans cet enfant unique, car il n'envisageait pas de refaire sa vie avec une autre femme que Lucrèce. Or, en ce qui la concernait, il n'était sûr de rien. Rien du tout.

— Il y a des tas de gens qui se séparent, ma chérie, et qui s'en remettent très bien…

Assis sur l'accoudoir du canapé, Fabian massait délicatement, du bout des doigts, la nuque et les épaules de Lucrèce.

— Oui, marmonna-t-elle, des gens qui se disputent, qui se détestent, qui ont accumulé des griefs… Mais moi, je ne suis pas fâchée avec toi, et je n'ai strictement rien à te reprocher ! Tu ne m'as donné que de bons moments, je n'ai que des souvenirs agréables. Comment veux-tu que j'arrive à te rayer d'un trait de plume ?

— Tu es amoureuse d'un autre homme, lui rappela-t-il sans la moindre ironie.

— Et alors ?

Aimer Nicolas ne lui faisait pas oublier Fabian, elle s'en était rendu compte durant ces trois mois de séparation. Elle avait l'impression d'avoir perdu quelqu'un de proche, qui laissait un vide impossible à combler.

— Je trouve ça abominable, reprit-elle tout bas. Du jour au lendemain, je dois faire comme si tu n'existais plus, ou même n'avais jamais existé ?

— Ce qui s'appelle repartir de zéro.

— Mais c'est faux ! En tout cas, moi, je ne peux pas. D'autant plus que, en ce moment, je me démène pour revenir à Bordeaux. J'essaye de persuader Claude-Éric de me laisser rentrer au *Quotidien du Sud-Ouest*, en tant que rédac chef adjoint. Alors, si je dois faire semblant de ne pas te connaître quand je te croiserai sur un trottoir…

Échappant à la main douce de Fabian, elle lui fit face.

— Tu m'avais promis, rappela-t-elle.

Il la regardait avec une telle tendresse qu'elle se sentit fondre. Dans un mouvement d'abandon, elle appuya sa tête contre lui et le sentit se crisper.

— Lucrèce, dit-il doucement, tu me demandes l'impossible. Te perdre a été la chose la plus difficile de mon existence, et pourtant je m'y attendais. Aujourd'hui, te voir assise là et penser que dans une heure tu t'en iras pour rejoindre Nicolas Brantôme est une torture.

Il s'écarta d'elle, se leva, enfouit ses mains dans ses poches.

— Tu as raison de quitter Paris, je serai plus tranquille de te savoir ici. Tu as ta famille, et maintenant tu as Nicolas, qui n'est sans doute pas pour rien dans ta décision de revenir.

— Non, pas du tout !

— Bien sûr que si, soupira-t-il en haussant les épaules. Quoi qu'il en soit, ne t'inquiète pas, nous ne nous rencontrerons pas souvent, parce que c'est moi qui pars.

— Où ?

— À New York.

— Combien de temps ?

— Définitivement.

Lucrèce bondit du canapé pour rejoindre Fabian.

— Non, non !

Une véritable bouffée de désespoir lui mettait les larmes aux yeux.

— C'est à cause de moi ? demanda-t-elle d'une voix altérée.

— Entre autres... C'est aussi une formidable opportunité professionnelle.

— Alors, je ne te verrai plus jamais ?

Cette perspective lui parut accablante. Depuis plus de douze ans, elle hésitait entre Fabian et Nicolas. À certains moments, elle les avait aimés tous les deux, pourtant, chaque fois qu'il avait fallu choisir, elle était restée avec Fabian, incapable de le quitter, et à la fin c'était lui qui avait sagement tranché. Il avait eu raison de le faire, devinant avant elle que Nicolas avait gagné la partie. Tout ce qu'elle ne s'avouait pas à elle-même, Fabian le savait.

— Je vais t'expliquer quelque chose, dit-il d'un ton résigné. Quand je me suis marié, il y a très longtemps de ça, je croyais être amoureux de ma femme, or je ne l'étais pas vraiment et nous nous sommes séparés assez vite. Comme il n'y avait pas – ou plus – de grands sentiments entre nous, nous sommes restés très bons amis sans problème. Après elle, j'ai vécu seul, plutôt heureux de l'être, et j'ai mis un point d'honneur à séduire toutes les jolies filles qui passaient. Je n'y attachais pas d'autre importance que le plaisir de la conquête, la promesse d'une nuit agréable. Jusqu'à toi.

Tu es vraiment la seule que j'ai aimée, que je continuerai sans doute à aimer malgré tout. Avec toi, j'ai découvert l'angoisse, la jalousie, l'impatience et l'espoir. Je ne t'ai pas fait de déclarations d'amour, ce n'était pas ce que tu attendais de moi. Par une sorte de justice immanente, tu voulais ce que j'avais imposé à toutes les autres : de l'éphémère, du provisoire, pas d'attache. Tu préservais farouchement ta liberté mais tu avais aussi le besoin inconscient d'être rassurée, alors j'ai navigué au mieux. C'était nouveau pour moi, et pas simple à gérer à cause de notre différence d'âge. Entre nous, les choses ont duré, ce n'était pas prévu. Quand tu as suivi Claude-Éric à Paris, ça m'a rendu malade, mais je ne te l'ai pas montré, tu n'aurais pas compris, ni supporté que je cherche à te couper les ailes. La naissance de Roxane a été le pire moment… Que tu aies voulu un enfant avec un autre que moi montrait les limites de notre relation. À partir de là, j'ai pris ce que tu voulais bien me donner, trop lâche pour trancher. Et puis, à la gare Saint-Jean, j'ai vu l'évidence. Le moment était arrivé, je me suis dit qu'au moins je n'aurais plus peur. Te quitter m'est absolument insupportable, ne m'oblige pas à le faire tous les trois mois. Tu sais très bien que tu peux compter sur moi, où que je sois. Je t'appellerai régulièrement, je te le promets, mais ne m'en demande pas plus.

Effarée, elle l'avait laissé parler jusqu'au bout. La sincérité avec laquelle il venait de s'exprimer ne laissait pas le moindre doute sur la manière dont il souffrait. Avait-elle jamais eu conscience de la force de ses sentiments ? Pourquoi fallait-il attendre de se quitter pour que les choses soient enfin dites ?

— Fabian…

Elle le prit par la taille, se blottit contre lui. Était-ce vraiment la dernière fois qu'elle pouvait respirer le parfum familier de son eau de toilette ? Quand il referma ses bras autour d'elle, une tristesse infinie s'empara d'elle, en même temps qu'un désir inattendu.

— Fabian, répéta-t-elle à voix basse.

Relevant la tête vers lui, elle chercha ses lèvres et il l'embrassa longuement, passionnément. Elle avait envie de lui, il le savait forcément.

— Non, chuchota-t-il, tu le regretterais, et tu m'en voudrais…

Il la libéra, la prit par les épaules et l'obligea à faire un pas en arrière.

— Va-t'en vite, mon amour.

Elle n'hésita qu'une seconde avant de se détourner de lui. Elle récupéra son sac, resté sur la table à côté des cartons du traiteur qu'ils n'avaient pas ouverts. Sur le seuil du salon, elle s'arrêta malgré elle. Fabian s'était approché d'une fenêtre et ne bougeait pas, attendant sans doute qu'elle parte. Regardait-il vraiment la tour de la cathédrale Saint-André, brillamment éclairée dans la nuit ? Avec une pénible impression de déchirement, elle gagna le vestibule, sortit sur le palier et referma la porte. Négligeant l'ascenseur, elle s'engagea dans l'escalier qu'elle faillit remonter dix fois. Mais il n'y avait plus rien à faire, leur rupture était consommée.

Lorsqu'elle émergea sur le trottoir de la place Pey-Berland, elle était de nouveau au bord des larmes et elle vit à peine la silhouette d'un homme, debout à côté d'une voiture garée en double file, juste devant la sienne.

— Nicolas ? souffla-t-elle, incrédule.

Adossé à son coupé, les bras croisés, il ébaucha un sourire forcé.

— J'ai reconnu ta voiture et je n'ai pas eu besoin de me demander ce que tu faisais là, expliqua-t-il avec une certaine froideur.

D'un geste, il désigna l'immeuble de Fabian puis haussa les épaules.

— Désolé… Je ne t'espionne pas, c'est un hasard. J'ai raccompagné Agnès chez elle et, comme je n'avais rien à manger dans ma grange, je me suis arrêté à la *Concorde*.

La brasserie était à deux pas, en cherchant une place il avait dû voir la voiture et imaginer n'importe quoi.

— Je viens de passer une très mauvaise soirée, articula-t-elle avec effort.

De nouveau, l'envie de pleurer lui serrait la gorge. Elle n'avait pourtant pas la larme facile, mais penser à Fabian continuait de la bouleverser.

— Je n'aurais pas dû t'attendre, s'excusa-t-il soudain. Je me comporte comme un abruti.

Il semblait si désemparé qu'elle s'approcha de lui.

— Ne sois pas jaloux, Nick. Fabian et moi, c'est fini.

Durant quelques instants, il la scruta avec une évidente curiosité, pas vraiment convaincu.

— Je vais rentrer chez moi, ajouta-t-elle.

— Non, pas tout de suite.

— Si, maintenant. Je préfère être seule, je suis sûre que tu comprends.

Elle voulut passer devant lui, sa clef de voiture déjà à la main, mais il l'arrêta.

— Je t'emmène boire un verre d'abord. Tu as l'air d'en avoir besoin.

Sans la lâcher, il ouvrit la portière du coupé, côté passager.

— Une ou deux bières au *Lucifer* pour noyer nos chagrins, et ensuite je te raccompagne, promis.

Lui aussi venait de vivre des moments difficiles, il avait perdu son frère et il était sûrement aussi malheureux qu'elle. En s'installant dans la voiture, elle leva machinalement les yeux vers la façade de l'immeuble, mais les fenêtres de Fabian étaient obscures.

8

Premier passager du vol de Paris à émerger dans le hall, Claude-Éric rejoignit Lucrèce à grandes enjambées.

— L'avion du retour décolle à dix-huit heures quinze ! lança-t-il de sa voix énergique. Je vous consacre ma journée et pas une seconde de plus.

Réprimant un sourire, Lucrèce acquiesça. Décidé l'avant-veille au pied levé, leur rendez-vous avait dû provoquer un vent de panique au *Quotidien du Sud-Ouest*.

— C'est quoi, cette poubelle ? demanda-t-il avec une moue dédaigneuse en montant dans sa voiture.

— Ma vieille Peugeot, que je suis bien contente de trouver quand j'arrive à Bordeaux.

— Bordeaux… répéta-t-il, perplexe.

Il regardait défiler le paysage, alors qu'ils entraient dans la ville par l'ouest.

— Vous êtes sûre de vouloir revivre ici ? C'est ridiculement petit !

— L'aéroport de Mérignac n'est qu'à dix kilomètres du centre-ville, et nous…

— Ne me faites pas un dépliant publicitaire sur l'Aquitaine, par pitié !

Au lieu de se vexer, elle se mit à rire, tout en se faufilant dans la circulation déjà très dense.

— Donc, insista-t-il, c'est définitif, vous rentrez au pays ? Parce que, d'après une rumeur arrivée jusqu'à Paris, votre chirurgien préféré se prépare à s'expatrier.

— Oui, c'est vrai, admit-elle avec réticence.

— Cartier s'en va et vous revenez ? Vous jouez au jeu des chaises musicales ou vous êtes fâchés ?

— Je n'ai pas envie d'en parler, désolée.

Elle espéra n'avoir pas répondu trop sèchement. Claude-Éric était là pour lui offrir la place dont elle rêvait, il serait assez maladroit de le contrarier, mais elle ne souhaitait pas aborder le sujet avec lui. Avec personne, d'ailleurs.

— Évidemment, les années passent, il ne rajeunissait pas ! ironisa Claude-Éric. Néanmoins, lui trouver un remplaçant ne doit pas être facile…

— Pour l'hôpital Saint-Paul ?

— Pour vous, surtout.

Exaspérée, elle se tourna vers lui, une seconde, et surprit son expression sarcastique.

— Allons, Lucrèce, ne vous vexez pas… Dieu sait qu'il m'a agacé, avec cet ascendant qu'il gardait sur vous, mais enfin, ce n'est pas n'importe qui, nous le savons tous les deux !

À une époque, il avait considéré Fabian comme son adversaire, et ainsi qu'il l'avait souvent expliqué à Lucrèce, il ne fallait jamais sous-estimer ses adversaires.

— Pour qui l'avez-vous quitté ? La décision ne peut pas venir de lui, il était littéralement fou de vous ! Pour un Bordelais ? J'ai vraiment du mal à y croire, vous êtes trop difficile à…

— Bon sang, Claude-Éric ! explosa Lucrèce en donnant un coup de poing sur son volant. C'est un interrogatoire ?

— Pourquoi pas ? Vous voulez un poste important, moi, je dois tout connaître de mes collaborateurs.

— Ah, non ! Pas à moi ! Vous êtes curieux, rien d'autre.

Il leva la main, d'un geste qui se voulait apaisant, lui faisant signe de regarder devant elle.

— Vous conduisez comme une folle. Bon, je reconnais qu'il y a une part de… d'intérêt personnel dans mes questions. Mais enfin, nous nous connaissons depuis assez longtemps, vous pourriez vous confier un peu.

— Vu votre mépris des « Bordelais », merci bien ! Croyez-vous que tous les gens dignes d'intérêt sont groupés dans la capitale ? Paris, Paris… Vous en faites une incantation.

— Ah, j'avais raison, il y a anguille sous roche et un nouvel homme dans votre vie ! Je lui souhaite bien du courage…

En le disant, il éclata d'un rire gai, spontané, très inhabituel chez lui.

— J'ai vraiment une faiblesse pour vous, Lucrèce. Alors, il va falloir vous montrer à la hauteur, parce que je ne voudrais pas que cette faiblesse se transforme en talon d'Achille.

Elle était en train de se garer, à deux pas du *Quotidien du Sud-Ouest*. À travers le pare-brise, Claude-Éric observa la façade de l'immeuble. Redevenu sérieux, il fixait l'enseigne du journal de son regard d'aigle.

— Plutôt tristounet, tout ça… Vous allez avoir du boulot pour les secouer un peu !

Il descendit le premier et se dirigea d'un pas vif vers l'entrée.

Nicolas posa une main autoritaire sur celle d'Emmanuelle et l'obligea à refermer son chéquier.

— Il n'en est pas question, dit-il d'un ton sans réplique.

— Nicolas, répéta-t-elle patiemment, je vous dois cette somme depuis des années, je suis bien décidée à…

— Laissez-moi vous en faire cadeau, Emmanuelle. S'il vous plaît.

L'idée qu'elle soit en difficulté l'avait toujours ému, il continuait d'éprouver pour elle une véritable tendresse.

— Il n'y a aucune raison, s'obstina-t-elle.

— Toutes les raisons du monde, au contraire. Je gagne très bien ma vie, et en plus je viens de faire un héritage. Pas vous. D'autre part, j'aime cette librairie, si vous deviez la fermer un jour, j'en serais malade.

Appuyé au comptoir de pitchpin, il écarta le chéquier et posa à la place un sachet de cannelés.

— Je suis sûr que vous en voulez un, dit-il avec un sourire charmeur.

Il savait qu'elle raffolait de ces petits gâteaux, à la fois croquants et moelleux, et il s'arrêtait parfois pour lui en acheter chez Baillardin, dans le marché des Grands-Hommes.

— Ce que je ne veux pas, répliqua-t-elle en lui tendant une tasse de café, c'est être votre débitrice.

— Vous ne *pouvez* pas l'être, vous êtes la mère de Lucrèce. Rien que pour ça, je devrais vous acheter toutes les boutiques de la rue.

Amusée malgré elle, elle laissa échapper un petit rire qui le rassura.

— Votre obstination me… fascine, déclara-t-elle gentiment.

— Eh bien, ça dépend de l'enjeu ! Concernant votre fille, je crois que ça durera jusqu'à ma mort, je n'y peux vraiment rien.

Il ne s'en cachait plus, mais il n'essayait pas pour autant d'obtenir d'elle des confidences.

— J'espère que tout s'arrangera au mieux entre vous, murmura-t-elle en détournant les yeux.

Il l'espérait de toutes ses forces et se sentait sur le point de toucher au but mais, avec Lucrèce, il ne pouvait être sûr de rien. Combien de fois avaient-ils failli se rejoindre, tous les deux, butant au dernier moment sur un obstacle imprévu ? Prudent, il ne voulait rien précipiter, après tout ce temps perdu il n'en était plus à quelques mois près. L'essentiel du chemin s'était accompli avec le désir manifesté par Lucrèce de revenir à Bordeaux. Sans cette nouvelle donnée, qu'aurait-il pu espérer ? Même en ayant beaucoup mûri, jamais il n'aurait la complaisance d'un Fabian Cartier, il en était incapable. Si elle était restée à Paris, il n'aurait sûrement pas pu se résoudre à la voir par intermittence. Au moins, ici, il gardait une chance de la conquérir de façon durable.

— J'ai reçu vos livres, annonça Emmanuelle.

— Gardez-les-moi encore une semaine ou deux, je suis en plein déménagement.

— Content de rentrer chez vous ?

— Oui… Enfin, c'est un peu difficile, mais c'est bien.

Réintégrer la chartreuse, quittée seize ans plus tôt, lui procurait une sensation d'autant plus étrange que Guillaume n'avait touché à rien. La maison était telle qu'il l'avait connue enfant, puis adolescent, avec les mêmes meubles aux mêmes places, et une foule de souvenirs dans chaque pièce.

— Personne ne vous aide ?

— Si, ma belle-sœur prend nos emménagements respectifs très à cœur.

Agnès, épanouie, naviguait de la chartreuse au chai avec une rare efficacité, néanmoins Nicolas devait encore vider sa grange, qu'il venait de mettre en vente.

— Décidément, constata Emmanuelle, tout le monde bouge ! Vous, mon fils, Lucrèce qui se cherche un logement…

Il faillit se jeter sur la perche qu'elle lui tendait mais il parvint à se taire. Proposer à Lucrèce de vivre avec lui était tout à fait prématuré. Non seulement elle n'avait pas encore officiellement obtenu le poste qu'elle convoitait au *Quotidien du Sud-Ouest*, mais surtout elle ne semblait pas inclure Nicolas dans ses projets d'avenir. Pour l'instant, elle se contentait de le retrouver certains soirs, lorsqu'elle était à Bordeaux. Sa rupture avec Fabian l'avait beaucoup perturbée, elle l'avouait avec une sincérité désarmante, et la brusquer ne servirait à rien. Trop souvent, dans le passé, Nicolas l'avait fait fuir par ses exigences, il ne s'y risquerait plus.

— En tout cas, enchaîna Emmanuelle, le retour de Lucrèce signifie que j'aurai souvent Roxane avec moi, et rien ne peut me faire plus plaisir ! C'est une petite fille extraordinaire, intelligente, déjà très volontaire…

Elle s'arrêta net et se mordit les lèvres.

— Je ne devrais pas vous parler de ça, je sais que votre fils vous manque.

— Beaucoup, soupira-t-il. Et Stéphanie ne me fait pas de cadeau.

C'était un euphémisme. Son ex-femme s'ingéniait à trouver tous les prétextes possibles pour l'empêcher de voir Denis. Même s'il comprenait sa rancune, ses griefs, il admettait de plus en plus mal qu'elle se serve de leur fils comme moyen de vengeance.

— À ce propos, je vais me sauver, il faut que j'aille le chercher, c'est « mon » mercredi !

Avec un sourire d'excuse, il s'écarta du comptoir de pitchpin mais elle le retint en le saisissant par le bras.

— Cette histoire de dette n'est pas réglée, Nicolas !

— Elle l'est définitivement, je ne veux plus en entendre parler.

Sans lui laisser le temps de protester, il traversa la boutique et sortit. Combien de cafés avait-il bus en compagnie d'Emmanuelle, depuis qu'il était son client ? Bien des années plus tôt, il était entré là presque par hasard, alors qu'il musardait rue Notre-Dame devant les vitrines des antiquaires, retardant le moment de rejoindre Guillaume au bureau. À l'époque, il n'avait pas encore rencontré Lucrèce, il était encore un jeune homme insouciant. Hormis l'autoritarisme de son frère aîné, la vie lui souriait, il avait fait de brillantes études, il était négociant, il plaisait beaucoup aux filles… Mais par la suite, il avait multiplié les erreurs. D'abord sa passion dévastatrice pour Lucrèce, qu'il n'avait pas su maîtriser, puis sa rupture avec le négoce pour se lancer dans la vigne, qui avait rendu fou Guillaume, enfin son mariage par dépit, qui s'était terminé en naufrage. Et à présent, il était revenu au point de départ, sauf qu'il arrivait à la quarantaine.

Il récupéra sa voiture et fila jusqu'à Saint-Estèphe. Stéphanie habitait toujours avec ses parents, des viticulteurs qui avaient tenu Nicolas en haute estime avant d'apprendre qu'il était un mari infidèle. Après avoir « recueilli » leur fille et leur petit-fils, ils s'étaient posés en ennemis déclarés de leur gendre. Pourtant, Nicolas avait proposé à Stéphanie d'acheter ce qu'elle voulait où elle voulait, mais elle ne tenait pas à vivre seule avec Denis. Contrairement à une femme comme Lucrèce, Stéphanie ne ressentait aucun besoin d'indépendance, elle préférait de loin avoir des gens autour d'elle pour l'épauler. Ainsi faisait-elle sentir à Nicolas qu'il n'avait pas tenu son rôle de mari, ni de père, cherchant à le culpabiliser par tous les moyens.

Résigné à subir, comme chaque fois, l'animosité de ses beaux-parents, il sonna chez eux mais ce fut Stéphanie elle-même qui ouvrit. Elle ne lui proposa pas d'entrer et il dut attendre sur le perron que Denis vienne le rejoindre.

— Où comptes-tu l'emmener aujourd'hui ? lança-t-elle d'un ton glacial.

— Déjeuner au bord de l'eau, et après, sans doute à la maison, répondit-il prudemment.

— Vous serez seuls tous les deux ?

— Pourquoi ?

— Je ne tiens pas du tout à ce que tu lui imposes n'importe qui ! Cette femme, ou…

Son antipathie pour Lucrèce s'était muée en haine depuis qu'elle l'avait vue, d'abord chez Nicolas, puis à l'enterrement de Guillaume.

— Stéphanie, rappela-t-il patiemment, je fais ce que bon me semble. Que je sache, je ne suis pas sous tutelle.

— En tout cas, tu vas recevoir une lettre de mon avocat ! Les biens que ton frère a laissés à Denis doivent être gérés jusqu'à sa majorité par quelqu'un d'autre que toi. Ce serait trop facile !

— Facile ? C'est-à-dire ? Pour qui me prends-tu, au juste ?

— Pour ce que tu es, un menteur, un coureur, un lâche, quelqu'un sur qui on ne peut pas compter.

Baissant les yeux vers leur fils, Nicolas s'aperçut que celui-ci les écoutait.

— La succession est entre les mains du notaire, murmura-t-il. Que ton avocat s'adresse à lui plutôt qu'à moi.

Il prit Denis par la main, malade à l'idée du portrait que Stéphanie devait dresser de lui à longueur de temps. Comment allait-il convaincre son petit garçon qu'il n'était ni menteur ni lâche ? Durant quelques instants, il dévisagea Stéphanie avec une sorte de curiosité. Qu'était devenue la très douce jeune femme qu'il avait connue ?

— Je te le ramène à six heures, dit-il en se détournant.

Il installa Denis à l'arrière du coupé, lui fit boucler sa ceinture de sécurité. Si jamais elle s'acharnait, Stéphanie finirait par rendre leur fils malheureux. Avoir une mauvaise image de son père ne pouvait que le perturber durablement.

— Papa ?

Dans le rétroviseur, Nicolas regarda son fils et lui sourit avec tendresse.

— C'est qui, Luc… Lucrèce ?

Une question inévitable, que sa mère avait dû lui souffler. De la réponse qu'allait faire Nicolas dépendrait la confiance que son fils pourrait ou non placer en lui.

— C'est la femme que j'aime, Denis. Elle est très jolie, très gentille, très gaie.

— C'est à cause d'elle que t'es plus avec nous ?

— Plus avec ta maman, oui. Mais toi, c'est différent. Tu es mon fils, et ses enfants, on les aime toujours.

Denis fronça les sourcils, se mordilla les lèvres. Après un temps de réflexion, il demanda, perplexe :

— Jolie comment, papa ?

Au pas de charge, Claude-Éric avait fait le tour des locaux, saluant les journalistes au passage. Derrière lui, le rédacteur en chef, André Bosc, faisait les présentations et donnait quelques précisions. La visite du grand patron le mettait apparemment dans tous ses états mais, à deux ans de la retraite, sans doute n'avait-il pas plus envie de se battre que d'être licencié. Un peu en retrait, Lucrèce suivait les deux hommes, retrouvant avec émotion l'atmosphère d'effervescence du *Quotidien du Sud-Ouest.* Celui-ci, malgré la baisse des ventes, conservait le plus fort tirage des quotidiens de province.

De son regard aigu, Claude-Éric jaugeait chacun, estimait l'état de vétusté du matériel, observait le moindre détail. La presse était son univers, en quelques heures il allait se forger une opinion déterminante pour l'avenir du journal.

Soudain il s'arrêta net, en plein milieu d'une allée de bureaux séparés par des demi-cloisons de verre.

— Vous avez bien un endroit tranquille ? lança-t-il à André Bosc.

Empressé, le rédacteur en chef se dirigea aussitôt vers une porte donnant sur une petite salle de réunion.

— C'est quoi, ça ? maugréa Claude-Éric. Une pièce de repos pour reporters fatigués ?

Il posa son attaché-case sur la table ronde, s'assit tout au bord d'une chaise à roulettes puis fit signe à Lucrèce et à Bosc de prendre place.

— Bon, je ne vais pas vous faire un dessin, il y a du pain sur la planche !

D'abord il contempla ses deux interlocuteurs, l'un après l'autre, ensuite il sortit un dossier qu'il ouvrit devant lui.

— Je suppose que vous connaissez tous les deux ces chiffres catastrophiques… Encore un an à suivre la courbe descendante, et on peut mettre la clef sous la porte. Si j'attends, je vendrai ce quotidien à perte. Et si je réinvestis pour le relever, je prends un énorme risque financier.

D'un air inquisiteur, il fixa André Bosc qui ne parvint pas à soutenir son regard.

— Pourquoi les lecteurs se désintéressent-ils de leur quotidien ?

— Eh bien, bredouilla le malheureux, il y a toutes ces nouvelles radios et chaînes de télé, et le…

— Non ! Vous n'y êtes pas du tout. Pour un rédacteur en chef, c'est un raisonnement défaitiste absurde. Les médias ne s'annulent pas, ils s'additionnent, se complètent. Ici, la clef du problème, c'est le contenu du journal, pas une pseudo-concurrence. Le support n'est pas en cause, nous ne sommes pas près de voir la fin du règne du papier !

Il émit un petit ricanement désagréable et se tourna vers Lucrèce.

— Vous avez vu la une d'aujourd'hui. D'après vous, ça va ?

Prudente, elle ne répondit rien, mais il n'avait pas l'intention de la fâcher avec Bosc à peine arrivée et il enchaîna :

— En ce moment, *toutes* les unes doivent se faire sur la coupe du monde de football. Et ce sera comme ça jusqu'au dernier match, même si la terre tremble.

D'un mouvement sec, il ferma le dossier qu'il avait à peine consulté car il devait le connaître par cœur.

— Mais ce n'est qu'un détail parmi d'autres, je ne vais faire un cours de journalisme à personne ! Pour être bref, je crois qu'il faut du sang neuf ici. D'autres idées, une conception plus moderne, une mise en page plus efficace. Le changement dans la continuité, comme disait je ne sais plus qui… Je peux soutenir le journal durant quelques mois. Disons six. Au bout de ce délai, si les ventes sont en hausse, j'investis et on décolle. Si elles stagnent, je bazarde.

Lucrèce vit André Bosc pâlir et Claude-Éric s'adressa directement à lui.

— Voilà pourquoi je vous amène Lucrèce Cerjac. Je suppose que vous avez souvent eu l'occasion de lire ses articles ? Elle a été formée ici, au *Quotidien du Sud-Ouest,* et ensuite à Paris en travaillant directement avec moi à *Maintenant*. Elle a aussi collaboré à tous les grands journaux du pays. Comme elle est bordelaise, ce sera un atout supplémentaire au poste de rédacteur en chef adjoint.

— Mais, protesta faiblement Bosc, l'actuel…

— Je m'en occupe. Je lui ai déjà proposé une autre place dans le groupe, il est d'accord. Dans l'état où se trouve le journal, je considère qu'il s'agissait d'un mauvais collaborateur. Vous en convenez ? Il fallait bien désigner un responsable pour les mauvais résultats du journal.

Vaincu, Bosc glissa un regard inquiet vers Lucrèce qui se sentit contrainte de prendre la parole.

— Je me réjouis de travailler avec vous, dit-elle à André d'un ton enthousiaste. J'ai une foule d'idées, ce sera à vous de les canaliser, mais je pense vraiment qu'il faut moderniser le journal pour le sauver. Et, sans toutefois le marquer politiquement, nous devrons essayer d'utiliser un autre ton, plus incisif, plus critique, plus contemporain. À l'époque où je travaillais ici, il y a une douzaine d'années, l'équipe était très battante. Il faut qu'elle le redevienne. L'information locale doit garder son importance, c'est l'identification de chacun à travers les événements de proximité, mais nos antennes sur place se chargent très bien de ces pages pour les différentes éditions, et à mon avis nos efforts devront plutôt porter sur l'information générale.

Pour repositionner le journal à sa place de grand quotidien, il ne faut pas hésiter à publier des articles de fond, lancer des dossiers polémiques, poser des questions dérangeantes. Rendre le tout plus agressif, mais aussi plus ouvert. Peut-être s'offrir le concours ponctuel de quelques grandes plumes. Le *Quotidien du Sud-Ouest* devrait être cité dans toutes les revues de presse des radios… Et bien sûr, il nous faudra trouver quelques annonceurs sérieux. Pas des petits pavés ici ou là, qui finissent par décrédibiliser le contenu, mais carrément des pleines pages pour des grandes marques…

Elle s'interrompit brusquement, inquiète à l'idée d'assommer son nouveau patron par ses discours dès le premier jour, mais Claude-Éric, apparemment très satisfait, la regardait avec une ironie mêlée de fierté. André Bosc, lui, semblait assez intéressé, et pas du tout hostile. Considérait-il que Lucrèce pouvait l'aider ? Si près de la retraite, il ne la prenait sûrement pas pour une rivale mais plutôt pour une alliée inattendue. De toute façon, elle était imposée par le grand patron, il ne pouvait rien faire d'autre que l'accepter, si possible avec le sourire. Mentalement, elle se promit qu'il n'aurait pas à le regretter.

— Bien, dit Claude-Éric en se levant. Je vous laisse méditer tout ça, nous reviendrons à quatorze heures trente.

Il fit signe à Lucrèce de le suivre. Avant de partir, elle capta le regard éberlué d'André Bosc, qui paraissait ne pas revenir du numéro de duettistes auquel il venait d'assister.

Une fois dehors, sur le trottoir, Claude-Éric se permit un large sourire.

— Vous êtes contente, j'espère ? Le *Quotidien du Sud-Ouest* est finalement un assez beau joujou, et ce

M. Bosc vous laissera les coudées franches ! Allez, je vous invite à la *Réserve*, j'ai faim. En principe, ma secrétaire nous y a réservé une table...

À grandes enjambées, il se dirigea vers la voiture de Lucrèce.

— Pourvu qu'ils nous laissent entrer dans leur parking avec ce tas de boulons !

— Si le salaire est correct dans mon nouveau job, répliqua-t-elle du tac au tac, je m'offrirai une voiture neuve.

— Vous croyez encore aux miracles à votre âge ? Vous imaginez que je vais vous faire un pont d'or ?

— Le jeu en vaut la chandelle, je vous promets des résultats.

Claude-Éric éclata de rire tandis qu'elle démarrait. Elle prit la direction de Pessac, se faufilant avec aisance dans la circulation très dense du centre-ville.

— Vous n'avez pas choisi ce restaurant au hasard, n'est-ce pas ? lui demanda-t-elle sans le regarder.

— Non. Je vois que vous avez une bonne mémoire, tant mieux !

Onze ans auparavant, il lui avait donné rendez-vous là lors d'un de ses passages à Bordeaux, et au cours du déjeuner il avait réussi à la convaincre de « monter » à Paris avec lui. *Maintenant* n'était alors qu'à l'état de projet, mais il formait déjà son équipe de rédaction et il voulait Lucrèce avec lui.

— En quelque sorte, je vous ramène où je vous ai trouvée, dit-il doucement.

Pour une fois, il n'y avait pas l'ombre d'un sarcasme dans sa voix, et Lucrèce devina confusément qu'elle avait occupé une place à part et très importante dans la vie de Valère. Son unique échec ?

— Je vous aime bien, Claude-Éric, dit-elle dans un élan de tendresse qui la surprit elle-même.

— Je sais ! répliqua-t-il sèchement.

Christiane Granville regardait autour d'elle avec l'air aussi stupéfait que découragé.

— C'est vraiment là que tu vas vivre, ma chérie ? demanda-t-elle à Sophie d'une voix hésitante.

L'appartement que Xavier Mauvoisin mettait à la disposition de Julien était situé au-dessus des écuries. À l'origine, il devait s'agir de greniers à foin, qui avaient été réunis par la suite pour servir de logement. En enfilade, on trouvait un grand salon, une cuisine, trois chambres et une salle de bains. L'ensemble était plutôt spartiate, avec un parquet qui venait d'être poncé et des murs de crépi blanc.

— Nous avons mis nos économies dans les Velux ! dit Sophie en riant.

Les fenêtres de toit, installées quelques jours plus tôt, laissaient entrer la lumière à flots.

— Oui, c'est bien, c'est clair… murmura sa mère, apparemment peu convaincue. Mais tu sais, papa m'a recommandé de tout faire pour que vous soyez bien installés. Des jeunes mariés ont besoin d'être à l'aise, surtout s'ils projettent d'avoir des enfants, alors j'ai carte blanche ! Nous pourrions choisir des moquettes, et une cuisine intégrée, et convoquer un électricien qui…

— Maman ! Julien serait fou si tu disais ça devant lui.

— Pourquoi ?

— Parce qu'il estime qu'il peut se débrouiller. Et je travaille, moi aussi.

— D'accord, mais…

— Arrête, maman. S'il te plaît.

Désemparée, sa mère se détourna. Sophie savait bien que, même si elle essayait de faire bonne figure, elle ne parvenait pas vraiment à s'habituer à son gendre. Pour elle, être un cavalier professionnel ne signifiait rien, Julien aurait aussi bien pu être dompteur dans un cirque. À la rigueur, lors d'un concours hippique où Sophie l'avait traînée, elle avait exprimé une certaine satisfaction, au moment de la remise des prix, quand elle avait vu Julien brandir une coupe sous les flashs des journalistes, puis entamer un tour d'honneur.

— C'est un beau club, en tout cas, dit Christiane qui s'était reprise. Un peu boueux, peut-être... Mais au moins vous êtes dans la verdure !

— Oui, nous serons très bien ici. *Je* serai bien partout où il sera.

— Tu l'aimes, n'est-ce pas ? murmura sa mère, soudain attendrie.

— Si tu savais ! Je crois que je l'ai toujours voulu, même quand j'étais à Sainte-Philomène.

L'un des effets positifs de la thérapie qu'elle avait suivie était de pouvoir prononcer ce nom de Sainte-Philomène sans malaise. Certes, elle n'avait pas oublié l'ignoble surveillant, Bessières, et ses gestes obscènes, mais au moins elle arrivait à évoquer cette période.

— Il va tout de même vous falloir des meubles, chérie...

— Nous en avons. Ceux du pavillon et ceux de mon studio. Ne t'en fais pas pour nous, maman. Tu sais, Xavier Mauvoisin, le propriétaire, a plus ou moins associé Julien à son affaire, et...

— Justement, papa aimerait parler de tout ça avec vous. Il peut vous donner un coup de pouce, vérifier les bases de cette association, éventuellement vous avancer les fonds...

— Mais non !

Exaspérée, Sophie fusilla sa mère du regard.

— Julien a trente-sept ans, maman. Ce n'est plus un gamin et il ne débute pas dans la vie. Pas plus qu'il ne songe à sa retraite pour l'instant.

— Mais si ton mari met tout son argent dans ses maudits chevaux, comment allez-vous vivre ?

— Grâce à eux… C'est difficile à expliquer. Écoute, la seule chose que papa puisse faire, s'il tient absolument à aider Julien, c'est lui trouver un sponsor. Il a parlé du Conseil régional, je crois que l'idée n'est pas mauvaise. Le genre de chevaux que Julien monte aujourd'hui, dans les compétitions internationales, valent des fortunes. Et parfois en rapportent.

À voir l'expression dubitative de sa mère, Sophie comprit qu'elle perdait son temps.

— Ils en discuteront entre hommes, ajouta-t-elle.

Apparemment soulagée de se retrouver en terrain connu, sa mère hocha la tête avec enthousiasme.

— Oui, laissons-les s'occuper de ça et parlons de l'appartement ! Quelle moquette aimerais-tu ? Beige ? Gris clair ?

— Julien vit en bottes du matin au soir, mieux vaudrait faire vitrifier le parquet, soupira Sophie, résignée.

De plus en plus souvent, elle mesurait l'écart considérable qui s'était creusé entre elle et ses parents. En particulier sa mère, prisonnière de conventions bourgeoises obsolètes, et que le moindre changement d'habitudes inquiétait.

— Bonjour, Christiane ! lança Julien depuis la porte.

Il appelait sa belle-mère par son prénom et se montrait toujours d'une extrême politesse avec elle, cependant il ne l'appréciait pas, Sophie le savait. Comment allait-il réagir s'il s'apercevait qu'elle était là pour s'occuper de l'installation des « jeunes mariés » ? Il avait supporté le mariage en grande pompe auquel tenaient les Granville, subissait depuis sans broncher un dîner mensuel chez eux, mais sa patience n'irait pas jusqu'à accepter leur intrusion ici, au Cercle de l'Éperon.

— Que pensez-vous de notre appartement ? demanda-t-il en s'approchant. Je ne vous embrasse pas, je suis sale.

Sophie réprima un sourire, persuadée que sa mère n'avait pas la moindre idée de l'état dans lequel Julien pouvait être, certains soirs, lorsqu'il avait lutté durant des heures sur des chevaux difficiles, piétiné toute la journée dans de la boue et du fumier. Non seulement il ne s'en plaignait jamais mais, grâce à sa longue cohabitation avec Lucrèce, il se débrouillait très bien tout seul pour ses vêtements, ses bottes ou ses tenues de concours. Pas une seule fois il n'avait demandé à Sophie de lui repasser une chemise, et tous les soirs il faisait volontiers la vaisselle.

— Toi, je peux ? demanda-t-il en se penchant vers elle.

Il effleura ses lèvres, referma ses bras sur elle. Où aurait-elle pu se sentir mieux que réfugiée contre lui ?

— Ce M. Mauvoisin vous le prête ou vous le loue ? demanda Christiane après avoir toussoté pour attirer leur attention.

— C'est un arrangement entre nous, répondit Julien, laconique.

— Si vous faites des travaux, ils ne doivent pas être à fonds perdus…

— Des travaux ? Pourquoi ?

Julien s'écarta un peu de Sophie afin de pouvoir la regarder et elle lui adressa aussitôt un signe de connivence.

— Non, rien, ne t'inquiète pas.

— Je ne suis pas inquiet, juste curieux.

Il l'observait d'un air malicieux, sans doute très conscient de ce que sa belle-mère essayait de tramer dans son dos.

— Pourquoi n'allez-vous pas boire un verre au club-house, toutes les deux ? De là-haut, on a une très bonne vue sur le manège, et j'ai encore deux chevaux à sortir.

À l'évidence, les escarpins vernis de Christiane ne résisteraient pas à une traversée des écuries, il devait s'en réjouir d'avance.

— À plus tard, ajouta-t-il avec un sourire.

Sophie le suivit des yeux tandis qu'il quittait la pièce. Grand et mince dans sa culotte de cheval noire, ses bottes noires et son pull bleu ciel, il conservait l'allure d'un très jeune homme. Et elle était éperdument amoureuse de lui.

— Je dois reconnaître que ton mari est très séduisant… murmura Christiane.

Amusée par cet accès de sincérité, qui ressemblait si peu à sa mère, Sophie hocha la tête. Qui aurait pu croire, quelques années plus tôt, que les Granville accepteraient Julien Cerjac pour gendre ? De toute façon, même sans leur accord, elle l'aurait épousé. Avoir failli le perdre lui avait servi de leçon, elle ne laisserait plus jamais quelqu'un s'immiscer entre Julien et elle.

Lucrèce mordillait distraitement son stylo tout en étudiant les petites annonces. À côté d'elle, Nicolas somnolait. Il s'était levé à l'aube pour aller chercher le journal et les croissants à Saint-Laurent, avait préparé et monté le plateau du petit déjeuner, puis s'était recouché.

— Tu dors, Nick ? Écoute ça : trois-pièces très clair, refait à neuf, place Canteloup… Bon, le prix est en rapport, évidemment, mais c'est central !

Il ouvrit les yeux, la contempla quelques instants. Elle paraissait ravie de sa trouvaille et elle entoura l'annonce avec enthousiasme.

— Tu veux habiter le centre ? marmonna-t-il.

— Pour être près du journal et d'une école, oui.

— Tu vas élever ta fille dans un appartement ?

— Provisoirement. Après, si tout va comme je l'espère au *Quotidien*, je chercherai une maison à acheter.

— Toujours dans le centre ? Au milieu de la circulation ?

— Je ne sais pas… Je verrai bien !

S'il voulait la convaincre, c'était le moment ou jamais de lui parler. Lorsqu'ils s'étaient endormis, au milieu de la nuit, blottis l'un contre l'autre, il avait failli lui proposer d'habiter avec lui, cependant la crainte d'un refus l'avait arrêté une fois encore. L'entendre annoncer qu'elle comptait acheter une maison acheva de le démoraliser. N'occuperait-il donc jamais aucune vraie place dans sa vie ?

— Lucrèce, soupira-t-il en tendant le bras vers elle.

Il l'attira doucement à lui. Le bonheur de la tenir contre lui semblait toujours remis en cause. Une soirée, une nuit, des moments de grande complicité qui se succédaient sans faire un tout.

— Si un jour l'envie te prend de vivre à la campagne, je vous offre l'hospitalité, à ta fille et à toi, réussit-il à dire.

Au lieu de répondre, même par une plaisanterie, elle resta silencieuse assez longtemps pour qu'il commence à s'inquiéter.

— C'est sûrement un peu tôt… ajouta-t-il alors, d'un ton résigné. Mais tu peux y penser si tu veux.

Un nouveau silence les sépara, qu'il ne chercha plus à rompre. La veille, en visitant la chartreuse, Lucrèce s'était extasiée sur l'architecture aux proportions parfaites, la clarté, la vue imprenable sur les vignes. Tout l'avait charmée dans l'atmosphère raffinée et chaleureuse de cette maison de famille, mais apparemment, l'idée de s'y installer ne l'avait même pas effleurée.

En essayant de ne pas manifester sa déception, Nicolas se leva.

— Je vais me doucher, murmura-t-il.

Comment allait-il respecter le serment qu'il s'était fait de ne pas la brusquer ? Et comment supporterait-il de la savoir à vingt kilomètres de là, à attendre qu'elle appelle quand l'envie l'en prendrait ?

Il pénétra dans sa salle de bains de jeune homme, à laquelle Guillaume n'avait pas touché. Revivre ici serait à la fois un plaisir et une épreuve, il en avait la certitude. Tout le temps qu'il avait passé à trier et à ranger, avec Agnès, il s'était plu à imaginer Lucrèce et Roxane ici, mais sans doute ne s'agissait-il que d'un rêve. Celui qu'il faisait inlassablement depuis tant d'années.

Tout en se séchant, il s'approcha de la fenêtre. Alors qu'il n'était qu'un petit garçon, Guillaume avait vendu les vignes qui s'étageaient jusqu'à l'horizon. Cette décision d'abandonner l'activité viticole pour mettre tous les capitaux disponibles dans l'affaire de négoce avait semblé logique à leur père, mais Nicolas s'était senti profondément malheureux. Bien sûr, il n'avait rien à dire, à l'époque il n'était qu'un gamin. Aujourd'hui, il allait tout faire pour racheter ces terres, quitte à surestimer leur valeur. Le vieux Roger Mauron, l'actuel propriétaire, ne tarderait plus à prendre sa retraite, or il n'avait pas d'héritier, peut-être accepterait-il de traiter ?

Nicolas enfila un jean et une chemise. Récupérer les hectares autour de la chartreuse, vivre avec la femme qu'il aimait : n'étaient-ce que des chimères appelées à ne jamais devenir réalité ?

Quand il regagna sa chambre, Lucrèce étudiait toujours la page des petites annonces, cependant, en s'approchant d'elle, il remarqua son expression de profonde tristesse et ses yeux brillants.

— Quelque chose ne va pas ?

Inquiet, il s'assit au bord du lit. Avait-il commis une maladresse supplémentaire ?

— Si j'ai dit ou fait…

— Non, pas du tout. Pas toi.

— Alors, quoi ?

Durant deux ou trois secondes, elle le dévisagea comme si elle pesait le pour et le contre.

— C'est difficile de tourner une page définitivement, soupira-t-elle. Il y a eu beaucoup d'événements en peu de temps.

— Quelle page, Lucrèce ?

Du bout de son stylo, elle désigna le journal. Une autre annonce était entourée de plusieurs traits rageurs.

— *« Superbe T4 place Pey-Berland, vue sur la cathédrale Saint-André, immeuble pierre de taille, grand standing, état impeccable. À vendre ou à louer, libre le 1er janvier. »*

Il releva les yeux, lui sourit le plus gentiment possible.

— C'est celui de Fabian ? Et ça te rend triste ?

— Honnêtement, oui. Je suis désolée.

— Pour moi ? Ne le sois pas. Je peux comprendre…

Ignorant la bouffée de jalousie qui lui donnait envie de déchirer le journal, il prit la main de Lucrèce.

— Je suppose qu'il fait partie de ta vie pour toujours, que ça me plaise ou pas. Et tu n'as aucune envie de le voir s'en aller au bout du monde.

— Il a énormément compté, avoua-t-elle à voix basse. Je vais me sentir un peu… Je ne sais pas… Orpheline ? Je ne devrais pas te dire ça à toi, je sais que tu le détestes.

— Le mot est faible. Il y a treize ans qu'il est sur ma route, et pour moi, les États-Unis, c'est encore trop près ! Néanmoins, j'ai une certaine admiration pour lui. Tu peux m'en parler tant que tu veux.

Même s'il ne tenait pas à entendre chanter les louanges de Fabian Cartier, il devinait à quel point Lucrèce était mal à l'aise.

— Si tu regrettes quoi que ce soit… se força-t-il à ajouter.

Elle le regarda bien en face puis secoua la tête.

— De toute façon, Lucrèce, il n'est pas encore parti. Peut-être que…

— Non, il n'y tient pas. Moi non plus.

— Tant mieux.

Un peu soulagé, il se pencha vers elle, chercha sa bouche. La manière dont elle répondit à son étreinte aurait pu le rassurer, mais sans doute ne le serait-il jamais tout à fait avec elle.

— Tu es libre, chuchota-t-il en embrassant son épaule. Même si tu acceptes de vivre avec moi un jour, ça ne changera rien, tu es une femme libre, tu m'as obligé à l'apprendre.

Ses lèvres glissèrent sur la peau douce de Lucrèce jusqu'à un sein. Il sentit qu'elle posait une main sur ses cheveux, l'autre dans son dos, et il eut immédiatement envie d'elle. Mais ils venaient d'évoquer Fabian, aussi ne prit-il pas le risque d'aller plus loin. L'idée qu'elle puisse penser à un autre homme quand elle était dans ses bras l'exaspérait.

— Non, ne t'en va pas… protesta-t-elle.

Si elle avait besoin de lui, même pour être consolée, il ne devait pas se dérober. Après tout, elle était là, dans son lit, dans sa maison, à lui de lui donner le désir d'y rester.

D'un œil morne, Guy observa son agenda ouvert à la page du lendemain, où se succédaient les rendez-vous jusqu'au soir. Sa réputation de stomatologue n'avait fait que croître avec le temps, et c'était justice car il travaillait comme un fou. Consciencieux, il s'astreignait à suivre tous les progrès de la recherche, à renouveler régulièrement le matériel de son cabinet, il avait même suivi un stage de formation sur les implants dentaires et s'était équipé d'un logiciel informatique de pointe pour visualiser la mâchoire de ses clients sur son écran.

Seule ombre à ce tableau professionnel idyllique : il ne savait plus pour qui ou pour quoi il se donnait autant de mal. L'aspect solitaire de son métier commençait à lui peser, ne pouvant discuter ni avec ses patients – et pour cause ! – ni avec ses confrères puisqu'il était seul. Pis encore, il n'avait plus aucune envie de rentrer chez lui le soir. Agathe et Pénélope, en pleine crise d'adolescence, boudaient pour un oui ou pour un non ; quant à Brigitte, son naturel morose finissait par tourner à l'acariâtre.

Avec le recul, il se demandait pourquoi il l'avait épousée. À cause d'elle, il avait quitté Emmanuelle, laissant tomber Julien et Lucrèce par la même occasion, tout ça pour se retrouver, au bout du compte, plutôt moins heureux qu'avant. Et depuis que Brigitte avait commencé à lui parler d'argent, de donation, de testament, il se sentait vieux.

Enfin, pas tout à fait. S'il parvenait à rassembler son courage, peut-être pourrait-il... Mais non, c'était idiot. Même s'il y pensait plusieurs fois par jour, il ne devait pas se laisser aller à rêver de tout changer encore une fois !

Il enleva sa blouse, qu'il jeta dans le panier à linge, puis il prit le dernier plateau d'instruments dont il s'était servi et alla le déposer dans l'évier. Son assistante se chargerait de mettre de l'ordre le lendemain matin, comme toujours. Avant de partir, il plia soigneusement le *Quotidien du Sud-Ouest* qui était resté sur son bureau depuis le matin. L'éditorial, signé du rédacteur en chef, annonçait l'arrivée d'une nouvelle collaboratrice, dont on dressait un portrait en dernière page. Guy jugeait la photo de Lucrèce fidèle, c'était bien sa fille cette superbe jeune femme au regard clair, au sourire conquérant. L'interview faisait état de ses objectifs et résumait sa carrière. En lisant, il avait eu du mal à croire qu'elle ait pu accomplir tant de choses. Quelle leçon elle lui donnait à travers son parcours professionnel ! Pourquoi ne l'avait-il jamais aidée, surtout au début ? Il se souvenait encore de l'ironie grinçante de Brigitte, sur laquelle il avait stupidement renchéri ! Aujourd'hui, Lucrèce revenait à Bordeaux avec les honneurs, auréolée de son prestige de journaliste parisienne, et qui sait, peut-être finirait-elle par diriger ce quotidien qu'il achetait depuis toujours ? Seulement voilà, il n'avait pas la moindre part dans sa réussite. Rien à son actif, parce qu'il avait été trop lâche pour affronter Brigitte.

— Tu vas continuer longtemps comme ça ? maugréa-t-il à mi-voix.

Devait-il vraiment se cacher pour acheter des jouets à Roxane ou inviter Lucrèce à déjeuner ? Pour assister à un concours hippique auquel Julien participait ? Ce dernier, qui semblait pardonner moins facilement que sa sœur, était toujours un peu sur la défensive. Mais lorsqu'il aurait des enfants à son tour, Guy se promettait de vaincre ses réserves en étant un grand-père idéal.

— Pourvu qu'il ait un fils et que je puisse me racheter…

Peu de temps après ce somptueux mariage qui avait tant réjoui les Granville, Guy était allé voir Julien un matin, au Cercle de l'Éperon. Xavier Mauvoisin l'avait salué d'un ironique : « Tiens donc ! Mais ça fait plus de vingt ans que je ne vous avais pas vu ! » Vingt ans, oui… Alors, par association d'idées, il avait évoqué Iago, ce cheval acheté juste avant le divorce, comme un honteux cadeau d'adieu, et il avait eu la mauvaise surprise de voir Julien pâlir, ému aux larmes. N'avait-il strictement rien compris, jamais, à la vie de son fils ? À côté de quoi était-il passé, tandis que Brigitte boudait, se plaignait, monopolisait son attention ? Elle jugeait tout le monde, personne ne trouvait grâce à ses yeux, pourtant elle-même n'avait pas fait grand-chose de son diplôme de médecin. Guy se souvenait parfaitement de toutes les horreurs qu'elle avait pu proférer contre Fabian Cartier, mais en y réfléchissant, il constatait que Fabian s'était très bien comporté avec Lucrèce. Sans lui, sa fille n'aurait sans doute pas réussi, il l'avait aidée avec beaucoup de discernement et de tact. Pourquoi donc, alors que Guy admirait Cartier depuis toujours, n'en avait-il pas profité pour s'en faire véritablement un ami ? Mais il avait raté tant de choses, laissé passer tant d'occasions…

Il brancha le répondeur téléphonique et enclencha l'alarme du cabinet, cependant, au moment de sortir, il se ravisa. Était-ce si compliqué de composer un numéro, de proposer de déjeuner ensemble, un de ces jours ? Il ne serait pas un mari infidèle pour autant. Et quand bien même !

En compagnie de l'agent immobilier qui dressait l'état des lieux, Lucrèce accomplit un dernier tour du petit appartement parisien où elle avait vécu avec Roxane. La veille, les déménageurs avaient tout emporté et il ne restait strictement rien. Après leur départ, elle était allée dormir dans un hôtel du quartier où Nicolas lui avait fait la surprise de la rejoindre, le matin même, alors qu'elle ne l'attendait pas. Avec lui, elle était revenue faire le ménage, nettoyant la cuisine et la salle de bains tandis qu'il passait l'aspirateur.

— Tout est en ordre, constata l'agent immobilier. Heureusement, car je déteste travailler le dimanche ! C'est bien parce que vous partez en province. Tenez, si vous voulez signer ici…

Elle s'exécuta puis le raccompagna jusqu'à la porte. Quoi qu'elle ait pu craindre, elle n'éprouvait aucun regret à l'idée de quitter Paris. Une fois vide, l'appartement semblait étriqué, sombre, triste. De toute façon, depuis qu'il avait été saccagé par des inconnus, elle ne s'y était plus jamais sentie tranquille.

— Quand je lui ai rendu son aspirateur, la concierge m'a donné ça pour toi, annonça Nicolas en entrant. C'est arrivé hier.

Elle prit l'enveloppe matelassée qu'il lui tendait. Son changement d'adresse avait été fait, à la poste, désormais son courrier serait renvoyé à Bordeaux, chez sa mère, jusqu'à ce qu'elle ait trouvé un logement.

— Je t'offre un petit déjeuner, décida-t-elle. On l'a bien gagné, non ?

Parti de Saint-Laurent avant l'aube, Nicolas avait fait près de six cents kilomètres et devait être fatigué. Ils descendirent jusqu'au bistrot du coin de la rue où ils trouvèrent une table libre à la terrasse. Le temps était extraordinairement beau depuis plusieurs jours, avec l'air de fête caractéristique de l'été à Paris, et d'innombrables touristes se pressaient dans le jardin du Luxembourg.

— Tu rentres avec moi ? demanda Nicolas d'un ton plein d'espoir.

— Pas aujourd'hui, non, j'ai encore quelques trucs à faire… Dire au revoir à deux ou trois bons copains, déjeuner avec la baby-sitter qui me gardait Roxane, et je dois aussi dîner avec Valère.

Devant son air déçu, elle se sentit attendrie. Il ne cachait pas ses sentiments, ne jouait jamais la désinvolture ou l'indifférence.

— Si tu n'es pas trop pressé, ajouta-t-elle, reste à Paris ce soir et viens dormir avec moi à l'hôtel.

— D'accord. Je trouverai bien de quoi m'occuper d'ici là. Et après ton dîner, je t'emmènerai faire la tournée des grands ducs pour enterrer ta vie de Parisienne !

— Pourquoi pas ? Retrouve-moi à onze heures au bar du *George V*, proposa-t-elle.

Tandis qu'un serveur déposait devant eux des cafés fumants et une corbeille pleine de croissants, elle ouvrit l'enveloppe que Nicolas lui avait remise. Une clef s'en échappa, ainsi qu'une lettre. Au premier regard, elle reconnut l'écriture nerveuse de Fabian et elle parcourut le texte en hâte. *« Lucrèce, tu peux conserver la clef du studio de la rue de Médicis. Je ne le vends pas, au cas où l'envie me prendrait de faire un saut à Paris. Utilise-le comme pied-à-terre chaque fois que tu le souhaites, et avec qui tu veux. Je serai ravi qu'il serve à quelque chose. Je pense à toi, je t'embrasse. »*

— C'est très gentil de sa part, murmura-t-elle.

Elle récupéra la clef, tombée à côté de sa tasse, et considéra pensivement le porte-clefs qui y était accroché. Il s'agissait de celui de Fabian, un simple *F* en argent. À l'époque où elle avait habité le studio, durant les premières années de sa vie à Paris, Fabian était rarement venu l'y rejoindre, comme s'il ne voulait pas la déranger.

D'un geste résolu, elle rangea la clef dans son sac. Sans doute ne s'en servirait-elle jamais, et Fabian devait le savoir. Avait-il seulement eu envie d'écrire *« Je pense à toi »* ?

Lorsqu'elle releva la tête, elle remarqua que Nicolas l'observait, visage fermé.

— Très gentil, répéta-t-il avec une pointe d'ironie.

La lettre était posée entre eux, sur le guéridon de marbre, il avait eu tout le temps de la lire. Lucrèce la récupéra, la replia et l'envoya rejoindre la clef.

— Il te touche encore à ce point ?

— J'aurais la mémoire courte si je m'en moquais éperdument, répliqua-t-elle de manière un peu brusque. Et toi, tu ne parais pas te souvenir de ce que tu m'as dit…

— Si, très bien ! Tu as le droit d'en parler, de m'en parler tant que tu veux, mais quand je te vois tellement bouleversée par trois lignes de lui, je ne peux pas m'empêcher d'être inquiet.

— Inquiet ou jaloux ?

— Les deux.

— C'est idiot. Quand tu téléphones à Stéphanie, je ne…

— Lucrèce ! Quel rapport ? Je ne l'appelle que pour Denis, et de toute façon, je ne l'ai jamais aimée, tu le sais très bien. Toi, tu as vraiment aimé Fabian…

— Oui, et alors ?

Elle s'en voulait d'être autant sur la défensive dès qu'il s'agissait de Fabian, mais celui-ci avait trop souvent été une raison de dispute entre elle et Nicolas.

— Alors j'espère que tu ne continues pas à l'aimer, dit-il d'une voix rauque. Si c'est le cas, tu pourrais envisager de faire une carrière de journaliste aux États-Unis ?

Il se leva, glissa un billet sous une soucoupe et s'éloigna à grands pas, laissant Lucrèce médusée. Longtemps, elle le suivit des yeux, sans se décider à le rattraper, jusqu'à ce qu'il ait tourné le coin de la rue. Pourquoi avait-il réagi aussi violemment ? Prenait-il toujours Fabian pour son rival ?

L'appétit coupé, elle reposa le morceau de croissant qu'elle tenait encore à la main. Le départ de Nicolas la contrariait, l'angoissait, mais elle en éprouvait aussi de l'agacement. Cette histoire de studio n'avait pas grande importance, d'ailleurs Fabian lui avait *toujours* facilité la vie, sa proposition n'avait rien d'équivoque. Pour le moment, elle évitait de l'appeler, ayant compris ce qu'il endurait, mais elle n'avait pas renoncé à rester son amie dans l'avenir. Nicolas ne pourrait-il pas supporter qu'elle garde un contact avec Fabian ? Devrait-elle s'en cacher, mentir ?

Elle ramassa son sac et quitta la terrasse du bistrot à son tour. L'heure de son déjeuner était presque arrivée, elle allait faire exactement ce qu'elle avait prévu aujourd'hui. Si Nicolas était pris de remords, il n'aurait qu'à l'appeler sur son portable ! Il avait toute la journée pour se calmer, et ce soir elle verrait bien s'il la rejoignait ou pas au bar du *George V*.

Tout en marchant, elle essaya en vain de penser à autre chose. La jalousie de Nicolas l'inquiétait mais, à mieux y réfléchir, elle s'expliquait aisément. Il était toujours persuadé que Fabian était le père de Roxane, jamais il n'avait abordé franchement le sujet avec Lucrèce. Pourquoi ne l'avait-elle pas fait elle-même ? Qu'attendait-elle donc pour le rassurer, lui dire qu'elle l'aimait ? À force de ne pas exprimer ses sentiments, en était-elle devenue incapable ? Même s'il avait mûri, Nicolas conservait un certain romantisme, et son caractère entier s'accommodait mal du silence de Lucrèce.

« Je lui parlerai ce soir, il a le droit de savoir la vérité… »

Imaginer sa réaction lui arracha d'abord un sourire mais, l'instant d'après, elle se demanda s'il n'était pas déjà reparti pour Bordeaux, furieux.

La victoire des Bleus contre l'équipe du Brésil, au stade de France, venait d'embraser littéralement la capitale. Les abords des Champs-Élysées, vers lesquels une foule toujours plus dense se pressait, étaient tout à fait inaccessibles.

Au milieu de la liesse générale, amplifiée par le cri de ralliement : « *Et un… et deux… et trois… zéro !* », scandé à pleins poumons, Lucrèce désespérait de pouvoir rejoindre l'avenue George-V. Claude-Éric le lui avait évidemment déconseillé, certain que les Parisiens allaient se jeter dans les rues pour fêter l'événement. Indifférent au sport, comme toujours, il se réjouissait néanmoins à l'idée des tirages qui ne manqueraient pas de grimper en flèche dans les prochains jours. Il avait déposé Lucrèce entre la Madeleine et la Concorde, bien décidé à ne pas s'aventurer plus loin, et alors qu'elle s'apprêtait à descendre de voiture, il s'était penché vers elle pour lui donner un baiser maladroit, au coin des lèvres, en guise d'au revoir.

Tandis qu'elle remontait vers le rond-point des Champs-Élysées, Lucrèce essaya plusieurs fois d'appeler Nicolas, afin de lui fixer rendez-vous ailleurs, mais son portable était coupé. Avait-il quitté Paris ? Boudait-il toujours ou l'attendait-il comme convenu ? Quoi qu'il en soit, si elle parvenait à le rejoindre, elle serait très en retard.

Entre le rond-point et l'Étoile, le délire paraissait à son comble. À toutes les terrasses de bistrots, bondées, les gens arrosaient la victoire en trinquant bruyamment, par-dessus les concerts de klaxons, ce qui donnait une atmosphère de kermesse géante à la ville.

Bousculée, entraînée malgré elle, Lucrèce voulut quitter les Champs pour emprunter les rues adjacentes, mais elle se retrouva à contre-courant de la foule et elle mit un temps fou à gagner l'hôtel *George V*.

Lorsqu'elle pénétra enfin dans le bar, généralement assez feutré, l'ambiance était là aussi à la fête, avec des bouchons de champagne qui sautaient à chaque table. Hélas, Nicolas n'était nulle part en vue. Affreusement déçue, Lucrèce consulta sa montre et constata qu'il était plus de minuit. Comment savoir s'il était venu puis reparti, ou s'il n'avait pas pu arriver, ou même s'il ne dormait pas tranquillement dans sa chartreuse, à six cents kilomètres de là ? Elle tenta d'interroger le barman qui, débordé, lui adressa un signe d'impuissance.

— Voulez-vous boire un verre, jolie dame ? lui lança un homme d'une soixantaine d'années.

Déjà bien éméché, il avait l'allure d'un vieux playboy arrogant. Elle ne se donna pas la peine de répondre et, au moment où elle se détournait, elle se retrouva face à face avec Nicolas.

— J'étais très inquiet ! s'exclama-t-il. Comment as-tu fait ? Tout est noir de monde, c'est de la folie. Je t'ai appelée dix fois depuis une heure…

Mais bien sûr, elle n'avait pas entendu la sonnerie de son portable, au fond de son sac, dans la cacophonie des Champs-Élysées. Nicolas passa un bras protecteur autour de ses épaules et elle éprouva un immense soulagement.

— Je suis contente que tu sois là, soupira-t-elle.

— Nous avions rendez-vous, non ?

Tout en la serrant davantage, il ajouta, à voix basse :

— Je te dois des excuses, je me suis comporté comme un abruti. Et en plus, j'ai remâché ça depuis ce matin jusqu'à m'en donner une indigestion ! Ces gens à qui tu voulais dire au revoir sans moi, le studio de Fabian, Claude-Éric Valère… Je suis un parfait con, jaloux et mesquin.

— Absolument.

— Et anxieux, aussi. Ce soir, j'ai eu peur pour toi, je déteste la foule, c'est dangereux… Mais je me rassurais en me disant que tu ne viendrais peut-être pas du tout, après la façon dont je t'ai quittée ce matin.

— Nous avions rendez-vous, non ? répéta-t-elle avec un grand sourire.

De sa main libre, il repoussa une mèche qui lui tombait dans les yeux, et ce geste machinal, qu'elle l'avait vu faire cent fois, lui parut soudain extraordinairement attendrissant. Depuis qu'elle le connaissait, il portait les cheveux un peu trop longs, ce qui lui allait bien.

— Tu as vu le match quelque part ? demanda-t-elle pour surmonter l'émotion qui était en train de la gagner. Tu es content qu'on soit champions ?

— Maintenant, oui.

Il l'entraîna vers l'une des petites tables rondes sur laquelle rafraîchissait une bouteille de champagne, dans un seau à glace.

— En ce qui concerne la tournée des grands ducs, dit-il en lui tendant une coupe, je crois que tous les bars seront pris d'assaut.

— Tant pis. On boit cette bouteille et on rentre à l'hôtel.

— Rentrer comment ? Il n'y aura pas un seul taxi ! Non, j'ai pris une chambre ici pour la nuit. À tout hasard.

— Ici ? Tu as les moyens…

— Je suis un provincial en goguette, n'oublie pas. Et je refuse de traverser la moitié de Paris à pied, avec des milliers de gens qui te bousculeront.

Son sourire était toujours celui d'un gamin, mais c'était un homme, solide et tendre, qui possédait un charme fou. Elle le contempla deux ou trois secondes, très sérieusement, puis décida que le moment était assez bien choisi.

— Nick, j'ai un aveu à te faire.

— Si c'est quelque chose de désagréable, attends demain, je t'en supplie !

— Non, je ne pense pas. Enfin…

Elle prit le temps de boire deux ou trois gorgées, pour se donner du courage.

— Roxane n'est pas la fille de Fabian, dit-elle lentement. Il était à New York à ce moment-là, et de toute façon, nous avons toujours pris des précautions, lui et moi.

Elle le vit se raidir mais il resta silencieux, immobile, attentif, le visage marqué par l'angoisse. Avait-il peur de comprendre ?

— Au début, reprit-elle, je ne voulais pas te le dire parce que… eh bien, tu étais marié, n'est-ce pas ? Je n'avais pas envie d'être celle qui détruirait une famille. Je me voyais déjà dans le rôle de Brigitte, ma belle-mère… Nous n'avions passé qu'une nuit ensemble, toi et moi, on ne casse pas tout pour une nuit. D'ailleurs, je vais être honnête, même si j'étais amoureuse de toi, je l'étais encore de Fabian. C'est tout mon problème, je vous ai aimé tous les deux à la fois pendant très longtemps. Trop longtemps. Quelque chose d'inconcevable pour toi, sans doute…

— Oui, admit-il d'une voix rauque.

— Comme je ne t'avais pas avoué la vérité, à toi, je n'en ai parlé à personne, et tout le monde a cru que c'était Fabian le père, forcément.

Le regard de Nicolas semblait s'être voilé. Il se racla la gorge avant de pouvoir demander :

— Et lui, comment a-t-il pris ça ?

— Pas très bien, tu imagines, mais il a surmonté. À l'époque, je croyais que c'était seulement par… élégance de sa part. En fait, il y mettait beaucoup plus de sentiment que je l'ai jamais supposé. Il était là au moment de l'accouchement et il m'a proposé de reconnaître Roxane. J'ai failli accepter, pour garantir son avenir à elle. Seulement, vis-à-vis de toi, c'était moralement indéfendable, je ne pouvais pas. Et puis, je me sentais de taille à l'élever toute seule.

Nicolas baissa la tête, sous le choc. Que pouvait-il ressentir sinon l'impression d'avoir été trahi, dépossédé ? Comment avait-elle pu penser que cette révélation trop tardive serait pour lui une bonne surprise ? Il avait raté deux ans de l'enfance de sa fille, s'était miné pour rien. Avec un affreux sentiment de culpabilité, elle se força à poursuivre.

— Bon, tu n'es pas obligé de me croire sur parole, si tu veux faire une recherche génétique ou…

— Lucrèce !

Relevant brusquement la tête, il l'enveloppa d'un regard indéchiffrable.

— Pourquoi l'as-tu gardée ? Tu pouvais avorter ? Je suppose que Fabian te l'a suggéré ? Pour lui, c'était une situation intenable, et toi, tu as dû quitter *Maintenant*.

— Oui, mais je voulais ce bébé.

— Pourquoi ? insista-t-il.

Elle faillit se dérober, pourtant elle avoua, presque malgré elle :

— Peut-être parce qu'il était de toi.

— Mon Dieu… dit-il dans un souffle, tu me rendras complètement fou.

Autour d'eux, le brouhaha s'était amplifié, l'atmosphère devenait électrique avec l'alcool coulant à flots. L'air hagard, Nicolas jeta un coup d'œil circulaire puis reporta son attention sur Lucrèce.

— Alors, Roxane est ma fille ?

Comme s'il réalisait enfin, son visage se détendit d'un coup puis s'illumina d'une expression de pur bonheur.

— C'est vrai ? insista-t-il.

Il se pencha au-dessus de la petite table, prit les mains de Lucrèce dans les siennes.

— Allons-nous-en ou je vais me mettre à hurler de joie !

— Nicolas, je suis désolée… Tu ne la connais même pas…

— Oh, je vais rattraper le temps perdu ! Enfin, si tu veux bien. Tu voudras ?

Elle se sentit touchée au plus profond d'elle-même par la spontanéité de sa réaction, mais avant qu'elle ait pu répondre, il l'obligea à se lever.

— Viens, viens, on monte. Je leur demanderai une autre bouteille de champagne là-haut. On devait se saouler, non ? Eh bien, crois-moi, on va le faire !

Il l'entraîna hors du bar, foulant l'épaisse moquette de l'hôtel à grands pas. Devant les ascenseurs, il la prit dans ses bras et l'embrassa avec une fougue qui leur coupa le souffle à tous les deux.

9

Septembre 1999

Emmanuelle désigna le *Quotidien du Sud-Ouest*, plié sur le comptoir de la librairie.

— Remarquable, ton dossier sur le PACS ! J'admire de plus en plus ta manière de traiter les sujets…

— C'est parce que je vieillis ! répliqua Lucrèce en riant. En tout cas, les lecteurs apprécient, le tirage continue à monter.

— Alors, vous êtes sauvés ?

— Presque… Je dois rencontrer Valère à Paris, la semaine prochaine. Il me paraît décidé à investir, c'est assez significatif pour qui le connaît.

— Et c'est toi qui vas en discuter avec lui, pas André Bosc ?

— André, tu sais, moins il s'en mêle, plus il est content. Je prépare un grand papier sur les trente-cinq heures de la deuxième loi Aubry, et il ne m'a même pas donné son avis ! Dès qu'il y a polémique, il devient frileux.

Avec un petit rire, Lucrèce haussa les épaules. Elle était radieuse, Emmanuelle le constatait à chacune de ses visites et s'en réjouissait. Depuis un peu plus d'un an que sa fille était revenue vivre à Bordeaux, elle l'avait vue changer au fil des mois, devenant plus épanouie, plus posée, plus sereine.

— Comment va Nicolas ? lui demanda-t-elle.

— Très bien. Il est avec les enfants, c'est un week-end Denis.

Ce qui signifiait qu'il s'occuperait exclusivement de son fils et de sa fille jusqu'au dimanche soir. Pour apprivoiser Roxane, puis pour faire accepter celle-ci à Denis, il avait fait preuve d'une patience et d'un tact exemplaires. D'ailleurs, Emmanuelle avait toujours pensé qu'il serait un merveilleux père.

— La petite ne jure que par lui, dit-elle d'une voix songeuse.

— Il fait tout pour ça, il en est gâteux, répliqua Lucrèce.

— Il se rattrape, il a bien raison !

Emmanuelle vit une ombre passer dans le regard de sa fille et elle regretta d'avoir été si véhémente. Dès qu'il s'agissait de Nicolas, elle éprouvait un besoin quasi maternel de le défendre, néanmoins elle devait veiller à ne pas culpabiliser Lucrèce.

— Quand le laisseras-tu reconnaître Roxane ? demanda-t-elle du ton le plus neutre possible.

— Je ne sais pas.

Un peu crispée, sa fille se dirigea vers les tables encombrées de livres, en prit un au hasard et fit semblant de le feuilleter.

— Lucrèce, Nicolas est quelqu'un d'exceptionnel et je sais que tu es amoureuse de lui. Pourquoi le mets-tu à la torture ?

— Moi ? Pas du tout ! Je vis avec lui, je…

— Oui, tu habites sa maison, mais tu as jugé bon de louer l'ancien studio de Sophie pour avoir un « point de chute en cas de problème ». C'est bien ça, ton expression ? À quel genre de problème penses-tu ?

— On peut toujours se disputer, maugréa Lucrèce.

— Avec Nicolas ? Il faut vraiment le faire exprès...

— Alors disons que je veux garder un minimum d'autonomie.

— Toujours ta fameuse indépendance ? Tu as passé l'âge de ce genre de revendication. Tu as un métier qui te plaît, qui te rapporte de l'argent, qui te fait rencontrer plein de gens. Et Nicolas ne cherche pas à t'emprisonner.

— Non, mais il parle mariage, et il voudrait que Roxane s'appelle Brantôme plutôt que Cerjac !

Son livre à la main, Lucrèce se mit à déambuler nerveusement.

— Jusqu'ici, j'ai mené ma barque toute seule. Je ne veux dépendre de personne. Ni rendre des comptes quand je rentre tard. Et pour ne rien te cacher, j'ai un peu de mal à partager ma fille. Tu trouves à Nick toutes les qualités du monde, mais il ne peut pas s'empêcher d'être jaloux !

— C'est normal, ma chérie. D'une part tu es très belle, il est le premier à le savoir, d'autre part, tu lui en as tellement fait baver qu'il sera sans doute toujours un peu inquiet. Tant mieux pour toi !

Un peu inquiet était un euphémisme. Une ou deux fois, avec une certaine retenue, Nicolas avait confié à Emmanuelle sa peur de ne pas être à la hauteur. Succéder à un homme comme Fabian Cartier, dont l'expérience des femmes et le libéralisme avaient su combler puis retenir Lucrèce durant tant d'années, l'angoissait beaucoup.

— Avec moi, reprit courageusement Emmanuelle, tu as eu un mauvais exemple sous les yeux. Mais nous nous étions mariés beaucoup trop jeunes, ton père et moi… Et je n'avais pas de métier, je ne voyais pas l'utilité d'en avoir un, c'était une terrible erreur. Heureusement, ton existence n'a rien à voir avec la mienne, il ne s'agit pas de la même histoire.

Ouvrant de grands yeux, Lucrèce resta d'abord saisie puis elle retraversa la librairie et passa derrière le comptoir de pitchpin.

— Maman… dit-elle d'une voix tendre.

— Je suis sûre que tu peux arriver à concilier ta vie de mère, de journaliste, et de femme. Nicolas n'est pas un obstacle, au contraire.

— Pourquoi l'aimes-tu à ce point-là ?

Emmanuelle esquissa un sourire mais ne répondit rien. Pas question d'avouer à sa fille que Nicolas lui avait prêté – donné, en fait – de l'argent au moment de ses pires difficultés financières. C'était leur secret, il en parlerait lui-même à Lucrèce s'il le souhaitait. Impossible, également, d'expliquer cette complicité tissée avec les années, cette tendresse ressentie dès le début pour le charmant jeune homme qui venait chercher chez elle livres et conseils depuis plus de quinze ans, brûlant de poser des questions qu'il n'osait jamais formuler.

— Ne passe pas à côté du bonheur, se contenta-t-elle de murmurer.

Lucrèce la dévisagea, perplexe, mais finit par hocher la tête. L'idée ferait son chemin, Emmanuelle en était certaine.

Le vieux Roger Mauron, perclus de rhumatismes, s'appuyait sur une canne et contemplait ses vignes d'un air nostalgique. S'efforçant de ne manifester aucune impatience, Nicolas attendait sa réponse avec angoisse. Un peu plus loin, entre deux rangées de ceps,

Denis avait délicatement cueilli un grain de raisin mûr qu'il faisait goûter à Roxane.

— Ton garçon a déjà l'air d'aimer ça… lâcha Roger d'un ton bourru.

Nicolas s'abstint de faire remarquer que, après tout, Denis était en train de jouer sur la terre de ses ancêtres. À cinquante mètres derrière eux, la chartreuse des Brantôme était là pour le rappeler. Jamais Guillaume n'aurait dû vendre ces hectares de haut-médoc plantés d'un excellent cépage cabernet-sauvignon. Roger Mauron les exploitait bien, mais Nicolas avait la certitude de pouvoir beaucoup mieux faire.

— Évidemment, quitte à m'en séparer, autant conclure avec toi.

Pour ne pas exulter ouvertement, Nicolas se tourna vers les deux enfants qu'il observa quelques instants, le cœur battant à grands coups.

— Je vais jusqu'aux vendanges, bien entendu, ajouta Roger, et puis on passera chez le notaire, toi et moi, mettons fin octobre ou début novembre. D'ici là, si tu veux venir jeter un coup d'œil de temps en temps, tu seras le bienvenu.

— Merci, souffla Nicolas.

— Oh, tu sais, tu les payes le prix !

Le prix juste, mais pas davantage, Mauron n'avait pas abusé de la situation.

— Tu vas laisser tomber tes terres de Listrac ?

— Non, j'essaierai de tout mener de front. J'ai obtenu de bons résultats, là-bas…

— C'est ce qu'on m'a dit. Que tu es arrivé à élever un vin de qualité. Tu as ça dans le sang, j'imagine, ton père n'était pas maladroit… Mais je n'aimais pas ton frère, et pas seulement parce qu'il avait choisi le négoce.

Refusant la discussion, Nicolas secoua la tête. Ce qu'il pensait de Guillaume ne regardait personne et, quoi qu'il arrive, il ne dirait pas de mal de lui. Roger Mauron patienta une seconde puis ébaucha un mince sourire avant de s'éloigner.

— Venez, les enfants, on rentre ! cria Nicolas.

Denis partit comme une flèche en direction de la chartreuse et Roxane, dépitée, tendit les bras vers son père.

— Tu veux que je te porte, ma puce ? Viens…

Il la souleva, la jucha sur ses épaules et suivit son fils. Ce ne fut qu'en arrivant devant chez lui qu'il découvrit la voiture de Stéphanie, garée n'importe comment devant le perron. Son ex-femme parlait à Denis, l'air maussade.

— Ah, quand même ! dit-elle en toisant Nicolas.

Ses rares visites étaient toujours d'assez mauvais augure, aussi se prépara-t-il à un affrontement.

— J'avais complètement oublié son rendez-vous chez l'orthodontiste, cet après-midi, déclara-t-elle.

— Je l'emmènerai.

— Non, je tiens à être présente, il doit faire un premier bilan et me donner les consignes pour les mois à venir.

— Allons-y tous ensemble, proposa-t-il.

— Avec elle ? Sûrement pas !

Stéphanie ne prononçait jamais le prénom de Roxane, elle l'avait même appelée, une fois, « ta bâtarde ». Il déposa la fillette à terre et la poussa doucement vers Denis.

— Vous voulez jouer un peu avant déjeuner ? dit-il en désignant le portique qu'il avait fait installer deux mois plus tôt.

Tandis que les enfants galopaient vers les balançoires, main dans la main, il laissa tomber d'une voix froide :

— Elle s'appelle Roxane.

Stéphanie haussa les épaules avec mépris.

— Si tu crois que je vais considérer qu'elle fait partie de ma famille, tu te trompes !

— De la mienne, en tout cas. C'est ma fille, autant que Denis est mon fils.

— Ah, bon ? Tu en es sûr ?

— Tu as été la première à me l'apprendre, rappela-t-il sèchement.

Il la vit accuser le coup, mais elle se reprit tout de suite.

— Écoute, Nick, tu vis en concubinage avec cette femme, sa gamine… Tout ça n'est pas très sain pour Denis, je le trouve perturbé.

Il devina immédiatement qu'elle allait se livrer à son chantage habituel, menacer d'aller voir le juge des familles, un psychologue, tenter n'importe quoi pour lui retirer ses jours de garde. Jusqu'ici, il avait refusé d'envenimer les choses parce qu'il se sentait toujours un peu coupable vis-à-vis de Stéphanie. Elle n'avait pas fait le deuil de leur mariage, continuait à vivre chez ses parents et à remâcher ses griefs contre lui.

— Je reviendrai le chercher à trois heures, décida-t-elle.

Sans répondre, il la regarda monter en voiture, démarrer trop vite sur les graviers. Le bruit des pneus lui rappela désagréablement le jour où il s'était battu avec Guillaume, mais il refusa d'y penser. Roger Mauron lui vendait ses vignes, Denis et Roxane s'amusaient comme des fous à quelques pas de lui, et ce soir, Lucrèce s'endormirait dans ses bras. Que pouvait-il désirer de plus ?

— Qu'elle m'épouse…

Il se défendait d'en rêver. Surtout si Lucrèce devait y voir le seul moyen qu'il ait trouvé de contrer Stéphanie.

Il en avait parlé à plusieurs reprises mais, Lucrèce s'étant chaque fois dérobée, il ne reviendrait plus à la charge. Jamais, quel que soit l'enjeu, il ne prendrait le risque de mettre une ombre entre eux.

Lucrèce étudia très attentivement la maquette de la une qu'André Bosc venait de lui soumettre. Elle savait qu'il attendrait son verdict pour donner le feu vert aux typos. De plus en plus souvent, il s'en remettait à elle, apparemment ravi de leur collaboration. Dès le premier jour, elle s'était appliquée à ne pas le braquer ou le vexer, lui présentant ses idées comme de simples suggestions, sollicitant son approbation pour le moindre changement. Il était presque toujours d'accord avec ses propositions et semblait soulagé de ne plus être seul aux commandes du *Quotidien du Sud-Ouest.* Peu à peu, elle avait appris à le connaître, étonnée de découvrir un excellent journaliste dont l'unique défaut était le manque d'ambition.

— On peut grossir un peu les caractères, là et là, suggéra-t-elle. L'événement, c'est le naufrage d'un pétrolier. Qu'il s'appelle *Erika* a moins d'importance… Et puis, la question qui intéresse tout le monde, c'est de savoir combien de temps la marée noire mettra à atteindre les côtes et lesquelles. L'article de Stéphane est à déplacer en page 2, à la suite.

D'un signe de tête, André approuva, puis il inscrivit les modifications avec son feutre rouge.

— Tu penses à nous organiser un pot pour Noël, Lucrèce ?

— Juste un petit truc informel dans l'après-midi du 24, mais en revanche, on fera quelque chose de plus important le 31. Le dernier jour avant l'an 2000, ça sc marque !

Comme toujours, il lui avait laissé carte blanche, affirmant qu'elle s'y entendait mieux que lui pour solidariser et motiver l'équipe de journalistes. Il se leva, ramassa la maquette.

— Bon, on va rouler, c'est parti...

Il quitta le bureau en laissant la porte ouverte sur la salle de rédaction. En principe, il s'agissait de *son* bureau, celui du rédacteur en chef, mais Lucrèce l'occupait avec lui de plus en plus souvent.

Songeuse, elle prêta un moment l'oreille aux bruits qui lui parvenaient. Lorsqu'elle avait débuté ici, le rédac chef s'appelait Marc et il lui en avait fait voir de toutes les couleurs. Déjà, à l'époque, elle était considérée comme la petite protégée de Valère, mais elle-même n'en savait rien. Sourire aux lèvres, elle pensa à tout le chemin parcouru depuis le jour lointain où elle s'était inscrite à l'IUT Michel-de-Montaigne, à la fac de Gradignan, pour obtenir son diplôme de journaliste. Son père ne l'avait pas prise au sérieux, alors qu'aujourd'hui il dévorait chacun de ses articles. Au moins, en choisissant ce métier, elle ne s'était pas trompée. En allait-il de même pour le reste de sa vie ? Avait-elle réglé tous ses conflits, atteint ses objectifs ? Elle était restée libre, et elle avait Roxane, mais n'était-il pas temps de construire autre chose ? « Ne passe pas à côté du bonheur », lui avait conseillé sa mère.

La sonnerie de son portable l'arracha à ses réflexions. L'écran affichait le numéro de Julien et elle répondit aussitôt.

— C'est un garçon ! hurla-t-il, surexcité. Nous sommes à la clinique depuis hier soir et, ça y est, l'infirmière vient de me le montrer ! Il est mignon, tu ne peux pas savoir !

— Oh, Julien… soupira-t-elle, l'émotion lui serrant la gorge. Je suis tellement contente pour vous ! Sophie va bien ?

— Fatiguée mais aux anges.

— Comment s'appelle mon neveu ?

— Ton neveu et filleul s'appelle Xavier. J'ai demandé à Mauvoisin d'être son parrain.

Elle perçut un léger tremblement dans la voix de Julien mais il se reprit pour ajouter :

— Tu viens quand ?

— Tout de suite, bien sûr !

L'édition du jour étant bouclée, elle pouvait filer à la clinique. Elle ramassa ses affaires en hâte, encore bouleversée par la nouvelle. Roxane avait un cousin, Xavier Cerjac… En lui donnant ce prénom, Julien affichait sa reconnaissance pour Mauvoisin, le seul homme qui l'ait aidé en tenant parfois le rôle de père duquel Guy avait démissionné. Lucrèce espéra que son frère finirait par pardonner. Sans doute le ferait-il en découvrant à quel point, malgré tous ses défauts, leur père savait être un grand-père attentif, affectueux, prêt à tout pour se racheter. En ce qui la concernait, elle avait fait la paix avec lui.

Le lendemain, en pénétrant dans l'hôtel *Burdigalia*, Lucrèce se sentait à la fois émue, impatiente, et aussi vaguement coupable. Elle n'avait rien dit de ce rendez-vous à Nicolas, persuadée qu'il ne comprendrait pas.

À l'entrée du restaurant, elle marqua un temps d'arrêt, fouillant la salle du regard. Presque tout de suite, elle le repéra, assis à une table près de la baie vitrée qui donnait sur le jardin. Costume bleu superbement coupé, chemise blanche à col ouvert, bronzé, il lui parut incroyablement attirant malgré son âge.

— Madame ? s'enquit un maître d'hôtel, affable, en s'arrêtant devant elle.

— J'ai rendez-vous avec ce monsieur, là-bas…

Combien de fois, en quinze ans, avait-elle rejoint Fabian dans un restaurant de Bordeaux ? L'idée qu'il n'habitait plus ici, qu'il n'y était que de passage, avait quelque chose de déprimant.

À l'instant où il la découvrit, s'avançant vers lui, son visage s'éclaira d'un sourire radieux tandis qu'il se levait pour l'accueillir.

— Je suis très heureux de te voir, dit-il de sa voix grave, chaude, dont elle connaissait tous les accents.

— Tu as l'air en forme… bredouilla-t-elle.

— J'ai passé une partie de l'été en Californie, chez des amis.

Dans son visage hâlé, ses yeux semblaient bleu acier. Aux États-Unis, il devait faire des ravages.

— Comment vas-tu, Lucrèce ? Je te trouve de plus en plus belle !

Fidèle à sa promesse, il l'avait appelée régulièrement, environ une fois par mois depuis son départ, pour bavarder avec elle sur un ton amical, mais sans vraiment lui confier ce qu'il devenait.

— Tu es là pour longtemps ?

— Non, je repars demain. Je suis venu régler quelques affaires. Mon appartement de la place Pey-Berland est enfin vendu, et je dois aussi rencontrer le directeur de Saint-Paul qui aimerait mettre sur pied un projet de collaboration internationale pour l'instant assez flou… Champagne ?

Il fit signe au sommelier à qui il commanda du Laurent Perrier.

— Je vais peut-être m'attarder un ou deux jours à Paris, le temps de faire quelques achats. Mais je trouve tout ce que je veux à New York, c'est une ville fabuleuse.

Elle savait qu'il habitait un somptueux duplex ultramoderne, mis à sa disposition par l'hôpital qui l'avait engagé.

— Tu es heureux, là-bas ?

Avant de répondre, il la dévisagea attentivement.

— D'un point de vue professionnel, c'est le paradis.

— Et sur un plan…

— Si tu me parlais de toi, ma belle ?

Son interruption, délibérée, fit comprendre à Lucrèce qu'il ne dirait rien de sa vie privée, soit par délicatesse, soit parce que le sujet était encore trop sensible.

— Je suis comme un poisson dans l'eau au *Quotidien du Sud-Ouest.*

— Je sais, je me suis abonné.

— C'est vrai ? dit-elle en ouvrant de grands yeux. Tu voulais des nouvelles du pays ?

— Pas précisément, mais au moins je vois la manière dont ton écriture évolue. Tu es toujours en progrès, je suis très admiratif. Valère doit boire du petit-lait, non ?

— Il vient d'annoncer qu'il conserve le titre, et il va y injecter pas mal d'argent. De quoi nous moderniser, on en a besoin !

— Ta réussite me fait très plaisir. Vraiment.

Il esquissa le geste de lui prendre la main mais se ravisa, avec un sourire d'excuse.

— Alors comme ça, enchaîna-t-il, tu voulais m'interviewer ? C'est un prétexte pour te justifier d'avoir accepté mon invitation à déjeuner ?

Un peu embarrassée, elle parvint à soutenir son regard.

— Je n'ai pas besoin de prétexte.

— Nicolas n'est pas jaloux ?

— Si. Mais je veux *aussi* faire cet article. Savoir pourquoi nos scientifiques s'en vont, pourquoi la France est incapable de retenir ses médecins, ses chercheurs… Montagnier est parti avant toi, et plein d'autres, il y a une raison.

— Pas de limite d'âge là-bas, et pas de limitation de crédits. En ce qui me concerne, ils m'ont donné absolument tout pour travailler dans des conditions idéales. Si on a quelque chose à vendre, y compris un savoir-faire, une expérience, ils sont prêts à y mettre le prix.

Son intérêt professionnel en éveil, Lucrèce hocha la tête.

— Alors qu'ici, tu considères que tu n'avais pas les moyens appropriés ?

— On manque effectivement de personnel dans les hôpitaux français. Il y a une pénurie cruciale d'infirmières, d'instrumentistes… et bientôt d'anesthésistes. La politique de santé est aberrante.

— C'est ce qui t'a donné envie de t'expatrier ?

À peine Lucrèce avait-elle posé sa question qu'elle la regretta, mais Fabian se contenta de sourire gentiment.

— Tu peux noter cette réponse-là dans ton article, même si nous savons tous les deux que mon départ n'a pas grand-chose à voir avec ma carrière de chirurgien.

L'espace d'une seconde, elle eut envie de revenir en arrière, de n'avoir jamais rompu avec lui. Mais à présent, elle était amoureuse pour de bon de Nicolas.

— Tu es toujours aussi séduisant, Fabian. Ne change jamais.

Il parut d'abord étonné de ce qu'elle venait de dire, puis amusé, et cette fois il lui prit carrément la main.

— Merci, ma chérie.

Elle sentit la douceur de ses doigts sur son poignet, toutefois il la lâcha très vite.

— Tu vas l'épouser ? demanda-t-il à mi-voix.

— Peut-être. Je ne sais pas encore.

— Fais-le, tu en as envie. Et dis-lui bien que, s'il ne te rend pas heureuse, l'Amérique n'est pas si loin. Dis-lui aussi que tu as déjeuné avec moi aujourd'hui.

Médusée, elle ne trouva rien à répondre.

— Des huîtres et du canard, ça te va ?

Il passa la commande avec son autorité habituelle mais la laissa choisir le vin. Lorsqu'ils furent de nouveau seuls, il la regarda en souriant.

— Si tu veux, je t'obtiendrai des renseignements auprès de mes confrères français qui ont choisi de vivre à New York. Pour ceux qui seront d'accord, tu n'auras qu'à les appeler toi-même.

— Ce serait fantastique !

L'attitude de Fabian, tendre et bienveillante, était exactement celle que Lucrèce avait espérée. Malgré tout ce qui les séparait désormais, il allait rester son ami.

Le matin du dimanche 26 décembre, Nicolas fut réveillé en sursaut, avant l'aube, par un bruit de tempête. Le vent hurlait au-dehors et dans les conduits de cheminée, une fenêtre battait violemment au rez-de-chaussée.

D'abord stupéfait par la violence des rafales qui semblaient secouer la maison, il alluma, jaillit hors du lit et se précipita sur son jean.

— Qu'est-ce que c'est ? interrogea Lucrèce d'une voix ensommeillée.

— Je ne sais pas…

Tout en enfilant à la hâte un col roulé, il revint vers elle, lui effleura l'épaule.

— Ne t'inquiète pas, je vais voir si Roxane est réveillée.

Plus anxieux qu'il ne voulait le montrer, il s'efforça de sourire mais Lucrèce était déjà debout.

— Je m'en occupe ! lança-t-elle.

Il acquiesça et descendit directement tandis qu'elle lui criait :

— Sois prudent, Nick !

En bas, un courant d'air d'une force incroyable faisait vibrer tous les carreaux. Il dut lutter pour refermer la fenêtre puis, appuyé au battant, il écouta avec angoisse le vacarme incroyable de l'ouragan, autour de la chartreuse. Les chênes, les noyers, ou même le grand cèdre bleu n'étaient pas assez proches de la maison pour être dangereux mais il pensa à la rangée de peupliers, qu'il avait lui-même fait planter pour s'isoler de Guillaume, à l'époque, et qui risquaient de se déraciner les uns après les autres. Sans compter, à quelques mètres de la façade du chai, un gigantesque tilleul bicentenaire. Si celui-là, qui offrait une grande prise au vent, se brisait, il couperait le chai en deux.

Nicolas se jeta sur le téléphone sans obtenir la moindre tonalité, et il courut récupérer son portable, dans la poche de son manteau. Il le considéra quelques instants, dépité, réalisant qu'Agnès ne possédait pas de téléphone mobile et qu'il ne pouvait pas la joindre.

— Nicolas ! cria Lucrèce, penchée au-dessus de la rampe. Je viens d'écouter la radio, c'est une sacrée tempête qui traverse la France, ils recommandent de ne pas sortir de chez soi.

Il la regarda descendre l'escalier, vêtue d'un jean moulant et d'un long pull noir, tenant Roxane par la main.

— Agnès doit être morte de peur, déclara-t-il, et il y a des arbres partout autour du chai. Je vais aller la chercher.

— Tu es fou !

Quelque chose heurta brutalement une fenêtre, dans un fracas de verre brisé.

— Seigneur, murmura Nicolas en examinant les débris qui venaient d'atterrir à ses pieds, les ardoises commencent à partir, ça va être un vrai jeu de cartes !

De part et d'autre du corps principal de la chartreuse, de plain-pied, les deux tours carrées étaient couvertes d'ardoises anciennes. Chaque année, en principe, un couvreur venait les vérifier, mais Guillaume ne s'en était certainement pas soucié depuis un moment. D'un geste résolu, Nicolas enfila son blouson et ses gants.

— Tu vas te faire décapiter si tu mets un pied dehors ! cria Lucrèce.

Haussant la voix pour couvrir le bruit du vent qui s'engouffrait dans la maison, Nicolas répliqua :

— Non, ne t'inquiète pas, je ferai très attention. Allez dans la cuisine, toutes les deux, c'est là qu'il y a le moins de surface vitrée. Si l'électricité saute, tu trouveras des bougies dans le placard de gauche, avec une torche.

Sans lui laisser le temps de protester, il entrouvrit la porte, se glissa à l'extérieur et dut batailler pour refermer. Le vent soufflait avec la force d'un ouragan et des branches gisaient un peu partout. Fugitivement, il se demanda ce qui se passait dans les vignes mais, à cette saison, les ceps ne craignaient rien.

Il partit en courant, ignorant les projectiles qui volaient autour de lui. Pour éviter de perdre du temps à contourner le grillage, il l'escalada, se glissa entre deux peupliers qui ployaient dangereusement, et reprit sa course vers le chai. Une tuile s'écrasa devant lui sur le gravier, lui faisant faire un bond de côté. Les toitures du chai, pourtant moins vulnérables que celles de la chartreuse, commençaient à se défaire elles aussi. Lorsqu'il passa à côté du tilleul, il l'entendit grincer et craquer, néanmoins il semblait tenir le coup pour l'instant.

— Agnès ! hurla-t-il en tambourinant sur la porte.

Dans sa précipitation, il n'avait pas pris la clef, mais sa belle-sœur lui ouvrit presque tout de suite. Emmitouflée dans une parka, un gros bonnet sur la tête, elle fit signe qu'elle le suivait. Après avoir refermé soigneusement, ils s'éloignèrent en courant, la main dans la main.

Avec Agnès, Nicolas ne pouvait pas reprendre le même chemin et il l'entraîna dans l'allée qui menait au portail. Celui-ci, arraché de ses gonds, avait été projeté assez loin pour n'être nulle part en vue dans la clarté diffuse de l'aube. Alors qu'ils atteignaient la route, une bourrasque plus violente fit trébucher Agnès et Nicolas lui lâcha la main pour la prendre par la taille.

— Baisse la tête et accroche-toi à moi ! cria-t-il.

Il pensait toujours au tilleul, se demandant combien de temps encore il résisterait à un vent d'une telle force. Sous cet arbre, se trouvaient depuis toujours une table et des bancs de pierre. Lorsqu'il habitait le chai, c'était son endroit préféré, l'été, il y avait passé des centaines d'heures à rêver en regardant les vignes où travaillait Roger Mauron. *Ses* vignes, aujourd'hui.

Devant le portail de la chartreuse, il marqua un temps d'arrêt. Il ne voulait pas prendre le risque de l'ouvrir et il fit la courte échelle à Agnès avant de l'escalader à son tour. Ils étaient presque arrivés au perron lorsqu'une ardoise le frappa de plein fouet, juste sur la tempe.

— Non, tu restes assis ! intima Lucrèce à Nicolas, d'un ton sans réplique.

Réfugiés dans le salon, dont elle avait réussi à fermer les volets, ils étaient installés tous les quatre autour du sapin de Noël. Une quinzaine de bougies, disposées un peu partout par Roxane, donnaient une allure fantomatique à la grande pièce. La chaudière s'étant mise hors service au moment de la coupure de courant, Lucrèce venait d'allumer un feu dans la cheminée, et l'incroyable appel d'air du conduit provoquait déjà de hautes flammes.

— Je n'avais jamais vu une tempête pareille, murmura Agnès.

Elle était encore sous le choc de la frayeur que lui avait causée Nicolas lorsqu'il s'était effondré, devant la terrasse. Lucrèce, qui les guettait, était sortie aussitôt et, à elles deux, elles avaient relevé Nicolas dont le visage était couvert de sang. Groggy, il avait titubé jusqu'au salon.

— Tu saignes encore ? demanda Roxane d'une toute petite voix.

— Non, ma chérie, ce n'est rien du tout, c'est déjà fini.

Il tendit les bras vers elle, l'installa sur ses genoux.

— J'ai eu peur, dit-elle gravement.

— Pour moi ? Tu es un amour !

Par-dessus son épaule, Lucrèce leur jeta un coup d'œil attendri. Roxane s'était attachée à Nicolas à une vitesse folle, comme si elle attendait un père depuis toujours. Parfois elle l'appelait Nick, imitant sa mère, et parfois elle disait papa, prononçant les deux syllabes avec une sorte de gourmandise qui bouleversait Nicolas à chaque fois. Deux jours plus tôt, il avait organisé pour elle un Noël de rêve. Toutes les pièces de la chartreuse étaient décorées, un gigantesque sapin trônait dans le salon, une crèche rassemblait une multitude de santons autour de l'étable, des dessins à la bombe ornaient chaque fenêtre, et il y avait même des guirlandes lumineuses dans la cage d'escalier. Déguisé en père Noël, Nicolas avait déversé de sa hotte une montagne de paquets au pied du sapin.

Bien entendu, Stéphanie n'avait pas voulu que Denis passe Noël avec son père, mais elle allait être obligée de le lui confier pour le réveillon de la Saint-Sylvestre, aussi préparait-il une nouvelle fête qu'il voulait féerique. Le passage à l'an 2000, en compagnie de Lucrèce et de ses deux enfants, lui paraissait lourd de symboles.

— J'ai eu peur aussi, tout à l'heure, quand tu es tombé, dit Lucrèce en s'approchant d'eux.

Elle se pencha vers Nicolas, vérifia le pansement de fortune qu'elle lui avait confectionné. À travers la porte-fenêtre du hall d'entrée, elle les avait vus arriver, puis quelque chose de sombre était passé dans son champ de vision et Nicolas avait disparu d'un coup. Sans réfléchir, elle était sortie, folle d'inquiétude. Quand elle l'avait vu à terre, couvert de sang, avec Agnès accrochée à lui, elle avait connu une seconde de véritable panique, le cœur au bord des lèvres. Depuis, elle y pensait avec un peu d'étonnement. Tenait-elle à lui à ce point-là ? L'idée de le perdre lui avait été absolument intolérable.

— On dirait tout de même que ça se calme un peu, constata Agnès qui guettait les bruits du dehors.

D'un geste plein de tendresse, Lucrèce posa une main sur les cheveux de Roxane et l'autre sur l'épaule de Nicolas.

— Nous ne sortirons pas d'ici tant que ce ne sera pas *parfaitement* calme, déclara-t-elle.

Elle avait réussi à joindre son père, qui n'avait aucun dégât à déplorer chez lui, puis sa mère, que la tempête n'avait même pas réveillée. En revanche, Sophie s'inquiétait pour Julien, descendu en pleine nuit dans les écuries pour tenter d'apaiser les chevaux affolés. Quant aux parents de Stéphanie, ils avaient laissé un message laconique à Nicolas, assurant que tout allait bien chez eux.

— Drôle de façon d'achever l'année, fit remarquer Agnès. Entre les inondations, la marée noire, et maintenant cet ouragan, on dirait la fin du monde...

Lucrèce se redressa aussitôt et consulta sa montre.

— On va avoir un million de choses à faire au journal, dit-elle d'une voix tendue.

— Tu n'iras pas à Bordeaux ce matin, protesta Nicolas. Les routes doivent être coupées par des arbres abattus, ou par...

— Mon amour, j'ai du travail, je vais me changer !

Déjà préoccupée par l'éditorial qu'André Bosc allait évidemment lui laisser le soin de rédiger, elle ne laissa pas à Nicolas le temps d'ajouter quoi que ce soit.

Ponctuels, Julien et Sophie sonnèrent à vingt et une heures précises, le 31 décembre. Ils avaient confié leur bébé à Christiane Granville, ravie de cet excellent prétexte pour rester chez elle au lieu d'accompagner son mari dans son interminable tournée de bons vœux auprès de ses électeurs.

Si Sophie connaissait déjà la chartreuse des Brantôme, Julien la découvrait et il se déclara emballé par la maison.

— Tu as une chance folle de vivre là ! dit-il en prenant sa sœur par le cou.

Il avait emmené avec lui Xavier Mauvoisin, spontanément invité par Lucrèce lorsqu'elle avait appris que non seulement le vieux monsieur était seul pour le réveillon, mais que de surcroît le toit du manège s'était envolé durant la tempête. Une équipe d'ouvriers était déjà à l'œuvre sur la charpente, cependant toute la vie du Cercle de l'Éperon se trouvait désorganisée.

Emmanuelle arriva juste après eux, chargée des livres que Nicolas lui avait commandés pour les enfants. Après l'avoir embrassée, il la garda quelques instants dans ses bras, lui disant combien il était content qu'elle soit venue finir l'année avec eux.

— Je crois que tu aimes davantage ma mère que moi ! s'exclama Lucrèce en riant.

Leur complicité, qui l'avait si souvent étonnée, la rendait en réalité très heureuse.

— Je l'ai connue avant toi, rappela Nicolas avec un sourire charmeur.

Pour cette soirée exceptionnelle, Roxane et Denis avaient été autorisés à veiller. Le petit garçon, du haut de ses neuf ans, se comportait avec le sérieux d'un grand frère, initiant sa sœur à tous les jeux qu'il connaissait pour le seul plaisir de la voir ouvrir de grands yeux émerveillés.

Lucrèce fila à la cuisine où Agnès était en train de faire revenir des coquilles Saint-Jacques.

— Je prends le relais si tu veux, va donc boire un verre avec les autres !

— Non, non, c'est le moment crucial, je ne peux pas les lâcher. Nick les aime à peine cuites…

Lucrèce se mit à rire, amusée par l'inépuisable dévouement d'Agnès pour son beau-frère.

— Arrête de le traiter comme un coq en pâte, avec moi il va déchanter.

— Oh, toi, tu pourrais lui servir un gratin de carton bouilli, il trouverait ça divin, il en redemanderait !

Agnès se tourna vers elle pour lui adresser un clin d'œil.

— Il t'aime à la folie, et ça fait très longtemps que ça dure.

D'un signe de tête, Lucrèce acquiesça. Nicolas se gardait bien de l'abreuver de déclarations d'amour intempestives, mais chacun de ses regards et le moindre de ses mots le trahissaient. Jamais Fabian ne lui avait donné une telle sensation d'être aimée, admirée, protégée.

Protégée… Pourquoi venait-elle de penser une chose pareille ? Elle n'avait nul besoin d'être défendue, elle assumait très bien sa vie toute seule ! À moins que… Qu'avec la maturité, elle ne soit enfin prête à accepter de s'abandonner un peu ? Rien ne l'obligeait à tenir Nicolas à distance, elle n'avait plus rien à redouter de lui ni d'elle-même.

— Je peux vous aider ? lança Sophie en entrant à son tour dans la cuisine.

— Oui, viens, on va libérer Agnès, le *moment crucial* est passé.

Un coup de sonnette retentit, et Lucrèce ajouta :

— C'est sûrement papa, il avait promis de venir prendre une coupe de champagne avec nous.

Elle vit Agnès se troubler, ôter précipitamment son tablier puis se dépêcher de sortir.

— Oh, si seulement ! chuchota Lucrèce.

Essayant d'étouffer le fou rire qui la gagnait, elle tendit une cuillère en bois à Sophie.

— Goûte… Je devrais rajouter du poivre, non ?

— Tu crois que ton père et…

— Je le leur souhaite ! Agnès est une femme formidable, et elle revient de loin. Ici, dans cette cuisine, elle a passé des années à trembler à l'idée que son mari risquait de la tabasser pour un rôti mal cuit !

Elle fit glisser les coquilles Saint-Jacques sur un plat, piqua chacune d'un bâtonnet de bois.

— On va leur servir ça en apéritif, ils vont se régaler. Tu veux bien prendre deux bouteilles de champagne ?

Elles regagnèrent ensemble le salon où tout le monde parlait à la fois.

— C'est gentil d'être passé, dit Lucrèce à son père.

— Je trinque avec vous et je me sauve, répondit-il d'un air gêné.

Au prix de quelle scène de ménage avait-il pu échapper, l'espace d'une heure, à Brigitte et à ses deux filles cadettes ? Du coin de l'œil, elle l'observa tandis qu'il goûtait une coquille Saint-Jacques. Il avait fait un gros effort en venant jusqu'à Saint-Laurent, mais sans doute ne voulait-il plus oublier, désormais, qu'il avait deux aînés, ainsi que des petits-enfants.

— Je te débarrasse, murmura Nicolas en lui prenant les bouteilles de champagne des mains. T'ai-je déjà dit que cette robe est une merveille sur toi ?

Elle sentit qu'il effleurait son dos, dénudé par le décolleté, et elle tressaillit. Elle avait choisi un fourreau de soie sauvage vert émeraude, fendu sur le côté, qui mettait en valeur sa silhouette fine et ses longues jambes. En la voyant s'habiller, Nicolas s'était déclaré complètement subjugué.

— On meurt de soif, chez vous ! leur lança Julien.

Laissant Nicolas faire le service, Lucrèce rejoignit son frère.

— Je vais faire un article sur toi en janvier, annonça-t-elle. Après tout, tu es l'une des vedettes de Bordeaux, il faut que ça se sache !

— L'équitation n'intéresse pas beaucoup le grand public.

— C'est toi qui vas l'intéresser. Tu es un champion, et dans une discipline où la France s'est toujours illustrée. Il est temps de parler d'autre chose que de foot dans les journaux ! Et dis-moi… Je crois savoir que Granville t'a enfin trouvé un sponsor ?

— Oui, le Conseil régional, ça y est, c'est fait. Pour une fois que beau-papa sert à quelque chose…

Ils échangèrent un long regard, certains de se comprendre. Julien ne pardonnerait jamais certaines choses à Arnaud Granville. Entre autres d'avoir mis en doute la parole de Sophie, lorsqu'elle n'était qu'une toute jeune fille harcelée par un enseignant pervers, et aussi d'avoir cherché à l'empêcher de témoigner au procès quelques années plus tard.

— Tu t'en souviens ? demanda-t-il à voix basse. Il ne voulait plus que tu voies Sophie, il trouvait que tu avais une mauvaise influence sur elle, il était même venu te menacer au pavillon… Quel con ! Et, à elle, il lui avait coupé les vivres. Comment peut-il me regarder en face ? « Mon cher Julien » par-ci, « mon gendre » par-là… On croit rêver !

Lucrèce éclata de rire devant l'air outré de son frère.

— C'est du passé, Julien. Et puis, tu t'en moques, tu n'as pas besoin de lui, tu n'as besoin de personne, tu l'as assez prouvé !

— Toi aussi, répliqua-t-il.

Redevenue sérieuse, elle le dévisagea.

— On s'est bien battus, non ? murmura-t-elle.

Le temps était loin où ils arrivaient à peine à payer le loyer du pavillon avec leurs deux salaires dérisoires. Il lui entoura les épaules de son bras et serra un peu trop fort.

— Comme des chefs, approuva-t-il.

Elle le savait rancunier, sans doute parce qu'il avait été très seul et très malheureux, mais elle espéra qu'il finirait par absoudre tout à fait leur père. Elle l'avait bien fait, elle, et elle se sentait en paix.

— Mes grands, je vais vous laisser, il faut que je rentre, annonça Guy en s'arrêtant devant eux. J'adore vous voir comme ça tous les deux… Toujours solidaires, hein ?

Il le disait avec une émotion évidente, qui laissait apparaître ses regrets. Lucrèce le raccompagna jusqu'à la porte et lui souhaita tout le bonheur possible dans le nouveau millénaire.

— J'essaierai, oui… J'ai trouvé ta mère très en forme… Quant à toi, tu es radieuse ! Tu sais, ma Luce, je voulais te parler de… Bon, là, ce n'est pas le moment. On déjeunera ensemble la semaine prochaine, si ça te dit…

— Oui, papa. Avec plaisir.

Elle le regarda partir, un peu mélancolique, mais presque aussitôt elle sentit Nicolas derrière elle.

— Tout va comme tu veux, mon amour ?

— Oui, répondit-elle d'un ton ferme.

Malgré ses hauts talons, elle dut lever la tête pour l'embrasser au coin des lèvres.

Il était presque trois heures du matin lorsque Nicolas et Lucrèce se retrouvèrent seuls. Les enfants dormaient depuis longtemps, Agnès avait regagné le chai, et Julien avait raccompagné tout le monde, y compris Emmanuelle, un peu éméchée par le fabuleux pauillac-château-latour de 1982 choisi par Nicolas.

— On a oublié d'allumer la télé et on a raté l'embrasement de la tour Eiffel, soupira Lucrèce en regardant la cuisine dévastée.

— Tu voulais voir les Parisiens en délire ? Paris te manque ?

— Oh, non ! Tiens, si tu me sers une dernière coupe, je crois que je peux la boire avant de m'écrouler pour au moins douze heures.

— À peine réveillée, tu penseras à l'édition du 2 janvier, fit remarquer Nicolas en lui tendant un verre de champagne.

— Probablement, oui… Est-ce que ça t'ennuie ?

— Non, pas du tout. Je pense à mes vignes tous les matins.

Il se versa un peu de pauillac, qu'il contempla d'un air songeur.

— Même si je ne parviens jamais à un résultat pareil, je crois que je vais me faire plaisir dans les années à venir. Du moins, je l'espère…

Un bip discret mais insistant se fit entendre à l'autre bout de la cuisine, sur le plan de travail où Lucrèce avait abandonné son téléphone portable. Elle alla le récupérer au milieu du désordre de vaisselle qui s'étendait partout.

— Il est presque en panne de batterie, constata-t-elle en jetant un coup d'œil à l'écran.

Elle y découvrit l'icône de la petite enveloppe signalant qu'elle avait un message écrit et elle demanda l'affichage du texte. Durant quelques instants, elle resta silencieuse, les yeux baissés sur les quatre phrases envoyées par Fabian. Quand elle releva la tête, elle vit que Nicolas l'observait, mais sans bouger. Il n'allait évidemment pas lui poser de question, ni chercher à savoir ce qu'elle lisait.

— Bons vœux pour l'an 2000 en provenance de New York, déclara-t-elle. Tu veux voir ?

— Bien sûr que non.

— Je réponds, j'en ai pour une minute.

L'affection qu'elle conservait pour Fabian ne devait pas être dissimulée comme quelque chose de répréhensible ou de gênant, et elle n'avait aucune envie de se cacher. Tandis qu'elle appuyait sur les touches pour composer son message, elle jeta un coup d'œil à Nicolas qui restait immobile, savourant son pauillac à petites gorgées. Finalement, il se détourna et commença à ranger les assiettes dans le lave-vaisselle.

— Non, laisse, pas maintenant.

Elle reposa son téléphone, franchit la distance qui les séparait.

— On s'en occupera demain, Nick. Il y a une meilleure façon d'attaquer l'an 2000.

D'une main impatiente, elle commença à dénouer sa cravate, à déboutonner sa chemise.

— Si tu fais ça, Lucrèce, je n'aurai pas le courage de monter l'escalier.

— Et alors ?

Il hocha la tête, esquissa un sourire puis chercha la fermeture invisible du fourreau.

— Je t'aime, dit-il en faisant lentement glisser le tissu soyeux jusqu'à ce que la robe tombe aux pieds de Lucrèce. Tu es superbe…

Il se pencha vers elle, posa sa bouche sur la peau nue.

— Pourquoi ne me demandes-tu pas en mariage, Nick ? Tu me trouves trop vieille ? Tu as peur que je dise oui ?

— Tu dirais oui ? chuchota-t-il d'une voix altérée.

Brusquement, il se redressa pour la regarder.

— Tu n'as jamais mis que seize ans à te décider !

Comme il faisait un peu froid dans la cuisine, elle frissonna et il la prit aussitôt dans ses bras, la souleva en la serrant contre lui.

— Ce sera la chambre, Lucrèce, tant pis pour toi !

Elle perdit un escarpin dans le hall, l'autre dans l'escalier. La tête blottie sur l'épaule de Nicolas, elle avait l'impression d'être légère comme une plume.

Lorsqu'il la déposa sur le lit, elle s'accrocha à lui, prit son visage entre ses mains.

— Nicolas, dit-elle doucement, je t'aime.

L'avouer ne lui faisait pas perdre sa liberté. Au contraire, elle sut avec certitude qu'elle venait de trouver quelque chose. En somme, c'était beaucoup plus facile d'être heureuse que tout ce qu'elle avait pu croire jusque-là.

Cet ouvrage a été composé et mis en page
par Nord Compo à Villeneuve-d'Ascq

Imprimé en France par CPI
en juillet 2020
N° d'impression : 3039668

Dépôt légal : octobre 2005
Suite du premier tirage : juillet 2020
S14928/18